प्राचीन भारत
एक रूपरेखा

CW01084369

HINDI GRANTH KARYALAY
Publishers Since 1912
9 Hirabaug C.P. Tank Mumbai 400004 INDIA

Telephone : +91.22.**2382.6739**

Email : jainbooks@aol.com

प्राचीन भारत
उदीच्य
अपरान्त
मध्य देश
प्राच्य
अपर समुद्र
पूर्व समुद्र
हिमालय
कश्मीर
तक्षशिला
हड़प्पा
हरिद्वार
हस्तिनापुर
इन्द्रप्रस्थ
पंचाल
कोशल
अयोध्या
श्रावस्ती
कपिलवस्तु
मिथिला
वैशाली
विदेह
पाटलिपुत्र
नालंदा
राजगृह
गया
काशी
कौशाम्बी
प्रयाग
गंगा नदी
अंग
उज्जयिनी
पुष्कर
अजमेर
सौराष्ट्र
नर्मदा नदी
ताप्ती नदी
विंध्य पर्वत
रत्नपुर
कोशल
दक्षिण
गोदावरी नदी
आंध्र
कलिंग
वेंगी
कृष्णा नदी
वनवासी
कुमारी
0
300
600 Km

प्राचीन भारत
एक रूपरेखा

डी. एन. झा

मनोहर
२०१२

कापीराइट १९८०, १९९७, डी. एन. झा

ISBN 81-7304-216-0

अनुवादक: कन्हैया

प्रथम सात मुद्रण
पीपुल्स पब्लिशिंग हाउस (प्रा.) लिमिटेड, नई दिल्ली
से प्रकाशित

आठवां मुद्रण (१९९७) अजय कुमार जैन द्वारा
मनोहर पब्लिशर्स एंड डिस्ट्रिब्यूटर्स
४७५३/२३ अन्सारी रोड, दरियागंज
नई दिल्ली 110002 से प्रकाशित

नवम मुद्रण १९९८
दसवां मुद्रण १९९८
ग्यारहवां मुद्रण १९९९
बारहवां मुद्रण २०००
तेरहवां मुद्रण २०००
चौदहवां मुद्रण २००२
पंद्रहवां मुद्रण २००३
सोलहवां मुद्रण २००४
सत्रहवां मुद्रण २००५
अठारहवां मुद्रण २००७
उन्नीसवां मुद्रण २००९
बीसवां मुद्रण २०१०
इक्कीसवां मुद्रण २०१२

सालासर इमेजिंग सिस्टमस्, दिल्ली में मुद्रित

राजीव

शेखर

आभा

दिव्या को

स प्रे म त था स स्ने ह

अंग्रेजी संस्करण का आमुख

यह पुस्तक मुख्यतः उन सामान्य पाठकों के लिए लिखी गयी है, जो भारत के प्रारम्भिक इतिहास में थोड़ी-बहुत दिलचस्पी रखते हैं। इसमें छठी शताब्दी में गुप्त-साम्राज्य के पतन तक की प्राचीन भारत की प्रमुख ऐतिहासिक घटनाओं को समेटा गया है और इस विषय पर हाल में विशेषज्ञों ने जो अध्ययन किया है, उस पर ध्यान दिया गया है।

दिल्ली विश्वविद्यालय में इतिहास-विभाग के अध्यक्ष प्रोफेसर आर. एस. शर्मा ने इस पुस्तक की पांडुलिपि देखी है। उनके सुझावों और बारीक टिप्पणियों से मुझे बहुत मदद मिली है। मैं आस्ट्रेलियाई राष्ट्रीय विश्वविद्यालय, कैनबरा, के प्रोफेसर ए. एल. बाशम के प्रति आभार व्यक्त करता हूं, जिन्होंने कई बातों पर नये सिरे से सोचने के लिए मुझे प्रेरित किया। मैं मानचित्रों का रेखांकन करने के लिए श्री एस. सेनगुप्त के प्रति, अनुक्रमणिका तैयार करने के लिए पटना विश्वविद्यालय में इतिहास के प्राध्यापक श्री कामेश्वर प्रसाद के प्रति और चित्रों के लिए भारतीय पुरातत्व सर्वेक्षण के प्रति कृतज्ञता प्रकट करता हूं। मैं अपने मित्रों—प्रोफेसर आर. एल. शुक्ल, श्री मोहित सेन, श्री एम. बी. राव और श्री सुबोध राय का भी आभारी हूं, जिनकी सत्प्रेरणाओं से यह अनुष्ठान पूरा हो सका। अपनी पत्नी राजरानी को, जिन्होंने विविध रूपों में अकिंचन भाव से मेरी सहायता की है, किन शब्दों में धन्यवाद दूं, समझ नहीं पा रहा हूं।

डी. एन. झा

दिल्ली
१५ मार्च १९७७

विषय-सूची

चित्र-सूची

(सभी चित्र पुस्तक के अंत में दिये गये हैं)

मानचित्र-सूची

प्रस्तावना

प्राचीन भारत का इतिहास लिखने का काम प्रायः आंग्ल ईस्ट इण्डिया कंपनी की स्थापना के बाद अठारहवीं शताब्दी में शुरू हुआ। आंग्ल ईस्ट इण्डिया कंपनी आरंभ में एक व्यापारिक संस्था थी। उसने धीरे-धीरे कुछ क्षेत्रों पर कब्जा जमा लिया और भारतीय उपमहाद्वीप में ब्रिटिश साम्राज्य की नींव डाल दी। कंपनी के अफसरों की बढ़ती हुई प्रशासनिक जिम्मेदारियों ने उन्हें भारत की जनता के कानूनों, रीति-रिवाजों और इतिहास से अवगत होने के लिए अनुप्राणित किया। इसलिए यह कोई आश्चर्य की बात नहीं है कि उनमें से चार्ल्स विल्किन्स, एच. टी. कोलब्रुक और विलियम् जोन्स जैसे कुछ व्यक्तियों ने भारतीय साहित्य और संस्कृति में गहरी रुचि प्रदर्शित करना शुरू कर दिया। भारतीय अनुशीलन को बढ़ावा देने के लिए लगभग १७८४ में विलियम जोन्स के प्रयासों से एशियाटिक सोसाइटी ऑफ बंगाल की स्थापना की गयी। उन्नीसवीं शताब्दी के मध्य तक, भारत के अतीत के बारे में बुद्धिजीवियों की उत्सुकता, भारत में आने वाले कम्पनी के अफसरों तक ही सीमित नहीं रह गयी, बल्कि अनेक यूरोपीय विश्वविद्यालय भारतीय संस्कृति में रुचि लेने लगे और वहां कई विद्वानों ने संस्कृत और उससे संबद्ध विषयों पर काम किये। प्रारंभ के प्राच्यविदों और भारतविद्याविदों में मैक्स मूलर सबसे अधिक विख्यात हैं ; जिन्होंने भारत की यात्रा कभी नहीं की।

प्राच्यविद्या के अध्ययन-अनुशीलन के फलस्वरूप संस्कृत और कई यूरोपीय भाषाओं में पारस्परिक संबंधों का सूत्रपात हो गया। इससे एक सामान्य भारोपीय क्षेत्र और विरासत का भाव जाग्रत हो गया। भारत के आर्य यूरोप-वासियों के भाई समझे जाने लगे। केशवचन्द्र सेन जैसे कुछ उच्चवर्गीय भारत-वासियों ने इस विचार को अक्षरशः स्वीकार कर लिया और उन्होंने अंग्रेजों के साथ भी भारतवासियों का संबंध जोड़ दिया। आर्यों और आर्येतरों के बीच विभाजन की रेखा खींच दी गयी तथा आर्यों को अनेकानेक गुणों से मंडित कर दिया गया। इसके फलस्वरूप भारतीय संस्कृति पर संस्कृत के आधिपत्य को स्वीकार करने की प्रवृत्ति जग पड़ी।

मैक्स मूलर जैसे पहले के प्राच्यविदों ने सनातन भारतीय ग्राम-समुदायों की अपरिवर्तनीय उदात्तता की भूरि-भूरि प्रशंसा की। उन्होंने यह विचार

स्थिर किया कि भारत आध्यात्मिक चिन्तन करने वाले और अपने भौतिक जीवन से बहुत ही कम संबंध रखने वाले दार्शनिकों का देश है। उन्होंने भारतीय समाज का काव्यात्मक चित्रण किया, जहां किसी प्रकार का तनाव अथवा सामाजिक भेदभाव नहीं था। तीव्र औद्योगीकरण के फलस्वरूप होने वाले परिवर्तनों से उनका हृदय उद्विग्न हो गया और उन्होंने भारत के नाम पर एक काल्पनिक सिद्धान्त गढ़ लिया तथा उससे अपना अभेद्य संबंध स्थापित कर लिया। इस तरह मैक्स मूलर ने संस्कृत के आधार पर अपना नाम मोक्ष-मूल रख लिया। लेकिन मैक्स मूलर और उनके समकालीन विद्वानों के विचार उन्नीसवीं शताब्दी के इंगलैण्ड के अनुकूल सिद्ध नहीं हो सके; क्योंकि वहां के बौद्धिक जीवन पर चार्ल्स ग्राण्ट के नेतृत्व में ईसाई मिशनरियों का तथा मुख्यत: जेम्स मिल जैसे उपयोगितावादियों का प्रभुत्व कायम था।

ईसाई मिशनरियां हिन्दू धर्म के प्रति सहानुभूतिशील नहीं थीं। उन्होंने अपना मंतव्य व्यक्त किया कि हिन्दू धर्म को "अधिक से अधिक मनुष्य की नासमझी का परिणाम कहा जा सकता है और निकृष्ट रूप में कहा जा सकता है इसके उद्भव के पीछे शैतान की प्रेरणा काम करती है।" चार्ल्स ग्राण्ट के अनुसार भारत के लोग हिन्दू धर्म के कारण "पतित" अवस्था में जीवनयापन करते हैं; क्योंकि हिन्दू धर्म बेईमानी, धोखाधड़ी, खुदगर्जी, सामाजिक अलगावों, महिलाओं की निम्न अवस्था, यौन-पापाचार आदि जैसे कुकर्मों का स्रोत है। उनका ख्याल था कि ईसाई धर्म स्वीकार करने से ही उन्हें मुक्ति मिल सकती है। ग्राण्ट स्वयं कोई धर्म-प्रचारक नहीं था, तथापि वह मिशनरी-क्षेत्र का एक प्रभावशाली व्यक्ति था। उसने उन्नीसवीं शताब्दी के मिशनरी-चिन्तन और भारत-विषयक लेखन पर अमिट और गहरा प्रभाव डाला।

उपयोगितावादियों ने भी मिशनरियों की ही भांति भारत के प्रति वैमनस्य का रुख अपनाया। यह बात १८१७ में तीन खंडों में प्रकाशित जेम्स मिल के **ब्रिटिश-कालीन भारत का इतिहास** से स्पष्ट हो जाती है। मिल ने भारतीय इतिहास को तीन कालों में विभक्त किया, अर्थात हिन्दू-काल, मुस्लिम-काल और ब्रिटिश-काल। इस प्रकार भारतीय इतिहास-लेखन में सांप्रदायिक पूर्वाग्रह का बीजारोपण कर दिया गया। उसने भारतीय संस्कृति की अनावश्यक आलोचना करते हुए यह मान लिया कि समकालीन भारत के साथ-साथ प्राचीन भारत भी बर्बर और नासमझ था। उसने कहा कि भारतीय सभ्यता ने राजनीतिक मूल्यों की ओर तनिक भी ध्यान नहीं दिया और भारत पर अनेक निरंकुश शासकों ने शासन किया। भारतीय समाज प्रारंभ से ही गतिहीन रहने के कारण प्रगति का विरोधी रहा और केवल ब्रिटिश-कालीन कानूनों के कारण उसमें परिवर्तन हुए।

हेलबरी कालेज और अन्य संस्थाओं में, जहां भारत आने के पहले अंग्रेज अफसरों को प्रशिक्षित किया जाता था, मिल का इतिहास पाठ्यपुस्तक के रूप में स्वीकृत था। इसीलिए यह बहुत संभव है कि ब्रिटिश प्रशासकों द्वारा लिखित ऐतिहासिक कृतियां अपना पूरा असर छोड़ जाती थीं।

जिन ब्रिटिश प्रशासकों ने प्राचीन भारत का इतिहास लिखा है, उनमें विन्सेण्ट ए. स्मिथ सबसे अधिक प्रसिद्ध है। वह भारतीय लोक-सेवा के सदस्य के रूप में १८६९ में भारत आया और १९०० तक सेवा में संलग्न रहा। स्मिथ के हृदय में मिल की अपेक्षा भारत के प्रति कम कटुता थी और वह इस बात पर कभी विश्वास नहीं करता था कि भारत में निरंकुश तानाशाही शासन की एक लंबी परंपरा थी और अंग्रेजों ने उस परंपरा को समाप्त किया। हां, उसने यह निष्कर्ष अवश्य निकाल लिया कि भारतवासी स्वयं शासन करने के योग्य नहीं हैं। स्मिथ ने अपने समकालीन अंग्रेज इतिहासकारों के प्रमुख रुझानों का समर्थन करते हुए ऐतिहासिक महापुरुषों की ओर ध्यान दिया है। सिकंदर, अशोक, चन्द्रगुप्त द्वितीय और अकबर उसके नायक थे। फिर भी स्मिथ ने प्राचीन भारत के राजाओं की क्रूरता का बढ़ा-चढ़ाकर वर्णन किया। उसके मतानुसार **अर्थशास्त्र** की व्यवस्था शाही जर्मनी के समान थी, जिसके साथ उस समय अंग्रेजों की लड़ाई चल रही थी। कौटिल्य की दंड-सहिता का वर्णन करते हुए कहा गया कि वह "क्रूर और भयानक" थी, लेकिन इस तथ्य को भुला दिया गया कि अन्य प्राचीन विधि संहिताएं कम क्रूर और भयानक नहीं थीं। प्रशासनिक पदों पर काम करने वाले ब्रिटिश विद्वानों द्वारा लिखित भारत की अधिकांश इतिहास-पुस्तकों पर स्मिथ के विचारों की गहरी छाप है। भारतीय इतिहास-लेखन के विकास में उनकी कृतियों के महत्व और मूल्य को घटाया नहीं जा सकता है। फिर भी वास्तविकता यह है कि उन्होंने भारत का प्रारंभिक इतिहास इस दृष्टिकोण से लिखा, जिसमें ब्रिटिश राज के अनुरक्षण को इतिहाससम्मत माना जा सके तथा अंग्रेजों द्वारा भारतीय स्रोतों के शोषण का समर्थन किया जा सके। इसके परिणामस्वरूप ऐतिहासिक प्रमाणों को बहुत तोड़-मरोड़ कर पेश किया गया।

प्राचीन भारतीय इतिहास के संबंध में ब्रिटिश विचारधारा को अनिवार्यतः उन भारतीय विद्वानों की प्रबल चुनौती का सामना करना पड़ा, जो जाने-अनजाने भारत के सुधारवादी नेताओं के साथ-ही-साथ प्रबल राष्ट्रीय भावना तथा राजनीतिक जागरण से प्रभावित थे। रामकृष्ण परमहंस ने इस बात पर जोर दिया कि हिन्दू धर्म ने सभी धर्मों को अपने में समाविष्ट कर लिया है। उनके शिष्य विवेकानंद और बाद में एनीबेसेण्ट ने हिन्दू धर्म का वर्चस्व सिद्ध

करने का प्रयास किया। बंकिमचन्द्र ने बतलाया कि राष्ट्र के रूप में भारत के उत्थान के लिए हिन्दुत्व का पुनरुद्धार बहुत आवश्यक है। आर्य समाज के संस्थापक दयानंद सरस्वती ने आह्वान किया कि "वेदों की ओर लौट चलो।" इन बातों से प्रभावित होकर भारतीय विद्वानों ने हिन्दुत्व का डटकर समर्थन किया। बहुधा यह कहा जाने लगा कि वेदों में हिन्दू धर्म के सर्वोत्तम स्वरूप को निरूपित किया गया है। वेदों को संपूर्ण ज्ञान और विवेक-सम्मत चिन्तन का भंडार मान लिया गया तथा यह प्रचार किया गया कि कुछ आधुनिक वैज्ञानिक आविष्कारों की जानकारी पहले भी थी। इसका फल यह हुआ कि राष्ट्रवादी नेताओं और इतिहासकारों की कल्पना को आर्यजाति के मिथक ने आक्रांत कर लिया। मैक्स मूलर जैसे पहले के प्राच्यविद संस्कृत और कुछ यूरोपीय भाषाओं के बीच घनिष्ठ संबंध स्थापित कर चुके थे। अब भारतीय विद्वानों ने यह सोचना शुरू कर दिया कि भारतीय आर्य ही मानव-सभ्यता के प्रवर्त्तक थे और भारत ही उस सभ्यता का उद्गम-स्थल है। स्वभावत: उन लोगों ने भारतीय संस्कृति के अतीत को और पीछे की ओर ले जाने का प्रयत्न किया। बाल गंगाधर तिलक ने वेदों का समय तीन हजार साल ई. पू. निर्धारित किया और ए. सी. दास ने कुछ ऋग्वैदिक ऋचाओं का संबंध भू-वैज्ञानिक युग से जोड़ दिया। यद्यपि १९२३-२४ में हड़प्पा सभ्यता की खोजों ने इस विचारधारा को गलत साबित कर दिया तथापि कुछ पुरातनपंथी भारतवासी वेदों की प्राचीनता के संबंध में बेसिर-पैर की बातों से आज भी प्रभावित हैं।

१९०५ में बंग-भंग और उसके साथ ही संघर्षोन्मुख राष्ट्रीय उत्थान की घटनाओं के बाद राजनीतिक क्षेत्रों में अतिवादी प्रवृत्तियों के पनपने से भारतीय इतिहास-लेखन पर समसामयिक राजनीति की काली छाया मंडराने लगी। भारतीय इतिहासकारों ने अंशत: भारत के अतीतकालीन साम्राज्यवादी दृष्टिकोण के संबंध में प्रतिक्रियावादी रुख अपनाकर और अंशत: राष्ट्रीय स्वाभिमान की स्थापना के सिलसिले में कई कदम आगे बढ़कर भारत की अतीतकालीन प्रतिमा को फिर से चमकाने का दुराग्रह शुरू कर दिया। हिन्दू संस्कृति को अन्य एशियाई संस्कृतियों के अग्रदूत के रूप में देखा गया; जिससे विश्व-हिन्दूवाद की विचारधारा पुष्ट होने लगी। भारतीय इतिहास के प्राचीन युग को आम सुख और समृद्धि का युग समझा जाने लगा। सामाजिक विषमताओं की आलोचना की गयी और भारतीय समाज को सामाजिक मैत्री तथा शांति के प्रतीक के रूप में चित्रित किया गया। गुप्त-काल की प्रशंसा के पुल बांध दिये गये और उसे भारत के इतिहास में स्वर्णिम युग मान लिया गया। इस विचार को आज भी अधिकांश पाठ्यग्रंथों में स्थान दिया जाता है।

तीसरे दशक में राजनीतिक अधिकारों और प्रतिनिधित्वमूलक सरकार

की स्थापना की मांगें भारत में जोर पकड़ने लगीं, तो राष्ट्रवादी इतिहासकारों ने राजनीतिक विचार और व्यवहार के क्षेत्रों में प्राचीन युग के हिन्दुओं की महानतम उपलब्धियों का दावा करना शुरू कर दिया। ऐसा करते हुए वे लंबी-चौड़ी हांकने लगे और यह बात कौटिल्य के **अर्थशास्त्र** की खोज और उसके प्रकाशन के बाद और भी उजागर होने लगी। कौटिल्य की सामाजिक और आर्थिक नीतियों तथा बिस्मार्क के सामाजिक विधान के बीच में समानांतर रेखाएं खींच दी गयीं। कौटिल्य के विधान के बारे में यह मान लिया गया कि वह राजकीय समाजवाद और अहस्तक्षेप की नीतियों का सम्मिश्रण है। **अर्थशास्त्र** की **मंत्रिपरिषद** की तुलना ब्रिटेन की प्रिवी काउन्सिल और कौटिल्य के राजतंत्र की तुलना ब्रिटेन के संवैधानिक राजतंत्र से की गयी। भारत के प्राचीन कबीलाई कुलीनतंत्रों को एथेन के जनतंत्र के समकक्ष ठहराया गया। यह सब कुछ यह सिद्ध करने के लिए किया गया कि भारत के लोगों को बहुत पहले से ही जनतांत्रिक शासन की परंपरा की जानकारी थी, जिसके लिए वे अंग्रेजों से संघर्ष कर रहे हैं। इस प्रकार राष्ट्रवादी इतिहासकारों ने हमारे स्वाधीनता आन्दोलन को एक सैद्धांतिक हथियार से लैस किया, लेकिन उनका दृष्टिकोण ब्रिटिश इतिहासकारों के दृष्टिकोण से कम अनैतिहासिक नहीं था। उन्होंने संस्कृत के मूल ग्रन्थों से अपने पक्ष में दुर्लभ संदर्भों को एकत्र करने और उनके आधार पर भारतीय इतिहास के संपूर्ण प्राचीन युग को लोकप्रिय बनाने का काम शुरू कर दिया। इसे हम भारतीय समाज के बदलते हुए स्वरूप की अव्यक्त अस्वीकृति कह सकते हैं—मिल और अन्य ब्रिटिश विद्वान यही बात दोहराते हुए कभी थकने का नाम नहीं लेते हैं।

राष्ट्रवादी इतिहासकारों द्वारा प्राचीन भारत की प्रशस्ति का अर्थ था हिन्दू भारत की प्रशस्ति। इसलिए एक तरह से उनका लेखन विवेकानंद, दयानंद आदि के सुधारवादी विचारों से जुड़ा हुआ नजर आता है। चौथे और पाचवें दशकों में राष्ट्रवादी इतिहासकारों ने हिन्दू पुनर्जागरणवाद के प्रमुख पुरोधा सावरकर के विचारों को नये ढंग से फैलाना शुरू किया। सावरकर ने 'हिन्दुत्व' और 'हिन्दू राष्ट्र' का सिद्धांत प्रस्तुत किया और "संपूर्ण राजनीति का हिन्दूकरण और हिन्दू जाति का सैन्यीकरण" करने का खतरनाक नारा दिया। उनकी प्रेरणा के आधार पर नागपुर में १९२५ में के. डी. हेडगेवार ने राष्ट्रीय स्वयंसेवक संघ नामक एक घोर सांप्रदायिक और फासिस्ट संस्था की स्थापना की। पीछे की ओर देखने वाली हिन्दू पुनरुत्थानवादी और फासिस्ट राजनीति के नतीजों तथा हमारे राष्ट्रीय जीवन पर उस राजनीति के कुत्सित प्रभाव से सभी अच्छी तरह परिचित हैं, फिर भी उसकी थोड़ी-बहुत व्याख्या आवश्यक है।

इतिहास-लेखन के स्तर पर हिन्दू पुनरुत्थानवाद का अर्थ यह है कि हम मिल का काल-विभाजन स्वीकार करते हैं। यह काल-विभाजन इस गलत सिद्धांत पर आधारित है कि १००० ई. पू. से लेकर १२०० ई. सन् तक के प्राचीन नरेश हिन्दू धर्म समर्थक थे। यहां इस बात की उपेक्षा की गयी है कि हिन्द-यूनानी, शक और कुषाण जैसे कुछ प्रमुख सत्ताधारी ,राजवंश हिन्दू नहीं थे। तथ्य यह है कि मौर्य भी हिन्दू नहीं थे। वास्तविकता यह है कि प्राचीन काल के भारतवासियों ने अपने को कभी हिन्दू नहीं कहा। हिन्दू शब्द का इस्तेमाल सबसे पहले अरबों ने और बाद में दूसरे लोगों ने किया। हिन्दू शब्द से हिन्द (भारत) के निवासियों का बोध होता था। प्रारंभिक भारतीय साहित्य में इस शब्द का उल्लेख नहीं है और बहुत बाद में भारतीय शब्द-भंडार में इसका प्रवेश हुआ। इसके अतिरिक्त यदि मुस्लिम शासन मध्य युग के आरंभ का द्योतक है, तो कई समकालीन पश्चिम एशियाई देशों तथा पाकिस्तान एवं इण्डोनेशिया को भी मध्य युग में ही रखना पड़ेगा। इन सभी बातों के बावजूद राष्ट्रवादी इतिहासकारों ने भारत के इतिहास के काल-विभाजन के संबंध में कभी वैज्ञानिक दृष्टिकोण अपनाने का प्रयास नहीं किया और वे मिल की कालक्रम-संबंधी सारणी से ही चिपके रहे। इस प्रकार उन्होंने भारतीय संस्कृति के तात्विक सामाजिक स्वरूप की उपेक्षा करने के साथ-साथ अनजाने रूप में नहीं बल्कि बहुधा जान बूझकर हिन्दू अंधराष्ट्रवाद का समर्थन किया और प्रतिक्रियावादी तत्वों को अंकुरित किया।

जो भी हो, हाल के वर्षों में भारत के इतिहास का नये सिरे से काल-विभाजन करने की ओर थोड़ा-बहुत ध्यान दिया गया है। यह ठीक ही कहा गया है कि इस्लाम के आगमन के साथ नहीं, बल्कि छठी शताब्दी ईसवी सन् में गुप्त-साम्राज्य के पतन के साथ मध्य युग का उदय होता है और इसके बाद भारतीय इतिहास में कुछ महत्वपूर्ण घटनाओं का सिलसिला शुरू हो जाता है। गुप्त-साम्राज्य के खण्डहरों पर कई सामंती रियासतें खड़ी हो गयीं। गुप्त-युग के पश्चात् व्यापार का ह्रास और ग्रामीण अर्थव्यवस्था में आकस्मिक परिवर्तन शुरू हो गया। इस काल में कमिया-प्रथा और सामंतवाद का आविर्भाव हुआ। छोटी-छोटी रियासतों के उदय और व्यापार की धीमी गति के कारण अन्तरक्षेत्रीय यातायात की व्यवस्था में कमजोरी पैदा हो जाने से आंध्र, आसाम, बंगाल, गुजरात, कर्नाटक, केरल, महाराष्ट्र, उड़ीसा, राजस्थान आदि जैसी क्षेत्रीय सांस्कृतिक इकाइयों के अभ्युदय के लिए अनुकूल बातावरण का प्रादुर्भाव हो गया। इससे संभवतः क्षेत्रीय भाषाओं और कला तथा वास्तु-रचना की स्थानीय शैलियों को भी काफी प्रोत्साहन मिला। धार्मिक कर्मकांडों और व्यवहारों में अनेकानेक परिवर्तन हुए। पहले भक्ति

भारत के सामंती समाज के संदर्भ में भूस्वामियों के प्रति दासों और रैयतों की संपूर्ण परवशता की अभिव्यक्ति थी, लेकिन अब वह धर्म का आवश्यक अंग बन गयी । इनमें से अधिकांश बातें गुप्त-युग में ही अंकुरित हुई थीं और गुप्त-युग के पश्चात् वे बहुत प्रमुख हो गयीं । इसलिए गुप्त-युग के पतन को हम भारत के इतिहास के प्राचीन और मध्य युगों के बीच की विभाजक रेखा कह सकते हैं ।

प्रस्तुत पुस्तक में भारतीय इतिहास में सामंतवाद के उदय तक की प्रमुख घटनाओं का सर्वेक्षण किया गया है । आनुवंशिक इतिहास हमारा प्रमुख विषय नहीं है और व्यापक परिप्रेक्ष्य में ही उसकी चर्चा की गयी है । साम्राज्यों के उत्थान और पतन की व्याख्या उनके भौतिक आधार के प्रसंग में ही की गयी है । राष्ट्रवादी-अंधराष्ट्रवादी इतिहासकारों के कपट-जालों से बचने का प्रयास किया गया है; और हमारे स्वाधीनता-आन्दोलन के दौर में उत्पन्न मिथकों की फिर से जांच-पड़ताल कर ली गयी है । हमने प्रस्तुत पुस्तक में हाल के ऐतिहासिक अनुसंधान के परिणामों को समेटने का प्रयास किया है । ऐसा करते हुए हमने रचनात्मक दृष्टिकोण अपनाया है और पूर्व ज्ञात तथ्यों की प्राय: नयी व्याख्या की है । हमने प्राचीन भारत-भूमि के इर्दगिर्द दृष्टिपात करते हुए समाज और अर्थव्यवस्था को बदलने वाले तथा गतिशील रखने वाले तत्वों की ओर विशेष रूप से ध्यान दिया है । सामाजिक तनावों, आम आदमी का शोषण करने वाले यंत्रों और धार्मिक अंधविश्वास के सामाजिक कारणों पर यथेष्ट प्रकाश डालने की कोशिश की गयी है । जाहिर है, आगामी पृष्ठों में प्राचीन भारत का जो वर्णन है, उसके आधार पर हम कह सकते हैं कि वह कभी हमारा दिव्य धाम नहीं रहा है ।

1. हड़प्पा-सभ्यता

भारत में मानव का अस्तित्व कब से है ?

इस प्रश्न का उत्तर सोअन घाटी (अब पाकिस्तान में) और दक्षिण भारत में मद्रास के आसपास के इलाकों में बड़ी तादाद में मिले आदिम युग के पत्थर के औजारों से मिलता है। ये औजार और इनके निर्माता द्वितीय अन्तर-हिम-युग तक के हो सकते हैं। यह युग ४,००,००० ई. पू. से २,००,००० ई. पू. तक का माना जाता है। इस बात के कुछ प्रमाण मिले हैं कि पुरापाषाण-युग का मानव बहुत ही कम संख्या में, खानाबदोश के रूप में जीवनयापन करता था। वह राह में मिले खुरदरे पत्थरों के औजारों और उपकरणों का इस्तेमाल करता था। कालांतर में उसने आग को नियंत्रित करना और शिकार में मदद करने वाले जंगली कुत्तों को पालतू बनाना सीख लिया। वह पशु-चर्म, छाल अथवा पत्ते धारण कर मौसम से अपने शरीर की रक्षा करता था। संसार के अन्य भागों की ही भांति भारत में भी कई सहस्राब्दियों तक इसी दयनीय स्थिति में मानव अपना गुजर-बसर करता रहा।

१०,००० ई. पू. और ६,००० ई. पू. के बीच अन्न उपजाना, पशुओं को पालतू बनाना, बर्तन बनाना, कपड़ा बुनना और पुरापाषाणयुग के भोंडे प्रस्तर-उपकरणों के स्थान पर खूब पालिशदार प्रस्तर-उपकरणों का निर्माण करना सीख लेने के बाद मानव के जीवन में भारी परिवर्तन हो गये। इस नव प्रस्तर-युग में, उपयोगी और पालिशदार पत्थर के औजारों का इस्तेमाल करने तथा प्रारंभिक कृषि-कर्म में लग जाने के बाद, प्रथम मानव-सभ्यता की आधार शिला रख दी गयी। अब तक शिकार में प्राप्त जानवर और कंद-मूल फल ही मानव-समुदाय के आधार थे, लेकिन खेती का सिलसिला शुरू हो जाने के बाद बढ़ती हुई आबादी को खिलाने के लिए और अधिक फसल उपजाने और अधिक जमीन जोतने तथा और अधिक जानवर पैदा करने का क्रम चल पड़ा। बहुत से परिवार मिल-जुलकर रहने लगे और सामुदायिक ढंग से खेती करने और शत्रुओं से अपनी रक्षा करने लगे। इन बातों के फलस्वरूप नव प्रस्तर-युग के मानव में सुरक्षा की कुछ चेतना जाग उठी और उसे सभ्यता के निर्माण के संबंध में कुछ सोचने का अवकाश मिला।

५,००० ई. पू. के कुछ पहले जाग्रोस पर्वत-श्रेणियों की तलहटियों के

मैदानों और अनातोलिया के पठारों में नये ढंग के जीवन का सूत्रपात हुआ। उसके बाद कृषक मेसोपोटामिया की नदी-घाटी की ओर चले आये, जहां पहली मानव-सभ्यता का जन्म हुआ। भारतीय उपमहाद्वीप में नव प्रस्तर-युग के मानव-समुदायों के चिह्न अधिकतर उत्तर-पश्चिम क्षेत्र और दक्कन में मिले हैं। मध्य और दक्षिणी बलूचिस्तान तथा सिन्ध (अब दोनों क्षेत्र पाकिस्तान में हैं) के छोटे-छोटे कृषि-ग्रामों के रूप में भारतीय उपमहाद्वीप की व्यवस्थित संस्कृति के प्रारंभिक अवशेषों का पता चलता है। इनमें से सबसे पुराने अवशेष ३,५०० ई. पू. के हैं। तीन हजार ई. पू. के आसपास बलूचिस्तान के दक्षिण-पूर्व आमरी (मोहनजोदड़ो से १०० मील दक्षिण और सिन्धु के बायें किनारे से १ मील की दूरी पर) के पास उसी के नाम पर एक मिश्रित सभ्यता का उदय हुआ। यह सभ्यता एक प्रमुख व्यवस्था के रूप में विकसित हो गयी और कई मंजिलों से गुजरने के बाद मांटगोमरी जिलांतर्गत (पश्चिमी पंजाब) हड़प्पा के नाम से सुविख्यात सिन्धुघाटी-सभ्यता अथवा हड़प्पा-सभ्यता के रूप में प्रतिष्ठित हो गयी; हालांकि लरकाना जिले (सिन्ध) में अवस्थित मोहन-जोदड़ो कोई कम महत्वपूर्ण केन्द्र नहीं था।

हड़प्पा-सभ्यता के उद्गम के संबंध में एक लंबे अरसे से बहस चलती आ रही है। अधिकांश विदेशी पुरातत्वविदों के मतानुसार यह सभ्यता मेसोपोटा-मिया की सभ्यता की एक औपनिवेशिक उपशाखा थी, जिसे दक्षिण मेसोपोटा-मिया के प्रारंभिक निवासी अर्थात सुमेरिया के लोग सिन्धु क्षेत्र में ले आये थे। लेकिन इसका कोई प्रमाण नहीं मिलता है। बलूचिस्तान, सिन्ध और पंजाब के कई स्थानों की खुदाई से यह बात स्पष्ट हो गयी है कि मूल रूप से क्षेत्रीय आधार पर सिन्धु घाटी में सभ्य जीवन का सूत्रपात हुआ था। लेकिन इस संभावना को अस्वीकार नहीं किया जा सकता है कि सिन्धु-क्षेत्र में नगर-जीवन के विकास की प्रेरणा बाहर से अर्थात संभवतः मेसोपोटामिया से, जहां पहले से ही एक समृद्ध नगर-सभ्यता विद्यमान थी, मिली।

१९४६ से बराबर होने वाली पुरातात्विक खुदाइयों के परिणामस्वरूप यह बात स्पष्ट हो गयी है कि सिन्धु-सभ्यता भौगोलिक दृष्टिकोण से बहुत फैली हुई थी। १९५० तक हमें इतना ही मालूम था कि उत्तर में रूपड़ (शिमला की पहाड़ियों की तलहटियों में अवस्थित) से लेकर दक्षिण में सुत्कागेनदोड़ (अरब सागर के तट के निकट और कराची से ३०० मील पश्चिम) तक यह सभ्यता लगभग एक हजार मील में फैली हुई थी। हाल की पुरातात्विक खुदाइयों से सुदूर पश्चिमी समुद्रतट तक इस संस्कृति के फैलाव के प्रमाण मिले हैं। १९५८ में सरसरी तौर पर हुई खुदाइयों से यह ज्ञात हुआ कि पूर्व में आलमगीरपुर (मेरठ से १७ मील पश्चिम और दिल्ली से २० मील

उत्तर-पूर्व) तक इसकी सीमाएं विस्तृत थीं, जहां ऐसी कई चीजें मिलीं, जिनसे सिन्धु-सभ्यता पर पूरा प्रकाश पड़ता है । आमरी, चान्हूदड़ो (मोहनजोदड़ो से ८० मील दक्षिण और सिन्धु-घाटी के बायें मैदानी इलाकों में स्थित), कोट दिजी (मोहनजोदड़ो से २५ मील पूर्व), कालीबंगन (राजस्थान) और लोथल (गुजरात) हड़प्पा-सभ्यता के बहुत ही दिलचस्प और महत्वपूर्ण स्थान हैं । लेकिन मोहनजोदड़ो (मुर्दों का नगर) और हड़प्पा में प्राप्त वस्तुओं के डील-डौल और विविधताओं के कारण ये दोनों स्थान आज भी सिन्धुघाटी-सभ्यता के प्रमुख केन्द्र माने जाते हैं । अब ये दोनों स्थान पाकिस्तान में हैं ।

इन दोनों नगरों की सामान्य रूपरेखा एक समान प्रतीत होती है । प्रत्येक नगर के पश्चिम में एक दुर्ग था, जो चारदीवारियों से सुरक्षित था । वहां सामान्य लोगों के रहने के लिए मकान बने हुए थे । हड़प्पा का दुर्ग मोटे तौर पर समानांतर चतुर्भुज के समान था, जो उत्तर से दक्षिण की ओर ४६० गज लंबा और पूर्व से पश्चिम की ओर २१५ गज चौड़ा था तथा इसकी ऊंचाई ४५-५० फीट थी । मोहनजोदड़ो का दुर्ग दक्षिण की ओर २० फीट और उत्तर की ओर ४० फीट ऊंचा था । दोनों ही स्थानों में दुर्ग एक टीले पर खड़ा था और इस टीले का निर्माण संभवत: इसी उद्देश्य से किया गया था । अनुमान है कि परकोटों वाले दुर्ग के प्रांगण में धार्मिक और सरकारी काम संपन्न किये जाते थे । दुर्ग के टीले के नीचे मुख्य नगर बसा था, जो दोनों ही स्थानों में एक-चौथाई मील से कम फैला हुआ नहीं था । मुख्य सड़कें झंझरीदार थीं और इनमें से कुछ ३० फीट तक चौड़ी थीं । ये बिलकुल सीधी थीं और एक-दूसरे को समकोण में काटती थीं । इस प्रकार ये सड़कें नगर को विशाल आयताकार खंडों में विभक्त करती थीं । यह आयताकार नगर-योजना दोनों नगरों की अपनी विशेषताएं थीं और मेसोपोटामिया अथवा मिस्र को इस योजना की जानकारी नहीं थी । सड़कों और भवनों में नालियों का प्रबंध था । इन नालियों के निर्माण के लिए सिन्धु-सभ्यता के कई अन्य स्थानों की भांति मोहनजोदड़ो और हड़प्पा में भी पकी हुई ईंटों का उपयोग किया गया था । मकानों में कूड़ा-करकट-पेटियों तथा स्नानागारों और निचले भाग में अथवा ऊपरी मंजिल पर प्राय: शौचालयों की व्यवस्था रहती थी । स्नानागार नालियों से जुड़े थे और नालियों का पानी सड़कों के नीचे बनी मोरियों में चला जाता था । जल निकास-प्रणाली हड़प्पावासियों की एक बहुत ही शानदार उपलब्धि थी । कहा जा सकता है कि उन्हें नगरपालिका-संगठन की कुछ जानकारी थी ।

उल्लेखनीय है कि हड़प्पा में प्रस्तर-निर्मित भवनों का बिलकुल अभाव

था और वहां भवन-निर्माण के लिए केवल अच्छे किस्म की पकी हुई ईंटों का उपयोग किया जाता था। मकान भिन्न-भिन्न डील-डौल वाले और बहुधा दो अथवा और अधिक मंजिलों के होते थे। हर मकान में कई कमरे और एक चौकोर आंगन रहता था। मकान के निचले तल्ले का औसत आकार ३० वर्ग फीट रहता था, हालांकि इससे भी बड़े मकानों की वहां व्यवस्था थी। अवशेषों से पता चलता है कि बड़े मकानों में अमीर लोग रहते थे। मोहनजोदड़ो और हड़प्पा की खुदाइयों में मिले आमने-सामने के दो कमरों वाले मकानों का उपयोग समाज के गरीब लोग करते थे, जो भारत के आधुनिक शहरों के "कुलियों" से प्रायः मिलते-जुलते थे। इससे हड़प्पा के समाज की वर्ग-विषमता का अंदाज लगाया जा सकता है।

अब तक जो कई बड़े भवन ढूंढे गये हैं, उनमें मोहनजोदड़ो के दुर्ग का विशाल स्नानागार सबसे महत्वपूर्ण है। यह एक आयताकार तालाब है, जो ३९ फीट लंबा और २३ फीट चौड़ा तथा ८ फीट गहरा है। इसके निर्माण में ईंटों का उपयोग किया गया था। तालाब के पास के एक कुएं की दीवारें काफी मजबूत हैं। विशाल स्नानागार के उत्तर और दक्षिण के छोरों पर सीढ़ियां बनी हैं, जो तालाब की सतह तक ले जाती हैं। तालाब का पानी एक नाली में चला जाता था। बताया जाता है कि स्नानागार का इस्तेमाल जनसाधारण के महत्वपूर्ण धार्मिक अनुष्ठानों के लिए होता था। विशाल स्नानागार के पश्चिम में एक बृहत् धान्यागार है, जो मूलतः पूरब से पश्चिम में १५० फीट लंबा और ७५ फीट चौड़ा है। हड़प्पा में भी कई धान्यागार हैं, जिनमें से हर धान्यागार ५० फीट लंबा और २० फीट चौड़ा है। ये धान्यागार दो कतारों में विभक्त हैं और हर कतार में ६ कोठियां हैं। उनके बीच का रास्ता २३ फीट चौड़ा है। जिस युग में मुद्रा का उपयोग नहीं होता था, उस युग में धान्यागारों की व्यवस्था से यह पता चलता है कि प्रशासनिक संगठन कितना सक्षम था।

मोहनजोदड़ो और हड़प्पा के अतिरिक्त पंजाब, सिन्ध और गुजरात के क्षेत्रों में अब तक और भी कई स्थानों की खुदाई हो चुकी है। उनमें भी इन दोनों नगरों की कुछ विशेषताएं पायी जाती हैं। हड़प्पा की भांति राजस्थान के गंगानगर जिले में कालीबंगन में भी एक दुर्ग मिला है। कालीबंगन एक छोटा नगर था। चान्हूदड़ो में कोई दुर्ग नहीं है, लेकिन हड़प्पा और मोहनजोदड़ो की भांति इस बात के प्रमाण मिले हैं कि यहां के लोग नालियों, पकी हुई ईंटों के घरों आदि का इस्तेमाल करते थे। अहमदाबाद (गुजरात) जिलांतर्गत लोथल में, जो मोहनजोदड़ो से ४५० मील उत्तर-पूर्व में स्थित है, एक विशाल चबूतरे और योजनाबद्ध सड़कों तथा मकानों का पता चला है।

यहां नगर-व्यवस्था के अतिरिक्त ईंटों से निर्मित एक नौका-घाट था, जो एक नहर के द्वारा कांबे की खाड़ी से जुड़ा था। अरब सागर के तट से ३० मील की दूरी पर सुत्कागेनदोड़ में एक विशाल दुर्ग और परकोटों से घिरे एक छोटे आवास-स्थल का पता चला है। हड़प्पा-संस्कृति के समुद्र-तटवर्ती नगरों में सोत्का कोह (पाकिस्तान में पस्नी के नजदीक) और कराची से ४५ मील की दूरी पर उत्तर-पश्चिम में स्थित बालाकोट प्रमुख हैं, जो अरब सागर से क्रमशः ८ और १२ मीलों की दूरी पर हैं। समुद्र-तटवर्ती आवास-स्थलों का उपयोग संभवतः बन्दरगाहों के रूप में किया जाता था और नौकाओं द्वारा पश्चिम एशिया के साथ उनका घनिष्ठ व्यापारिक संबंध था। हड़प्पा-संस्कृति के अधिकांश नगरों की बनावट और नगर-योजना प्रायः एक ही तरह की थी। सर्वत्र एक ही तरह की कच्ची ईंटों और पकायी हुई ईंटों को देखकर कोई भी चकित हो जा सकता है।

नगर-योजना की सामान्य एकरूपता के आधार पर यह मान लिया गया है कि हड़प्पावासियों को शासन-व्यवस्था की अच्छी जानकारी थी। कुछ विद्वान तो यह भी कहने लगे हैं कि हड़प्पा और मोहनजोदड़ो दो विशाल साम्राज्यों की प्रमुख राजधानियां थीं। लेकिन किसी लिखित प्रमाण के अभाव में हड़प्पा-संस्कृति के शासन-तंत्र के संबंध में कोई सही बात नहीं कही जा सकती है।

हड़प्पा-काल की जो २५०० लेखांकित मोहरें मिली हैं, उनसे सिद्ध होता है कि सिन्धु-घाटी के लोगों को लिपि की जानकारी थी। इस गूढ़ लिपि को समझने का पूरा प्रयास किया गया है। कुछ विद्वानों का मत है कि लिपि की भाषा भारोपीय परिवार अथवा हिन्द-ईरानी परिवार की भाषा है और कुछ विद्वानों के मतानुसार यह द्रविड़ समूह की भाषा है, लेकिन अभी दोनों मतों में से किसी भी मत पर पूरा भरोसा नहीं किया जा सकता है।

जो भी हो, विभिन्न स्थानों में हुई तीस साल की खुदाइयों के परिणामस्वरूप हड़प्पा-काल के जीवन को उजागर करने वाली प्रचुर सामग्री उपलब्ध हो गयी है। गेहूं और जौ वहां के लोगों के मुख्य खाद्यान्न थे। लोग दो प्रकार के गेहूं उपजाते थे—गांठदार गेहूं और बौने आकार का भारतीय गेहूं। हड़प्पा और मोहनजोदड़ो दोनों ही स्थानों के लोग छहधारियों के छोटे-छोटे दानों वाले जौ बोते थे। भोजन के लिए छुआरे और मटर भी उपजाये जाते थे। तेल के लिए तिल और सरसों का उपयोग किया जाता था। आश्चर्य की बात है कि मोहनजोदड़ो और हड़प्पा में धान की खेती का कोई प्रमाण नहीं मिला है, लेकिन लोथल और रंगपुर (अहमदाबाद के निकट) में मिट्टी और मृण्पात्रों में लिपटे हुए चोकर और अन्न के कण मिले हैं।

हड़प्पा सभ्यता के प्रमुख स्थान
अफगानिस्तान
प. पाकिस्तान
भारत
डावर कोट
चनाब नदी
रावी नदी
हड़प्पा
रूपड़
सतलज नदी
कालिबंगन
संधानवाला
आलमगीरपुर
जुदीर-जो-दाड़ो
सिंधु नदी
रोहड़ी
मेही
मोहेंजो दाड़ो
कोट डिजी
यमुना नदी
गंगा नदी
अलीमुराद
लोहुम्जो दाड़ो
चान्हु दाड़ो
आमरी
विशाल भारतीय (थार) रेगिस्तान
सोतका कोह
बालाकोट
थारों
देसलपुर
लोथल
रंगपुर
रोजादी
भगतराव
नर्मदा नदी

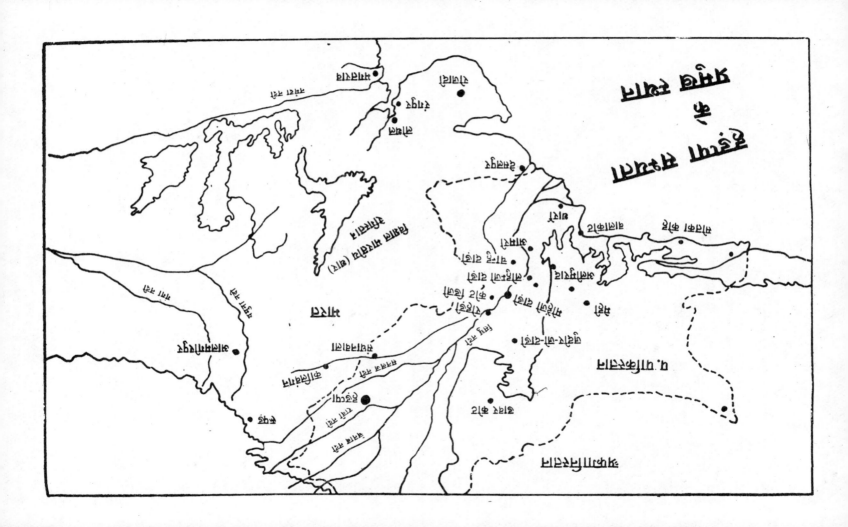

हड़प्पा-सभ्यता के क्षेत्र में बहुत ही कम वर्षा होती थी; इसलिए यह कहा जा सकता है कि वहां खेती के लिए सिंचाई की व्यवस्था आवश्यक थी; लेकिन अभी तक ऐसा कोई भी प्रमाण नहीं मिला है कि हड़प्पा-सभ्यता के लोग मेसोपोटामिया वालों की भांति नहरों से सिंचाई करते थे। ऐसा कहा जाता है कि पंजाब और सिन्ध की नदियों में अक्सर आने वाली बाढ़ों से खेतों की सिंचाई की जाती थी। हल के उपयोग के संबंध में विवाद है। हाल ही में कहा जाने लगा है कि हड़प्पा-सभ्यता के लोग दांतदार हेंगे का इस्तेमाल करते थे, जिसका उपयोग आज भी चिकनी मिट्टी में खेती करने के लिए भारतीय किसानों द्वारा किया जाता है। कृषि के किंचित आदिम स्वरूप के बावजूद नगरवासियों के भोजन के लिए काफी मात्रा में अनाज पैदा कर लिया जाता था।

कृषि की तरह पशुपालन पर भी जोर दिया जाता था। हड़प्पा-सभ्यता के प्रवर्तक अनेक प्रकार के पशुओं से परिचित थे। हड़प्पा-सभ्यता की तीन-चौथाई मृण्मूर्तियों पर पशुओं की आकृतियां खुदी हैं, ऐसी कोई मृण्मूर्ति नहीं मिली है, जिस पर गाय की आकृति खुदी हो। भेड़ों और बकरियों के अतिरिक्त कुत्ते, कूबड़वाले पशु, सांड और हाथी हड़प्पा-सभ्यता के निवासियों के प्रमुख पालतू पशु थे। उस समय तक लोग ऊंटों से उतने परिचित नहीं थे। संभवतः भोजन के लिए कई प्रकार के जंगली पशुओं का शिकार किया जाता था। मिसाल के तौर पर, हड़प्पा-सभ्यता के लोग कई तरह के हिरणों का शिकार करते थे। आमरी में भारतीय बारहसिंगे का एक नमूना मिला है।

हड़प्पा-सभ्यता के लोग पत्थर के औजार बनाया करते थे, लेकिन वे वस्तुतः कांस्य-युग के निवासी थे यद्यपि कांसे की बहुत ही कम वस्तुओं का पता चला है, तथापि हड़प्पा-सभ्यता की विकसित अवस्था में तांबे का खूब उपयोग किया जाता था। मोहनजोदड़ो से अनेक प्रकार के, प्रारम्भिक स्तर से लेकर अद्यतन स्तर तक के, ताम्र-निर्मित कुल्हाड़ियां, छेनियां, छूरियां, तीर, छोटी आरियां आदि औजार मिले हैं। लोगों को तांबे की ढलाई, जोड़ाई, पिटाई आदि की अनेक विधियों की जानकारी थी। कई स्थानों में ईंट के भट्ठों और साथ-ही-साथ ताम्र-निर्माण के प्रमाण मिले हैं। हड़प्पा-सभ्यता के प्रवर्त्तक सोने से परिचित थे। लोग सामान्य रूप से सोने के मनकों, लटकनों, बाजूबंदों, जड़ाऊ पिनों, सूइयों और अन्य प्रकार के निजी आभूषणों का उपयोग करते थे, यद्यपि इनका व्यापक प्रचलन नहीं था। ऐसा जान पड़ता है कि सबसे पहले सिन्धु घाटी के लोगों ने ही चांदी का उपयोग करना सीखा। यह सोने की अपेक्षा अधिक प्रचलित थी।

धातु-निर्माण-कला के अतिरिक्त हड़प्पा-सभ्यता के निवासी कई अन्य कलाओं तथा तकनीकों का भी उपयोग करना जानते थे। इनमें मुहरों पर

खुदाई का काम विशेष महत्वपूर्ण है। हड़प्पा-युग की उत्कीर्णन कला ने अपना एक स्थान बना लिया था और वह व्यावसायिक जीवन से जुड़ गयी थी। मनका निर्माण-कला का भी कम महत्व नहीं था। चान्हूदड़ो और लोथल में मनका-निर्माताओं की दुकानें मिली हैं। सोने, चांदी, तांबे, सेलखड़ी, सामान्य पत्थरों, सीपियों ओर चिकनी मिट्टी के मनके बनाये जाते थे और ये प्रचुर मात्रा में मिले हैं। कला-कौशल के क्षेत्र में हड़प्पा-सभ्यता के लोगों की एक महत्वपूर्ण उपलब्धि यह थी कि वे कीमती पत्थरों के मनके बनाने की कला से अवगत थे। सिन्धु-क्षेत्र से जो प्रस्तर-मूर्तियां प्राप्त हुई हैं, उनमें से ग्यारह मोहनजोदड़ो की और दो हड़प्पा की हैं। ये सभी छोटे आकार की हैं। इनमें सबसे उल्लेखनीय बेधक और उत्तेजक मुद्रा में एक "नर्तकी" की मूर्ति है, जो गले में पड़े हार और एक बांह की अनेक चूड़ियों के अलावा बिलकुल नंगी है। भारी संख्या में मृण्मूर्तियां मिली हैं, जिनसे पता चलता है कि लोग बड़े चाव से खिलौनों अथवा पूजा की वस्तुओं के रूप में इन मूर्तियों का उपयोग करते थे। कुम्हारी कला खूब अच्छी तरह फलती-फूलती थी। हड़प्पा-काल की मिट्टी की अधिकांश वस्तुएं चाक पर बनायी जाती थीं। संभवतः बड़े पैमाने पर इन का निर्माण किया जाता था।

हड़प्पा-सभ्यता के निवासी विभिन्न प्रकार के कला-कौशलों से अवगत होने के कारण माल-उत्पादन के कार्यों में संलग्न रहते थे जिसके लिए कच्चा माल वे बाहर से प्राप्त करते थे। सोना संभवतः दक्षिण भारत से, खासकर मैसूर से लाया जाता था, जहां इसका विशाल भंडार था और आज भी है। कहा जा सकता है कि अफगानिस्तान और फारस से भी सोना लाया जाता था। शायद अफगानिस्तान और ईरान से चांदी लायी जाती थी। दक्षिण भारत, बलूचिस्तान और अरब से चांदी मंगायी जाती थी। भवन-निर्माण की सामग्री में लाजावर्द का बहुत कम इस्तेमाल किया जाता था और यह बदक्शां (पूर्वोत्तर अफगानिस्तान) से मंगाया जाता था। इसी तरह ईरान से फीरोजा, महाराष्ट्र से जंबुमणि तथा सौराष्ट्र और पश्चिम भारत से गोमेद, मूंगा, और लाल मंगाये जाते थे। सेलखड़ी पूरब और पश्चिम के कई स्थानों से प्राप्त की जाती थी। संगयशब (हरे कीमती पत्थर) मध्य एशिया से आता था।

हड़प्पा-युग का व्यापार मेसोपोटामिया के नगरों तक फैला हुआ था, जहां हड़प्पा-युग की लगभग दो दर्जन मुहरें मिली हैं। सिन्धु क्षेत्र में मेसोपोटामियाई मूल की केवल तीन बेलनाकार मुहरें और धातु की कुछ वस्तुएं मिली हैं। इस प्रकार पश्चिम एशिया के साथ व्यापार के अधिक पुरातात्विक प्रमाण नहीं मिलते हैं। लेकिन मेसोपोटामियाई साहित्य में इस बात का वर्णन है कि ऊर (मेसोपोटमिया-स्थित) के सौदागर विदेशों से व्यापारिक संबंध रखते थे। इस

संदर्भ में तिलमुन अथवा दिलमुन, मगन और मेलुहा के नामों का बार-बार उल्लेख किया गया है। तिलमुन अधिकांशतः फारस की खाड़ी में स्थित बकरैन द्वीप के नाम से जाना जाता है। ओमन अथवा दक्षिण अरब का कोई दूसरा भू-भाग मगन कहलाता था। मेल्हुआ के बारे में कहा जाता है कि इससे भारत और मुख्यतः सिन्धु क्षेत्र तथा सौराष्ट्र का बोध होता था।

कहा जा सकता है कि हड़प्पावासियों के धर्म का प्रभाव कालांतर में भारत के कुछ धार्मिक रीति-रिवाजों पर भी पड़ा। ऐसा विश्वास किया जाता है कि स्त्रियों की अनेक नग्न मृण्मूत्तियां मातृदेवी का प्रतिनिधित्व करती थीं। धरती की उर्वरता से मातृदेवी का संबंध था और लोगों में इसकी पूजा प्रचलित थी। सींगों वाले देवता की मूर्ति सबसे आश्चर्यजनक है। इस देवता की प्रतिभा मुहरों पर अंकित की गयी है। वह मूर्ति कई कड़ों, कण्ठों और दो सींगों वाली एक अद्भुत पगड़ी के अलावा बिलकुल नग्न है। इनमें से एक मुहर पर देवता को चार जंगली जानवरों, एक हाथी, एक बाघ, एक गैंडे और एक भैंसे से घिरा हुआ दिखलाया गया है। उसके पांवों के नीचे दो हरिण हैं। निश्चित रूप में इस देवता में बाद के शिव के कई लक्षण विद्यमान हैं। कुछ चिकने पत्थर मिले हैं, जिनमें से अधिकतर छोटे, फिर भी दो फीट अथवा उससे भी ऊंचे हैं। इनकी पहचान **लिंग** के रूप में और छेद किये हुए पत्थरों की पहचान **योनि** के रूप में की जाती है। अतः ऐसा जान पड़ता है कि हड़प्पावासियों में लिंग-पूजा प्रचलित थी। हड़प्पा-काल की तीन उपासनाएं, मातृदेवी की उपासना, आद्यशिव की उपासना और लिंगोपासना कालांतर में हिन्दू धर्म में प्रचलित हो गयीं। उस काल में विभिन्न वृक्षों और जानवरों की भी उपासनाएं होती थीं। उसके बाद की शताब्दियों में कट्टर ब्राह्मण-धर्मावलंबियों ने उन उपासनाओं को आत्मसात कर लिया।

हड़प्पा-काल की संस्कृति की कालावधि के बारे में विद्वानों ने भिन्न-भिन्न मत व्यक्त किये हैं। सर जॉन मार्शल ने १९३१ में अपना विचार प्रकट किया कि यह संस्कृति ३२५० ई. पू. से २७५० ई. पू. तक फलती-फूलती रही। पुरातात्विक क्षेत्रों के दृढ़ मतानुसार हड़प्पा-सभ्यता २५०० ई. पू. से १५०० ई. पू. तक अर्थात लगभग १००० साल तक जीवित रही। लेकिन हाल के वर्षों में पुरातत्ववेत्ताओं द्वारा तिथि-निर्धारण के नये तरीके अपनाये जाने के बाद पहले के विचारों में सुधार कर दिया गया। अब यह माना जाता है कि हड़प्पा-सभ्यता का अस्तित्व २३०० ई. पू. से १७५० ई. पू. तक रहा।

१७५० ई. पू. के आसपास हड़प्पावासियों की संस्कृति नष्ट हो गयी, लेकिन इससे पहले ही इसके पतन के लक्षण प्रकट होने लगे थे। उपरिस्तर पर हड़प्पाकाल के प्रायः सभी स्थलों की नगर-योजनाओं और निर्माण-कार्यों

में गिरावट आ गयी। लोग गृह-निर्माण कार्य में पुरानी ईंटों का इस्तेमाल करते रहे। कुछ नये ढंग के मिट्टी के बर्तन बनने लगे। मोहनजोदड़ो में, अन्य स्थानों से भी कहीं अधिक स्पष्ट रूप में, क्रमिक अद्य:पतन के संकेत मिले हैं। आम तौर पर समझा जाता है कि सिन्धु और रावी की धाराओं में भयानक परिवर्तन के कारण आसपास के क्षेत्र सूखाग्रस्त हो गये। इन सूखा-ग्रस्त क्षेत्रों के लोग भागकर मोहनजोदड़ो नगर में चले आये, जिससे नगर पर जनसंख्या का भारी दबाव पड़ गया। खुदाइयों से पता चलता है कि मोहनजोदड़ो पर कई बार बाढ़ के आक्रमण हुए। यह स्थान कम-से-कम तीन बार तो बाढ़ की चपेट में अवश्य ही आया है। चान्हूदड़ो भी भीषण जल-प्लावनों के फलस्वरूप दो बार बर्बाद हुआ। ये विनाशकारी जल-प्लावन निचले सिन्धु-क्षेत्र में भीषण भू-आकृति वैज्ञानिक परिवर्तनों के कारण हुए थे। इन परिवर्तनों से सिंचाई की सामान्य व्यवस्था चौपट हो गयी और हड़प्पा की कुछ बस्तियों का आर्थिक पतन हो गया। लेकिन हड़प्पा की सभ्यता पर संभवतः अंतिम प्रहार उन बर्बर लोगों के दलों ने किया, जो २००० ई. पू. के मध्यकाल के कुछ पहले ही भारत में आकर बसने लग गये थे। उत्तर बलूचिस्तान के कुछ स्थानों में प्राप्त जली हुई चीजों की मोटी तहों से पता चलता है कि भीषण अग्निकांड में पूरी आबादी बर्बाद हो गयी थी। उत्तर काल में मोहनजोदड़ो पर अपना आधिपत्य स्थापित करने वाले मानवों के अस्थिपंजरों के छह ढेर मिले हैं, जिनसे पता चलता है कि नगर पर धावा बोला गया था। एक मकान में सिमटे हुए कंकालों के ढेर और एक कुएं के पास पड़े हुए नारी-कंकाल से ऐसा सिद्ध होता है कि लुटेरों ने कुछ निवासियों को पकड़ कर जान से मार डाला था। कई जगहों से इस बात के भी अप्रत्यक्ष संकेत मिलते हैं कि पश्चिम के लोगों ने धावा बोलकर हड़प्पावासियों को खदेड़ दिया था। उदाहरणस्वरूप, हड़प्पा में दुर्ग के दक्षिण-पश्चिम एक कब्रिस्तान का पता चला है जिसे कब्रिस्तान एच कहते हैं। ऐसा समझा जाता है कि इसमें पुराने हड़प्पा को बर्बाद करने वाले एक विदेशी व्यक्ति को दफनाया गया था। चान्हूदड़ो में बर्बर लोगों के आधिपत्य के अनेकानेक परोक्ष प्रमाण मिले हैं।

लेकिन ये आक्रमणकारी कौन थे? युक्तिसंगत रूप में यह अनुमान लगाया जा सकता है कि सिन्धु घाटी के हड़प्पावासी अपने पतन-काल में उन आर्यों से पराजित हो गये, जो २००० ई. पू. के मध्यकाल के आसपास पश्चिम दिशा से कई झुण्डों में भारत आये थे। आर्यों की सबसे पुरानी कृति ऋग्वेद में हरियूपिया नामक एक स्थान में एक युद्ध का वर्णन है। समझा जाता है कि आर्यों ने हड़प्पा को ही हरियूपिया कहा है। ऋग्वेद में आर्येतर नगरों के विनाश की कई घटनाओं का वर्णन है, जिस पर हम आगे विचार करेंगे।

२. वैदिक जीवन

हड़प्पाकाल की संस्कृति के बाद आर्यों की संस्कृति का उदय हुआ (आर्य शब्द से भद्र, कुलीन और स्वतंत्र व्यक्ति का बोध होता है)। आर्य अर्धखानाबदोस और चरवाहे थे। वे संस्कृत बोलते थे और इन्द्र आदि देवताओं की पूजा करते थे। आनुवंशिक दृष्टिकोण से भारत और यूरोप दोनों ही भू-भागों में एक जाति के रूप में आर्यों की गणना होती है। वे अनेक सांस्कृतिक उपलब्धियों के प्रवर्त्तक माने जाते हैं। भारत में दयानंद सरस्वती के अनुयायी सामाजिक और धार्मिक सुधारक इस बात पर बल देते हैं कि आर्य-संस्कृति सभी भारतीय परंपराओं की जड़ है और अपने विचारों की पुष्टि के लिए वे प्राचीनतम आर्य-ग्रन्थ **वेदों** को प्रस्तुत करते हैं। कुछ भारतीय इतिहासकार आज भी विश्व आर्य-संस्कृति का ढोल पीटते हैं और यह दावा तक करते हैं कि भारत विश्व संस्कृति का पालना था। उनके मतानुसार, सिन्धुवासी भी आर्य ही थे। जातीय पूर्वाग्रह से पीड़ित होकर लोग यह भी कहते हैं कि भारत की सभी सर्वोच्च उपलब्धियां आर्यों की ही देन हैं। यूरोप में, रूमानी, साहित्यिक आंदोलन और उन्नीसवीं सदी के उत्तरार्द्ध के नस्लवादी विचारों के पीछे एक आर्यजाति की अवधारणा ही काम कर रही है। मिसाल के तौर पर, गोबिन्यू की अनेक मान्यताएं उसी पर आधारित हैं। जर्मनी में नाजियों के शासन-काल में नस्लवादी सिद्धांत पराकाष्ठा पर पहुंच गया और नाजियों ने 'आर्य' शब्द और अपने राजकीय दर्शन को एक भयानक नस्लवादी रूप में प्रस्तुत किया, जिसके फलस्वरूप समय को सबसे भयंकर नर-संहार का अभिशाप झेलना पड़ा। लेकिन अब अस्थिपंजरों के माप और रंग (केश, चमड़े और आंखों के) के आधार पर स्वीकृत संपूर्ण अवधारणा को तर्क बुद्धि स्वीकार करने के लिए तैयार नहीं है। जीव-विज्ञान के क्षेत्र में हुए हाल के अनुसंधानों के अनुसार किसी मानव-समूह के बारे में यह सोचना बहुत कठिन है कि एक लंबे अरसे तक उसके रक्त की शुद्धता कायम रही है।

फिर भी २००० ई. पू. के आसपास कुछ ऐसे लोग थे, जो ऐसी भाषाओं का प्रयोग करते थे, जिनका एक-दूसरे से घनिष्ठ संबंध था, जिन्हें हम आर्य-भाषाएं कह सकते हैं। संस्कृत, लैटिन, ग्रीक, जर्मनिक (जर्मन, इंग्लिश, स्वीडिश आदि), स्लाव (रूसी, पोलिश आदि) और रोमनेक (इतालवी, स्पेनी,

फ्रांसीसी, रूमानियाई आदि) आर्य परिवार की भाषाएं हैं। इन भाषाओं की आपसी समानता के आधार पर यह मान लिया गया है कि मूल आर्य सामान्य रूप से एक ही क्षेत्र में रहते थे और वह क्षेत्र संभवतः पोलैण्ड से मध्य एशिया के विशाल मैदानी इलाकों तक फैला हुआ था। इस क्षेत्र से आर्य यूरोप और एशिया के विभिन्न भागों में जाकर बस गये। कुछ ने यूरोप पर आक्रमण किया और वे ग्रीकों, लैटिनों, केल्टों और ट्यूटनों के पुरखे हो गये। दूसरे अंतोलिया की ओर चले गये, जहां हित्ती साम्राज्य का उद्‌भव हुआ। कुछ अपने जन्मस्थान में ही रह गये और उनसे बाद के बाल्टिक और स्लावोनिक लोगों का फैलाव हुआ। आर्य भाषाभाषी लोगों की एक शाखा ईरान के दक्षिण की ओर आकर बस गयी। वहां से इस शाखा के आर्यों ने कस्साइटों के रूप में बेबीलोनिया तक धावे बोल दिये। ईरान के पठार से वे दक्षिण-पूर्वी दिशा में भारत की ओर चले आये, जहां सिन्धु घाटी की नगर-सभ्यता से उनकी मुठभेड़ हुई। भारत पर आर्यों ने एकबारगी आधिपत्य नहीं जमा लिया। इसमें उन्हें कई शताब्दियां लग गयीं और इस कार्य में एक-दूसरे से पूरी तरह भिन्न आर्यों के कई कबीले संलग्न थे।

वेद भारतीय आर्यों के प्रारंभिक इतिहास की जानकारी के मुख्य स्रोत हैं और वे संभवतः भारोपीय भाषा-समूह के प्राचीनतम साहित्यिक अवशेष हैं। वेद शब्द से ज्ञान का बोध होता है। वेद चार हैं: **ऋग्**, **यजुर्**, **साम** और **अथर्व**। **ऋग्वेद** में १०२८ ऋचाओं का संकलन है, जिनमें से अधिकतर देवताओं के सम्मान में रची गयी प्रार्थनाएं हैं, जिनका उपयोग यज्ञों के समय किया जाता था। **यजुर्वेद** में गद्य और पद्य में यज्ञ-संबंधी अनुष्ठान हैं। यज्ञ संपन्न कराने वाले पुरोहित इनका सस्वर पाठ करते थे। **सामवेद** ऋग्वेदिक छंदों का संकलन है। उपासना-काल में इन छंदों को गाया जाता था। **अथर्ववेद** में मुख्यतः मंत्र-तंत्र दिये गये हैं। वेदों के बाद **ब्राह्मणग्रंथ** आते हैं, जिनमें गद्य में बहुत सारी आनुष्ठानिक विधियां दी गयी हैं। ब्राह्मण ग्रंथों के उपसंहार-खंडों को **आरण्यक** कहते हैं। आरण्यकों में गुप्त और जोखिम-भरे एन्द्रियजालिक क्रियाकलापों का उल्लेख रहने के कारण, उनकी शिक्षा की व्यवस्था अरण्यों, अथवा जंगलों में की जाती थी। **उपनिषदों** में आरण्यकों की टीकाएं हैं, लेकिन वे काफी गूढ़ हैं।

वैदिक साहित्य को पारंपरिक दृष्टिकोण से पवित्र माना जाता है; क्योंकि इसे ईश्वरीय देन के रूप में स्वीकार किया गया है। वेदों को **नित्य** अर्थात् शाश्वत माना गया है। जिन ऋषियों ने इनकी रचना की है, उनके बारे में समझा जाता है कि उन्होंने सीधे ईश्वर से इन्हें प्राप्त किया था। बहुत बाद

में, लिखित रूप में प्रस्तुत किये जाने के पहले तक, एक पीढ़ी से दूसरी पीढ़ी तक, मौखिक रूप में वेदों का प्रचार होता रहा।

वैदिक पाठ्यग्रंथों को काल क्रमानुसार दो भागों में विभक्त किया जा सकता है: प्रारंभिक वैदिक युग (१५०० ई. पू. से १००० ई. पू. तक), जिस समय ऋग्वेद की अधिकांश प्रार्थनाएं रची गयीं और उत्तर वैदिक युग (१००० ई. पू. से ६०० ई. पू. तक), जिस काल में शेष वेदों और उनकी शाखाओं का उद्भव हुआ। ये दो युग भारत में आर्यों के फैलाव की दो अवस्थाओं को उजागर करते हैं।

ऋग्वेद की प्रार्थनाओं में जिस भौगोलिक क्षितिज का वर्णन है, उससे भारत में आर्यों के प्रारंभिक निवास का पता चलता है। इन प्रार्थनाओं में सिन्धु की पश्चिमी शाखाओं, गोमती (आधुनिक गोमल), क्रुमु (आधुनिक कुर्रम) और कुभा (आधुनिक काबुल) का उल्लेख है। काबुल के उत्तर में सबसे महत्वपूर्ण नदी सुवस्तु (स्वात) का वर्णन है। इससे "उत्तम निवास" का बोध होता है और इससे यह भी संकेत मिलता है कि स्वात की घाटी में आर्यों की बस्तियां थीं। लेकिन पंजाब और दिल्ली के भू-भाग पर ऋग्वैदिक संस्कृति का सबसे अधिक प्रभाव था। यहां की सिन्धु, सरस्वती (आधुनिक सरसुती), जो अब राजस्थान के मरुस्थल में विलीन हो गयी और दृशद्वती (घागर) नदियों के साथ-साथ उन पांच नदियों का भी बार-बार उल्लेख मिलता है, जिनके नामों के आधार पर पंजाब (पांचजल) नाम प्रचलित हो गया। वे पांच नदियां हैं: शतुद्री (सतलज), विपास (व्यास), परुष्णी (रावी), असिक्नी (चेनाब) और विनस्ता (झेलम)। ऋग्वेद में यमुना नदी का उल्लेख है, लेकिन प्रारंभिक आर्यों को इससे आगे का भौगोलिक ज्ञान नहीं था।

प्रारंभ के आर्य अधिवासी सिन्धु और उसकी प्रमुख सहायक नदियों का प्रतिनिधित्व करने वाले सप्तसिन्धव-क्षेत्र अर्थात् सात नदियों के क्षेत्र पर अपना आधित्य स्थापित करने में संलग्न थे। इससे आर्यों के विभिन्न कबीलों में अक्सर लड़ाइयां छिड़ जाती थीं। ऋग्वेद में आर्यों के जिस कबीलों के युद्धों का वर्णन है, उनमें सबसे प्रमुख दसराज्ञ (दस राजाओं का) युद्ध है। कहा जाता है कि सुदास भरत नामक कबीले का राजा था। यह कबीला पश्चिमी पंजाब में बस गया था। इसके मुख्य पुरोहित का नाम विश्वामित्र था, जिसकी प्रेरणा से उसने विपास और शतुद्री को जीत लिया। बाद में सुदास ने विश्वामित्र को हटाकर वसिष्ठ को अपना पुरोहित नियुक्त किया, जिसे याज्ञिकी विद्या की काफी अधिक जानकारी थी। उपेक्षित विश्वामित्र ने दस कबीलों

को मिलाकर एक संघ बनाया, जिनमें से पांच कबीलों का विशेष महत्व था और ऋग्वेद में **पंचजन** के रूप में जिनका बार-बार उल्लेख किया गया है। परुष्णी के तट पर युद्ध में सुदास को विजय मिली। संभव है कि वहां इस तरह के दूसरे कबीलाई युद्ध भी हुए हों, जिसकी हमें जानकारी नहीं है।

लेकिन आर्येतर जातियों के देशज लोग आर्यों के कट्टर विरोधी थे। ऋग्वेद के कई मंडलों से परिलक्षित होता है कि पणि नाम से अभिहित लोगों से आर्यों की गहरी शत्रुता थी। पणि अमीर लोग थे। उन्होंने वैदिक पुरोहितों को संरक्षण प्रदान करना और वैदिक धार्मिक प्रथाओं का निर्वाह करना स्वीकार नहीं किया। वे आर्यों के मवेशी चुराया करते थे। दास अथवा दस्यु लोग पणि लोगों से भी अधिक घृणित समझे जाते थे। और संभवतः वे हड़प्पाकालीन संस्कृति की विरासत के रक्षक थे। दास लोग "काली चमड़ी वाले", "अमंगलकारी" और "यज्ञ-विरोधी" थे, तथा वे आर्यों से बिलकुल भिन्न भाषा का प्रयोग करते थे, अतः उनकी उपेक्षा की जाती थी। ऋग्वेद में आर्यों के युद्ध के देवता इन्द्र का बार-बार आह्वान किया गया है कि वे जन-कल्याण के लिए अपने वज्रायुद्ध का प्रयोग करें, शत्रुओं के मुण्डों का ढेर लगा दें और अपने विशाल पांवों के नीचे उन्हें कुचल दें। पहले के निवासियों के पास रथ और घोड़े नहीं थे, लेकिन आर्यों के विषय में कहा जाता है कि वे घोड़ों से जुते हुए रथों पर सवार होकर भीषण युद्ध करते थे। आर्यों के पास अच्छे सैनिक साधन थे, इसलिए वे देशी कबीलों से लंबे युद्ध में विजयी होकर निकले और आगे चलकर **दास** शब्द से गुलाम का बोध होने लगा।

एक अर्थ में पहले के निवासियों पर आर्यों की प्रभुत्ता को एक पिछड़ा हुआ कदम कहा जा सकता है। इसका कारण यह है कि सांस्कृतिक दृष्टिकोण से हड़प्पावासी अपने विजेताओं से बहुत आगे थे। ऋग्वेद में इन विजेताओं को नगर-निर्माता नहीं बल्कि नगर-ध्वंसक कहा गया है। आर्यों के प्रमुख देवता इन्द्र के बारे में कहा गया है कि वह पुरंदर अर्थात दुर्ग-ध्वंसक था और उसने अपने आश्रित दिवोदास के हितों की रक्षा के लिए नब्बे दुर्गों को चकनाचूर कर दिया था। उसके बारे में यह उक्ति प्रचलित थी कि वह 'दुर्गों को उसी प्रकार नष्ट कर देता है, जिस प्रकार वस्त्र को काल फाड़ डालता है'। ऋग्वेद में उल्लेख है कि कई नगर ध्वस्त कर दिये गये। ये सभी नगर पहले के निवासियों के और संभवतः हड़प्पावासियों के थे।

नगर-रहित लोगों की ही भांति प्राचीन आर्यों के पास कोई उन्नत शिल्प-विज्ञान नहीं था। घोड़े और रथ के प्रयोग से वे अपने आर्येतर विरोधियों को दबाने में सफल हो गये, लेकिन धातुओं के संबंध में उनकी जानकारी बहुत ही सीमित थी। ऋग्वेद में केवल अयस् (कांसा) नामक धातु का उल्लेख है।

भारत में आकर आर्य जहाँ पहलेपहल बसे
0 300 600
कम्बोज
गंधार
गोमती
विपाश
परुष्णी
पुरु
सरस्वती
कुरुक्षेत्र
घने जंगल
यमुना नदी
गंगा नदी
पंचाल (क्रिवि)
सरयू
सदानीरा नदी
काशी
विदेह
कीकट
मगध
अंग
वंग
अनुर्वर प्रदेश
मरु
विध्य
शुष्क और पर्वतीय प्रदेश
सिंधु नदी

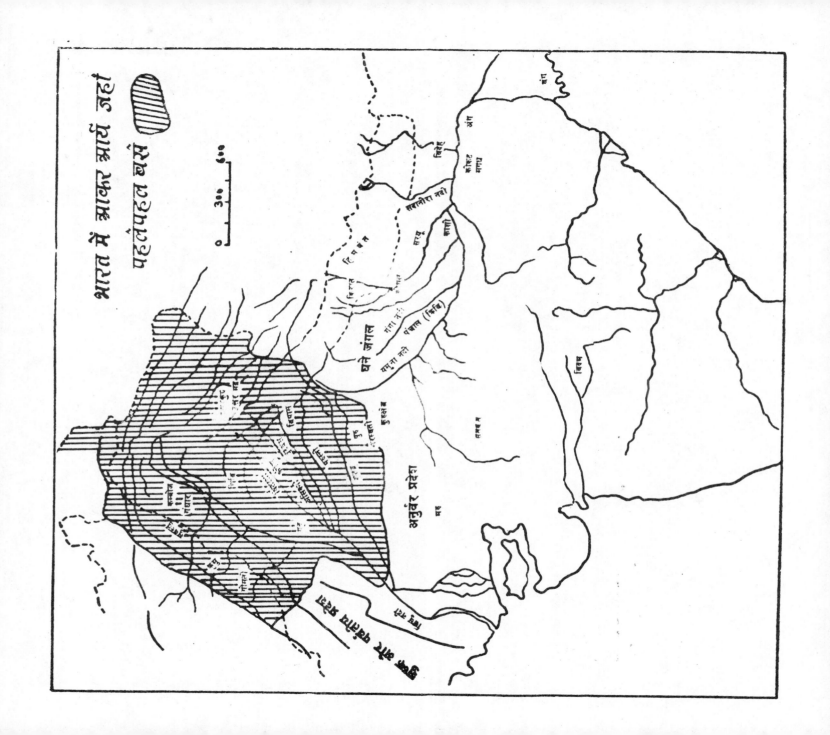

लगभग १२०० ई. पू. से पर्सिया में कांसे के व्यापक प्रयोग को देखते हुए यह मान लिया गया है कि इस शब्द का अर्थ कांसा है। लेकिन अब तक सप्तसिंधव क्षेत्र में प्राप्त कांसे की दो वस्तुओं को ही ऋग्वैदिक काल से जोड़ा गया है। इस प्रकार बड़े पैमाने पर कांसे के प्रयोग का प्रमाण नहीं मिलता है और इस बात का कोई पुरातात्विक आधार भी नहीं मिलता है कि प्राचीन आर्य बहुत हुनरमंद कसेरे थे और वे हड़प्पावासियों से कहीं अधिक अच्छे उपकरण और हथियार बनाते थे।

आर्य अर्धयायावर के रूप में भारत में आये। पशुपालन और कृषि उनकी अर्थव्यवस्था के आधार थे। उनके आर्थिक जीवन में पशुपालन का सबसे अधिक महत्व था और पशु उनके स्वत्व और संपत्ति के सर्वाधिक मूल्यवान साधन थे। वे पशुओं की वृद्धि के लिए प्रार्थनाएं करते थे। यज्ञानुष्ठान करने वाले पुरोहितों को उनकी सेवा के पुरस्कार के रूप में पशु दिये जाते थे। गाय विनिमय का मुख्य साधन था। पशुओं के लिए बहुधा विभिन्न कबीलों में युद्ध हुआ करते थे। युद्ध के लिए **गविष्टि** शब्द प्रचलित था, जिसका अर्थ गायों की खोज है। आर्यों के सामाजिक जीवन पर पशुपालन का कितना प्रभाव था, इसका पता इस तथ्य से चलता है कि जो लोग अपनी गायों के साथ एक ही गोष्ठ में रहते थे, उनका संबंध उसी गोत्र से हो जाता था। बाद में इस शब्द से एक खून का संबंध समझा जाने लगा। इस तरह यह शब्द बहिर्विवाह का समर्थन करने वाले वंश का द्योतक हो गया। पुत्री **दुहित्ती** कहलाती थी; क्योंकि वह दूध दूहने का काम करती थी। ऋग्वेद के कुछ स्थलों पर कहा गया है कि गाय का वध नहीं करना चाहिए (**अघन्या**); लेकिन इससे केवल उसके आर्थिक महत्व का बोध होता है। अभी तक उसे पवित्र नहीं माना गया था; क्योंकि भोजन के लिए गाय और बैल दोनों ही मारे जाते थे। अतिथियों को स्वादिप्ट गो मांस खिलाया जाता था। इसलिए वैदिक काल में अतिथि के लिए **गोघ्न** (गाय का वध करने वाला) शब्द प्रचलित हो गया। गायों के अतिरिक्त बकरियां, भेड़ें और घोड़े पालतू पशुओं की श्रेणी में आते थे। सामूहिक रूप में पशुओं का पालन-पोषण किया जाता था; इसलिए यह मान लिया गया कि उन पर कबीले के सभी सदस्यों का समान अधिकार है।

यद्यपि पशुपालन प्राचीन आर्यों का मुख्य पेशा था, तथापि वे खेती भी करते थे। हड़प्पावासी अपने आप ही खेत जोतते थे, लेकिन उनके विपरीत ऋग्वैदिक आर्य हल के जरिये खेती करते थे, जिसमें बैल जुते रहते थे। उन्हें मौसम की भी कुछ जानकारी थी, जिससे उन्हें कृषि-कार्य में मदद मिलती थी। ऋग्वेद में पांच ऋतुओं का उल्लेख है। इस बात के प्रमाण मिले हैं कि आर्य जंगलों को जलाने और खेती की जमीन तैयार करने के लिए आग का इस्ते-

माल करते थे। ऋग्वेद के परवर्ती भाग में जुताई, बुआई, कटाई, दवाई और ओसाई का उल्लेख मिलता है। इसलिए प्रारंभिक वैदिक काल के अंतिम दिनों में कृषि-अर्थव्यवस्था और ठोस हो गयी थी। फिर भी ज्ञात होता है कि आर्य यव अर्थात जौ नामक एक ही प्रकार का अनाज पैदा करते थे। कबीले के सदस्यों का पशुओं पर तो समान अधिकार था, लेकिन संभवत: जमीन पर नहीं। ऋग्वेद में जमीन और जमीन की माप-प्रणाली के बारे में बहुत कुछ कहा गया है, लेकिन उसमें कहीं भी किसी व्यक्ति द्वारा जमीन की बिक्री, हस्तांतरण, गिरवी अथवा दान का वर्णन नहीं किया गया है। इससे स्पष्ट होता है कि अभी जमीन पर व्यक्तिगत स्वामित्व का अधिक प्रचलन नहीं था।

प्राचीन आर्य वस्तुतः पशुपालन युग से गुजर रहे थे और उन्होंने ऐसा कोई राजनीतिक ढांचा नहीं खड़ा किया था, जिसकी तुलना किसी पुराने राज्य अथवा आधुनिक राज्य से की जा सके। कबीलाई संस्था के रूप में राजतंत्र का प्रचलन था। राजा मुख्यत: एक फौजी नायक माना जाता था और वह गायों के लिए युद्ध करता था, क्षेत्र के लिए नहीं। वह किसी निश्चित भू-भाग पर नहीं बल्कि अपने कबीले (जन) पर शासन करता था। ऋग्वेद में जन शब्द का सत्ताईस बार प्रयोग किया गया है, लेकिन जनपद का बिल्कुल ही उल्लेख नहीं किया गया है। हां, केवल एक बार राज्य शब्द प्रयुक्त हुआ है। लेकिन जब राजा को राष्ट्र का उन्नायक मान लिया गया, तब ऋग्वैदिक काल के अंतिम दिनों में क्षेत्रीय राजतंत्र का उद्भव हुआ। गायों के लिए किये जाने वाले हमलों अथवा युद्धों में विजयी होने के बाद राजा लूट का माल हस्तगत कर लेता था और वह दूसरे प्रकार की भेंट भी लेता था। लेकिन वह बिलकुल स्वच्छंद नहीं था। उसे जनता की मर्जी का भी ख्याल रखना पड़ता था, हालांकि राजतंत्र संभवत: कुछ परिवारों तक ही सीमित था। जो प्रमाण मिलते हैं, उनसे पता चलता है कि एक परिवार में तीन पीढ़ियों से अधिक राज्यारोहण का क्रम नहीं जारी रहा। इससे सिद्ध होता है कि अभी तक वंशानुगत शासन-प्रथा का प्रचलन नहीं हुआ था। कबिलाई संस्थाएं, सभा और समिति न्यायिक और राजनीतिक कार्यों का संपादन करती थीं तथा बहुत अंशों में राजा के अधिकारों पर रोक लगाती थीं। सभा कबीले के बुजुर्ग सदस्यों की परिषद थी और संभवत: स्त्रियां भी उसमें शामिल होती थीं। समिति कबीले की आम सभा थी और सभा की अपेक्षा कम विशिष्ट थी।

प्राचीन आर्यों का सामाजिक जीवन सगोत्रीय और मुख्यत: कबीलाई जीवन का द्योतक था। ऋग्वेद में जन और विश् शब्दों का कई बार प्रयोग हुआ है। जन विश् के रूप में विभक्त था। एक का संबंध संपूर्ण कबीले से था

और दूसरे का गोत्र से। ऐसा माना जाता है कि विश् ग्रामों में बंटा हुआ था, लेकिन इसका यथेष्ट प्रमाण नहीं मिलता है। पितृसत्तात्मक परिवार आर्यों के कबीलाई समाज की बुनियादी इकाई था। स्रोतों में प्रजा की, बालकों और बालिकाओं दोनों की, प्राप्ति की इच्छा व्यक्त की गयी है। लेकिन लोग हृदय से चाहते थे कि उनके पुत्र बहादुर (सुवीर) हों, जो लड़ाइयों में भाग ले सकें। पितृसत्तात्मक परिवार के बावजूद, उत्तरकालीन महिलाओं की अपेक्षा इस काल की महिलाओं की अवस्था बहुत अच्छी थी। सामान्यतः वयः संधि के बाद लड़की की शादी कर दी जाती थी। अविवाहित लड़कियों का भी वर्णन मिलता है। घोषा इसी तरह की एक लड़की थी, जो अपने माता-पिता के घर में बड़ी हुई। कुछ मामलों में स्त्रियां पूरी स्वतंत्रता के साथ नौजवानों से मिलती-जुलती थीं और प्रेम करती थीं। अपने पति के साथ स्त्री भी यज्ञ में भाग ले सकती थी। कहते हैं कि ऋग्वेद की कुछ ऋचाओं की रचना स्त्रियों ने की है। एक निःसंतान विधवा पुत्र के जन्म लेने तक अपने बहनोई के साथ सहवास कर सकती थी; इस प्रथा को नियोग कहते थे। स्पष्ट है कि इस काल में पिता के अधिकारों ने माता के अधिकारों को पूरी तरह आत्मसात नहीं कर लिया था।

जब आर्य भारत में आये, तब वे तीन श्रेणियों में विभक्त थे : योद्धा अथवा अभिजात, पुरोहित, और सामान्य जन। योद्धा श्रेणी के लोगों को कबीलाई युद्धों में सबसे अधिक लूट का माल मिला, लेकिन कबीले के ब्राह्मण सदस्य को प्रारंभ में सामान्य जन की ही भांति अधिकार प्राप्त थे। यह कोई आश्चर्य की बात नहीं है कि ब्राह्मण वामदेव को अपनी घोर दरिद्रता के कारण विलाप करना पड़ा : "घोर क्षुधा से पीडित रहने के कारण मैंने कुत्ते की अंतड़ियां पकायीं, देवताओं ने मुझे संरक्षण नहीं प्रदान किया; मुझे अपनी पत्नी को बदनाम होते देखना पड़ा..."।

इस बात के प्रमाण मिलते हैं कि आर्यों के विभिन्न सामाजिक हिस्सों ने आर्येतर लोगों को पचा लिया। ऋग्वेद के एक परिच्छेद में वशिष्ठ का वर्णन है, जो विश्वामित्र के स्थान पर सुदास का मुख्य पुरोहित नियुक्त किया गया था और जो बाद में एक बड़े ब्राह्मण गोत्र का संस्थापक माना गया। उसके बारे में कहा गया है कि वह दो वैदिक देवताओं—मित्र और वरुण—के वीर्य से पैदा हुआ था। उसकी माता का उल्लेख नहीं है। लेकिन उसी वर्णन में उसके बारे में कहा गया है कि वह 'उर्वशी का मानस-पुत्र' था; उसका जन्म एक घड़े से हुआ था, जिसमें दो देवताओं के सम्मिश्रित वीर्य रखे थे; वह 'पुष्कर में तड़ित-परिधान' में लिपटा हुआ पाया गया। आधुनिक नस्लवादी लोग उसके जन्म की भ्रष्ट कहानी पर आंख मूंदकर विश्वास कर लेंगे। यह कहानी

स्पष्टतः इसलिए रच ली गयी है, ताकि आर्यों से पृथक जाति में उसके जन्म-धारण के महत्व को घटाया जा सके और आर्यों के बीच में उसे प्रतिष्ठित किया जा सके। **अगस्त्य** की भी यही कहानी है, जिसके बारे में कहा जाता है कि उसका जन्म बिना किसी शारीरिक संसर्ग के एक घड़े से हुआ था। ऋग्वेद में वर्णन है कि अनेक ऋषि (जैसे **कण्व, आंगिरस** आदि) काले थे। इससे सिद्ध होता है कि वे आर्येतर वंश परंपरा के थे।

आर्येतर पुरोहितों की भांति कुछ विजित सरदारों को भी आर्यों ने पचा लिया था और आर्यों के समाज में उन्हें उच्च स्थान प्रदान किया गया था। **बल्बूथ** और **तरुक्ष** जैसे दास-सरदारों के बारे में कहा जाता है कि उन्होंने पुरोहितों को उदारतापूर्वक दान दिये थे। इससे उन्हें प्रचुर लोकप्रियता मिली और उन्होंने आर्यों की सामाजिक व्यवस्था में ऊंचा दर्जा हासिल किया। ऐसा जान पड़ता है कि **सुदास** का भी जन्म दास-वंश में हुआ था।

ऋग्वेद में आर्यों के दल में आर्य-पूर्व अथवा आर्येतर जातियों के पचा लिये जाने की प्रक्रिया पर कोई रोशनी नहीं डाली गयी है। संभवतः आदिवासी जनजातियों के अधिकतर सदस्य आर्य-जीवन के घेरे के बाहर के प्राणी समझे जाते थे और नये समाज में उन्हें सबसे निचले दर्जे में रख दिया गया था। जब आर्य उनके बीच आकर रहने लगे, तब वे (आर्य) रक्त की शुद्धता पर बहुत जोर देने लगे। उन्हें इस बात की आशंका थी कि काली चमड़ी वाले स्थानीय निवासियों के साथ मिल जाने से वे अपना आर्यत्व खो देंगे, हालांकि उनकी धमनियों में अब तक आर्येतर जातियों का पर्याप्त रक्त प्रवेश कर चुका था। कबीलाई वर्गों में दृढ़ता आती गयी और ऋग्वैदिक काल के अंतिम दिनों में समाज ब्राह्मण, क्षत्रिय (वैदिक साहित्य में **राजन्य** के रूप में ज्ञात), वैश्य, और शूद्र वर्णों में विभक्त हो गया। अंतिम वर्ण में मुख्यतः आर्येतर जाति के सामान्य लोगों को रखा गया था। संभवतः शूद्र नामक एक गुलाम कबीले के नाम पर शूद्र शब्द का व्यवहार किया जाने लगा।

संस्कृत में वर्ग के लिए **वर्ण** (रंग) शब्द का प्रयोग किया जाता है। यही वर्ण शब्द विभिन्न रूप-रंगों और विजातीय संस्कृतियों के लोगों के साथ आर्यों के संपर्क के फलस्वरूप चार वर्णों के उद्‌भव की ओर इंगित करता है। चातुर्वर्ण्य-विभाजन को धार्मिक स्वीकृति प्रदान की गयी। प्राचीन वेद के अंतिम परिच्छेद में कहा गया है कि आदिम पुरुष के मुंह से ब्राह्मण की, बांहों से क्षत्रिय की, जांघों से वैश्य की और पांवों से शूद्र की उत्पत्ति हुई है। लेकिन अभी तक जाति-पांत का बखेड़ा नहीं खड़ा हुआ था। एक उदाहरण मिलता है कि पिता पुरोहित, माता अनाज पीसने वाली और पुत्र चिकित्सक

था। ये तीनों एक साथ सुखपूर्वक जीवन व्यतीत करते थे। धंधे को खानदानी रूप में स्वीकार नहीं किया गया था। समाज के विभिन्न धंधों के लोगों के बीच में शादी-ब्याह और खानपान के बारे में कडे नियम नहीं प्रचलित थे।

आर्यों का समाज पितृसत्तात्मक होने के कारण उनके देवताओं में स्वभावत: पुरुषों की प्रधानता थी। वे यज्ञों के द्वारा अपने देवताओं को प्रसन्न करते थे। ऋग्वेद में कई घरेलू और सार्वजनिक यज्ञों का वर्णन है। इसके एक परिच्छेद में कहा गया है कि प्रथम देवाहुति के फलस्वरूप सृष्टि का विकास हुआ। **प्रजापति** (बाद में ब्रह्मा के रूप में विख्यात) को आदि पुरुष माना जाता है। कहा जाता है कि देवताओं ने, जो उसके ही पुत्र थे, उसका यज्ञन किया; दिव्य पुरुष की यज्ञाहुति के फलस्वरूप उसके शरीर से सृष्टि का उदय हुआ। इससे सिद्ध होता है कि विश्व-व्यवस्था के निर्वाह के लिए यज्ञ कितना आवश्यक और महत्वपूर्ण था। लेकिन यज्ञोपासना का वास्तविक विकास भारत में आर्यों के फैलाव के दूसरे दौर में हुआ।

इन्द्र सर्वाधिक लोकप्रिय देवता था। उसमें और ग्रीक (यूनानी) देवता **ज्यूस** में कुछ समानताएं दिखलायी पड़ती हैं। वह नागों और असुरों पर प्रहार करने के लिए हमेशा तैयार रहता था। उसने कई नगरों को ध्वस्त किया था। वह बहुत ही ऊधमी और स्वार्थी था। उसे **सोमरस** पीने और पिलाने का बहुत शौक था। सोम आर्यों और वैदिक काल के देवताओं का एक अत्यंत मादक पेय था। इसे वनस्पतियों से तैयार किया जाता था। ऋग्वेद में इन्द्र की स्तुति में सबसे अधिक छंद हैं। इन्द्र के बाद **वरुण** का विशेष महत्व था। वह जलनिधि (ऋत्) का स्वामी माना जाता था। **सूर्य सावित्री** (प्रसिद्ध गायत्री मंत्र में सावित्री को संबोधित किया गया है) और **पूषण** (जो मार्गों, चरवाहों और भूले-भटके पशुओं का अभिभावक था) सौर जगत के प्रमुख देवता थे। **विष्णु** एक गौण देवता था और वह भी अपना तेज बिखेरता रहता था। कहते हैं कि उसने तीन पगों में धरती को माप लिया था। **अग्नि** का निवास घर के चूल्हे में था और वह देवताओं तथा मानवों के मध्यस्थ की भूमिका का निर्वाह करता था। हिन्द-यूरोपीय समुदाय से आर्यों के अलग होने के समय तक, कुछ पुराने देवताओं का भी प्रभाव था, जिनमें एक **द्यौस** था। वह पितृदेव के रूप में विख्यात था; लेकिन वैदिक देवताओं के कारण उसका प्रभाव नष्ट हो गया। अवश्य ही प्रारंभिक काल में धर्म पर आर्येतर सभ्यता का प्रभाव था; क्योंकि कुछ आर्येतर देवताओं को ऋग्वैदिक आर्यों ने भी साफ-साफ स्वीकार कर लिया था। **रुद्र** एक सदाचार-दुराचार-निरपेक्ष देवता था, जिसकी बाण-वर्षा से व्याधियों का प्रसार होता था। इसकी उपासना हड़प्पावासियों की देन थी। **त्वाष्ट्री** (वैदिक अग्नि

देवता) के बारे में भी यही बात कही जायगी। इस तरह आर्यों और आर्येतर जातियों के धार्मिक विचार घुलते-मिलते जा रहे थे।

उत्तर वैदिक युग में अर्थात् १००० ई. पू. से ६०० ई. पू. अवधि में बाद के तीन वेदों—यजुर्, साम और अथर्व—ब्राह्मण ग्रंथों और कुछ प्रारंभिक उपनिषदों की रचना के साथ-साथ आर्यों की जीवन-पद्धति में महान परिवर्तन हुए। ऋग्वेद की अपेक्षा-उत्तरकालीन वैदिक कृतियों में भारत के व्यापक भौगोलिक ज्ञान का और अधिक वर्णन मिलता है। उनमें "दो समुद्रों"—अरब सागर और हिन्द महासागर—का उल्लेख है। हिमालय की कई चोटियों का भी उल्लेख है। घुमा-फिराकर विन्ध्य पर्वत-समूह का भी वर्णन किया गया है। ऐसा जान पड़ता है कि आर्य उत्तरवर्ती कृतियों की रचना के समय तक संपूर्ण गंगा-घाटी से परिचित हो चुके थे और वे धीरे-धीरे वहां बस गये थे।

उत्तर वैदिक युग में, तत्कालीन वैदिक साहित्य के अनुसार, आर्य यमुना से बंगाल की पश्चिमी सीमा तक फैल गये। वे तांबे का इस्तेमाल करने वाले लोगों पर हावी हो गये। इस क्षेत्र में तांबे के उपकरणों और हथियारों के १८ भंडार मिले हैं, जो १७०० ई. पू. से १००० ई. पू तक के माने जाते हैं। ऐसा जान पडता है कि इस क्षेत्र में आने के बाद वे पंजाब-स्थित अपने आवास-स्थान को भूल चुके थे। उत्तरवर्ती वैदिक साहित्य में उसका बहुत ही कम उल्लेख मिलता है। कुछ स्थानों को वैदिक यज्ञानुष्ठान के उपयुक्त नहीं माना गया है।

विद्वानों के मतानुसार आर्य गंगा के उत्तर हिमालय की तलहटियों से गुजरते हुए पूर्व की ओर आये। लेकिन इस नदी के दक्षिण के क्षेत्रों में भी उनका फैलाव होता गया। प्रारंभ में अग्नि की सहायता से जमीन को साफ किया गया। **शतपथ ब्राह्मण** के एक प्रसिद्ध परिच्छेद में वर्णन मिलता है कि आग धरती को जलाती हुई पूरब की ओर बढ़ती गयी और सदानीरा (वर्तमान गंडक) नदी के पास पहुंचकर रुक गयी। उसकी मदद के लिए सरदार **विदेह माथवा** आ पहुंचा और तब आग धधकती हुई सदानीरा के उस पार पहुंची। इस तरह विदेह पर आर्यों का आधिपत्य स्थापित हुआ और जिस व्यक्ति ने उसे अपना पहला उपनिवेश बनाया, उसी के नाम पर उसका नामकरण किया गया। इस कथा से पता चलता है कि आर्य किसान-योद्धा आग का उपयोग कर जंगल को साफ करते थे और नयी बस्तियां स्थापित करते थे। वैदिक युग के अंतिम दिनों में कुछ क्षेत्रों में जंगल को जलाने के साथ-साथ उसे काटने के लिए लोहे की कुल्हाड़ी का उपयोग किया जाने लगा। साहित्य में श्याम अयस (काली धातु) के रूप में इसका उल्लेख किया गया है। अत्रंजिखेर (उत्तर

प्रदेश) की खुदाइयों से पता चलता है कि १००० ई. पू. में पश्चिमी उत्तर प्रदेश में लोहे का प्रचलन था।

अत्रंजिखेर और पश्चिमी उत्तर प्रदेश तथा आसपास के अनेक क्षेत्रों में प्राप्त लोहे की वस्तुओं के साथ-साथ **चित्रित धूसर मृद्भांड** के कई टुकड़े मिले हैं। इस प्रकार के मृद्भांडों का संबंध सामान्यतः उत्तर वैदिक काल के आर्यों से जोड़ा जाता है और जिन स्थानों की खुदाइयों के बाद ये मिले हैं, उनसे पता चलता है कि आर्य खानाबदोश का जीवन छोड़ चुके थे। वे अपने पालतू पशुओं के साथ भद्दे ढंग के झोपड़ों में रहते थे और पहले की अपेक्षा बड़े पैमाने पर खेती करते थे। वैदिक ऋचाओं से पता चलता है कि वे देवताओं से पशुओं की वृद्धि के लिए प्रार्थना करते थे; क्योंकि अब तक पशु ही उनकी चल संपत्ति के आधार थे। फिर भी इस काल में खेती आजीविका का मुख्य साधन हो गयी; और भूमि पर व्यक्तिगत अधिकार की भावना धीरे-धीरे मजबूत होती गयी। **शतपथ ब्राह्मण** में हल जोतने और खेती के विभिन्न कार्यों से संबंधित अनुष्ठानों का विस्तृत विवरण दिया गया है। छह, आठ, बारह और चौबीस बैलों के जूए के वर्णन से सिद्ध होता है कि हलों से गहरी जुताई का काम लिया जाता था। **अथर्ववेद** में नयी नालियों में नदी का पानी ले जाने के धार्मिक अनुष्ठान का वर्णन है। उसमें अनावृष्टि और अतिवृष्टि से छुटकारा पाने के मंत्र भी दिये गये हैं। कृषि-कार्य के लिए भैंसों को पालतू बनाया जा चुका था। जौ के अतिरिक्त इस काल में मुख्य फसल के रूप में गेहूं की खेती की जाती थी, जो आज भी पंजाब और उत्तरप्रदेश के लोगों का प्रधान खाद्य-पदार्थ है। चावल (**व्रीही**) का पहली बार उल्लेख किया गया है। संभवतः इस अवस्था में भी उत्तर प्रदेश में प्रमुख फसल के रूप में इसका प्रचलन नहीं था। लोगों को सेम और तिल की जानकारी थी, कालांतर में धार्मिक अनुष्ठानों में तिल का उपयोग किया जाने लगा। कृषि के महत्व में वृद्धि होने से पूर्ववर्ती पशुपालन युग की अर्थव्यवस्था छिन्न-भिन्न हो गयी; क्योंकि वह बढ़ती हुई जनसंख्या के भोजन की पूरी व्यवस्था नहीं कर सकती थी।

पशुपालन युग की अर्थव्यवस्था में संक्रमण के साथ-साथ कला-कौशल के क्षेत्र में भी उन्नति हुई। ऋग्वैदिक युग में कुछ ही धंधे प्रचलित थे, लेकिन बाद के वैदिक साहित्य में और भी कई नये धंधों का उल्लेख मिलता है। इस युग में धातु गलाने का धंधा चल पड़ा था। लोहार, बढ़ई, बुनकर, चर्मकार, जौहरी, रंगसाज और कुम्हार अर्थव्यवस्था को प्रभावित करते थे। लेकिन यह कहना मुश्किल है कि धातुकर्मी और लोहार लोहे का कितना उपयोग करते थे। संभवतः वे अधिकतर तांबे की चीजें बनाते थे; क्योंकि अभी तक तांबे की ही प्रधानता थी और लोहे का उपयोग नहीं के बराबर होता

था। बुनाई का काम बड़े **पैमाने पर** होता था, लेकिन संभवतः यह काम स्त्रियां ही करती थीं। इस बात के कुछ प्रमाण मिलते हैं कि चर्मकार, कुम्हार और बढ़ई अपने निर्माण-कार्यों में संलग्न रहते थे। इस प्रकार आर्थिक कार्यों के विशिष्टीकरण में यथेष्ट प्रगति हो रही थी, हालांकि इससे अर्थव्यवस्था में कोई बुनियादी परिवर्तन नहीं हो रहा था।

कला-कौशल की उन्नति से वस्तु-उत्पादन और व्यापार का प्रारंभिक दौर शुरू हो गया। इस युग में **वैश्य** व्यापार में संलग्न रहते थे। **शतपथ ब्राह्मण** में महाजनी-प्रथा का पहली बार जिक्र किया गया है और सूदखोर को **कुसिदिन** कहा गया है, हालांकि मुद्रा के प्रचलन का कोई ठोस प्रमाण नहीं मिलता है। समकालीन साहित्य में **निष्क** शब्द का प्रयोग किया गया है, जिसके बारे में मान लिया गया है कि वह सिक्के का द्योतक है। लेकिन अभी वैदिक काल के सिक्कों पर प्रकाश डालने वाला कोई सही नमूना नहीं मिला है।

व्यवस्थित जीवन ने समाज के चातुर्वर्ण्य-विभाजन को और मजबूत कर दिया। **ब्राह्मणों** ने अपने सामाजिक तथा राजनीतिक दोनों ही तरह के विशेषाधिकारों का दावा किया। **क्षत्रियों** ने योद्धा वर्ग का प्रतिनिधित्व किया और उन्हें जनता का रक्षक माना गया, राजा का चुनाव उन्हीं के बीच से किया जाता था। **वैश्यों** ने व्यापार, कृषि और विभिन्न दस्तकारियों के धंधे अपना लिये, वे प्रमुख करदाता-वर्ग के लोग थे। **शूद्र** का काम था कि तीनों ऊंचे वर्णों की सेवा करे। इस वर्ण के प्रायः सब लोग मजदूर थे। संभवतः शूद्र वर्ण के लोगों पर पूरे समुदाय का सामान्य नियंत्रण था। इस अर्थ में **शूद्रों** की तुलना **स्पार्टा** के गुलामों से की जा सकती है। लेकिन उच्च वर्गों के लोग गुलामों के रूप में **शूद्रों** को अपनाने के लिए तैयार नहीं होते थे और विस्तृत वैदिक युग में इसका कोई प्रमाण नहीं मिलता है। एक स्थान पर लिखा है कि विभिन्न देशों की दस हजार औरतों को गुलाम बना लिया गया और **अंग** ने अपने ब्राह्मण पुरोहित की सेवा में उन्हें अर्पित कर दिया। लेकिन गुलाम मर्दों का उल्लेख नहीं है, जो सिद्ध करता है कि गुलामों की संख्या सीमित थी।

जाति-प्रथा के उद्भव के साथ-साथ कई सामाजिक मानदंड प्रकट हो गये। एक ही **गोत्र** के सदस्यों के वैवाहिक संबंधों पर रोक लगा दी गयी। यह बात विशेष रूप से ब्राह्मणों पर लागू हुई, जो अब तक **असगोत्रीय** विवाह का समर्थन करने वाले दलों में विभक्त हो चुके थे। उच्च वर्णों के लोग शूद्र-कन्या से विवाह कर सकते थे, लेकिन नीची श्रेणी के मर्दों और उच्च श्रेणी की औरतों के वैवाहिक संबंधों को पसंद नहीं किया जाता था। इसका कारण यह था कि सामाजिक जीवन में वर्ण-भेद धीरे-धीरे प्रबल रूप धारण करता जा रहा था। ब्राह्मणों और क्षत्रियों ने अपने को विशेष गौरव का अधिकारी समझा। वैश्यों

और शूद्रों से उनकी स्थिति बिलकुल भिन्न मानी गयी । इस तरह के भेदभाव की प्रवृत्ति आगे चल कर और मुखर हो गयी । लेकिन उच्च और निम्न श्रेणियों के आपसी भोज-भात पर अभी तक रोक नहीं लगी थी ।

पितृसत्तात्मक परिवार की प्रतिष्ठा में उत्तरोत्तर वृद्धि होती जा रही थी । पुत्र के जन्म पर प्रसन्नता व्यक्त की जाती थी और पुत्री सभी मुसीबतों की जड़ समझी जाती थी । राजा कई पत्नियां रख सकता था, हालांकि बहुपति-प्रथा का प्रचलन नहीं था । अपने पति की मृत्यु के बाद एक विधवा के आत्मदाह की घटना का वर्णन मिलता है । इस घटना से बाद में प्रचलित सती-प्रथा के उद्भव का पता लगाया जा सकता है । लेकिन यह निश्चित है कि यह प्रथा बड़े पैमाने पर नहीं प्रचलित थी और उत्तर वैदिक काल के छंदों में सती शब्द एक प्रतीकात्मक शब्द था; क्योंकि हम विधवाओं के पुनर्विवाह (नियोग) के उदाहरणों से परिचित हैं । उस युग के एक ग्रन्थ में औरत, पासे और शराब को एक ही श्रेणी में रखा गया है तथा औरत तीन व्याधियों में से एक व्याधि मानी गयी है । ऐतरेय ब्राह्मण के अनुसार अच्छी औरत वह है, जो ढिठाई के साथ जवाब नहीं देती है । इस काल में सभा नामक कबीलाई परिषद में औरतों के भाग लेने और विचार-विमर्श पर रोक लग गयी थी । इन सभी बातों से सिद्ध होता है कि उनकी स्थिति कमजोर हो गयी थी । लेकिन कच्ची उम्र में लड़कियों की शादी करने की प्रथा अभी तक नहीं चली थी और उन्हें यत्र-तत्र गुरुओं का प्रवचन सुनते हुए और वेदों का अध्ययन करते हुए देखा जा सकता है । कहते हैं कि गार्गी वाचक्नवी ने ऋषि याज्ञवल्क्य के एक शास्त्रार्थ में भाग लिया था और अपने सूक्ष्म प्रश्नों से उन्हें परेशान कर दिया था ।

उस युग की भौतिक और सामाजिक घटनाओं की छाप प्रचुर मात्रा में तत्कालीन राजनीतिक व्यवस्था पर दिखलायी पड़ती है । अब राजतंत्र कबीलों तक ही सीमित नहीं रह गया था । उसका क्षेत्रीय स्वरूप प्रकट हो चुका था । अथर्ववेद के एक परिच्छेद में कहा गया है कि राजा राष्ट्र (क्षेत्र) का स्वामी होता है और राजा वरुण तथा वृहस्पति, इन्द्र और अग्नि देवता उसे सुदृढ़ता प्रदान करते हैं । राजसूय राज्याभिषेक समारोह का सूचक था और उसके लिए एक निश्चित स्थान आवश्यक था । यह समारोह दो साल तक चलता था । एक ग्रंथ में राजतंत्र के क्षेत्रीय स्वरूप पर पूरा प्रकाश डाला गया है । उस ग्रंथ में दस प्रकार की सरकारों का वर्णन है, जो देश के विभिन्न भागों में स्थापित थीं । अब पूर्व काल की तरह राजा एक स्थान से दूसरे स्थान का चक्कर लगाने वाले खानाबदोश कबीलों पर नहीं बल्कि निश्चित क्षेत्र पर शासन करता था ।

कई राज्य अस्तित्व में आ चुके थे। कुरू-पंचाल क्षेत्र (दिल्ली, मेरठ और मथुरा के क्षेत्र) पर कुरू लोग हस्तिनापुर से शासन करते थे। हस्तिनापुर की खुदाइयों से १०००-७०० ई. पू. की अवधि की बस्तियों पर प्रकाश पड़ता है। कुरुओं ने दिल्ली के समीप कुरुक्षेत्र में अपने संबंधी पाण्डवों से युद्ध किया था। **महाभारत** नामक महाकाव्य में इसी युद्ध का ओजस्वी वर्णन है। गंगा-यमुना के संगम के पूर्व कौशल राज्य का अस्तित्व था। एक अन्य भारतीय महाकाव्य **रामायण** के नायक राम का संबंध कौशल से था, हालांकि समकालीन साहित्य में राम और राम के पिता दशरथ दोनों में से किसी का भी पता नहीं चलता है। कौशल के पूर्व में काशी राज्य था, जो बनारस क्षेत्र में स्थित था। **विदेह** नामक एक अन्य राजा था, जिसके राजाओं की उपाधि थी **जनक**। उत्तर वैदिक साहित्य में जनक का कई बार उल्लेख है। गंगा के दक्षिणी भाग में **विदेह** के दक्षिण में मगध राज्य था, जिसका उस समय अधिक महत्व नहीं था।

इस युग से कराधान का प्रचलन शुरू हुआ, जिससे प्रादेशिक राजतंत्र को बहुत बल मिला। व्यवस्थित जीवन और स्थायी कृषि के फलस्वरूप पैदावार में काफी वृद्धि हुई और करों के रूप में राजा ने अतिरिक्त पैदावार की उगाही शुरू कर दी। **शतपथ ब्राह्मण** में कहा गया है कि राजा जनता का भक्षक (**विषमात्त**) है; क्योंकि वह जनता से कर वसूल कर अपने अस्तित्व की रक्षा करता है। यह बात प्राचीन युग से बिल्कुल भिन्न थी; क्योंकि उस युग में स्वैच्छिक दान और उपहार ही उसकी सुख-समृद्धि का आधार था। उत्तर वैदिक ग्रंथों में **भगदुघ** नामक एक राज्याधिकारी का उल्लेख है, जो पैदावार में से बड़े हिस्से की वसूली करता था।

कराधान व्यवस्था से राजा की आय सुनिश्चित हो जाने से, वह अनेक अधिकारियों को नियुक्त कर सकता था। हम देखते हैं कि एक राजा अपने राज्याभिषेक के समय देवताओं को तृप्त करने की दृष्टि से १२ **रत्निनों** (रत्न-विक्रेताओं) से उनके निवास-स्थानों पर मिलने गया था। संभवतः वे उच्च पदाधिकारी थे और धातु-कर्म, रथ-निर्माण, रथ-संचालन आदि कार्यों की देखभाल करते थे। राज्याधिकारियों की सूची में शाही खजाने के प्रभारी (**संग्रहीत्रि**) और मुख्य पुजारी (**पुरोहित**) का उल्लेख है। इन पदाधिकारियों पर राजा का प्रत्यक्ष नियंत्रण था और जनता से करों के रूप में वसूले गये धन से उनके भरण-पोषण की व्यवस्था की जाती थी। स्वभावतः दरबारियों की संख्या में वृद्धि के कारण राजा का खूब आदर-सम्मान होने लगा।

शाही ताकत में वृद्धि से पूर्व युग में राजा को नियंत्रित करने वाली कबीलाई परिषदों, **सभा** और **समिति** की स्थिति भी धीरे-धीरे कमजोर होती गयी। दूर-दूर तक फैले हुए नये-नये प्रादेशिक राज्यों के उद्भव से साधारण आदमियों

का लोकप्रिय समागमों में भाग लेने के लिए सुदूर भागों की यात्रा करना कठिन हो गया। इस तरह के समागमों में समाज के अमीर लोग अथवा राजधानी के निवासी ही भाग ले सकते थे। इससे सभा और समिति में अभिजातवर्गीय लोगों की ही तूती बोलने लगी। **रत्निन** नामक नये राज्याधिकारियों ने इन संस्थाओं की गतिविधियों को सीमित कर दिया।

इन बातों के साथ-साथ राजाओं के चुनाव की प्रथा भी खत्म हो गयी पहले चुनाव के द्वारा राजा का पद स्थिर किया जाता था और उसके बाद उसके राज्याभिषेक का अनुष्ठान संपन्न होता था। लेकिन एक ग्रंथ में राजपद के लिए एक, दो और तीन पीढ़ियों तक की तथा दूसरे ग्रंथ में दस पीढ़ियों तक की व्यवस्था का निरूपण किया गया है। इस प्रकार राजपद के लिए उत्तराधिकार की प्रथा चल पड़ी और इस प्रथा की तूती बोलने लगी। राज्याभिषेक के धार्मिक अनुष्ठान के समय राजा को विभिन्न देवताओं के गुणों से विभूषित करने और उसका गौरव बढ़ाने का रिवाज शुरू हो गया। धार्मिक कर्मकांडों के समय राजा को बहुधा ईश्वर का प्रतिनिधि घोषित किया जाता था।

राजा को नवजात ब्राह्मण वर्ग से पूरा वैचारिक सहयोग मिलता था। **अथर्ववेद** के एक परिच्छेद में कहा गया है कि राजा ब्राह्मणों का रक्षक और जनता का भक्षक है। उसे ब्राह्मणों के सम्मुख शपथ-ग्रहण करना पड़ता था कि वह नियमों का पालन करेगा। दूसरे ग्रंथ में कहा गया है कि राजा और **श्रोत्रिय** (विद्वान ब्राह्मण) दोनों मिल कर धर्म का गौरव बढाते हैं, लेकिन उस ग्रंथ में समाज के अन्य हिस्सों का उल्लेख नहीं है। इससे पता चलता है कि पुजारियों और योद्धाओं में किसी-न-किसी प्रकार का वर्गीय समझौता था। अन्य स्थानों की तरह अब भारत में भी पुरोहितों ने शासकों पर अपना जाल फेंकना और सौदेबाजी करना शुरू कर दिया था।

शाही आडंबरों और पुरोहितों की आकांक्षाओं में वृद्धि के साथ-साथ यज्ञोपासना के क्षेत्र में भी नयी-नयी घटनाओं का सूत्रपात हुआ। कई तरह के नये और लंबे राजकीय यज्ञानुष्ठान प्रचलित हो गये। उत्तर वैदिक साहित्य में ऐसे यज्ञों के संपादन के लिए कई सूक्ष्म निर्देश दिये गये हैं। **वाजपेय यज्ञ** (शक्ति प्राप्त करने के लिए किया जाने वाला एक सोम यज्ञ) साल में सत्रह दिनों तक चलता था और ऐसा माना जाता था कि उससे एक अधेड़ उम्र का राजा शक्ति प्राप्त करने के साथ-साथ सामान्य राजा से **सम्राट** का गौरव प्राप्त कर सकता था अर्थात वह किसी के भी अधीन न रह कर स्वयं कई राजाओं पर शासन कर सकता था। **राजसूय** (सम्राट का पद प्राप्त करने के लिए किया जाने वाला यज्ञ) दूसरा जटिल यज्ञ था। इसका अनुष्ठान राज्याभिषेक के समय किया जाता था। इस यज्ञ का संचालन करने वाले पुरोहिताध्यक्ष को

दक्षिणा के रूप में २४०,००० गायें तक दी जाती थीं। **अश्वमेध** (घोड़े का यज्ञ) जटिल राजकीय यज्ञों में सबसे प्रसिद्ध और महत्वपूर्ण यज्ञ था। यह तीन दिनों तक चलता था, हालांकि इसकी प्रारंभिक तैयारी एक-दो साल तक चलती रहती थी। इस यज्ञ में राजा के साथ उसके चार राज्याधिकारी, उसकी चार रानियां और ४०० सेवक तथा अनेकानेक दर्शक भाग लेते थे। एक विशेष रूप से अभिषिक्त घोड़े को एक साल तक घूमने के लिए छोड़ दिया जाता था। चुने हुए ४०० योद्धा मार्ग में उस घोड़े की रक्षा करते थे, ताकि यदि कोई राजा उसे पकड़ ले तो उस राजा से युद्ध किया जाय। साल खत्म होने के साथ ही उस घोड़े को राजधानी में वापस लाया जाता था और ६०० सांडों के साथ-साथ उसकी भी बलि दी जाती थी। राजा की रानियां शव की प्रदक्षिणा करती थीं। पटरानी उसकी बगल में इस तरह सो जाती थी मानो वह सहवास की मुद्रा में हो। २१ बांझ गायों की बलि और पुरोहितों को दान-दक्षिणा के रूप में प्रचुर संपत्ति देने के बाद यज्ञ का समापन होता था। समझा जाता था कि अश्वमेध-अनुष्ठान से विजय और संप्रभुता की प्राप्ति होती है; अतः परवर्ती काल में भी यदाकदा यह अनुष्ठान चलता रहता था। इन यज्ञों के अतिरिक्त, उत्तर वैदिक काल में सामान्य विधि-विधानों के साथ छोटे-मोटे घरेलू यज्ञों की भी प्रथा प्रचलित थी।

बड़े पैमाने पर यज्ञानुष्ठानों के प्रचलन के कारण ऋग्वैदिक देवताओं का महत्व घट-सा गया और कुछ तो पृष्ठभूमि में बिल्कुल ओझल हो गये। पुरोहितों को यज्ञों का संपादन करते के लिए वृत्तियां मिलने लगीं और फलतः उनकी ताकत बढ़ गयी। यज्ञ में बहुधा बड़ी संख्या में पशुओं की बलि दी जाती थी। अत्रंजिखेर की खुदाइयों से पशुओं की ऐसी हड्डियां प्राप्त हुई हैं, जिन पर कटने के निशान हैं। इसलिए सार्वजनिक यज्ञानुष्ठानों के फलस्वरूप उस पशुधन के लोप की स्थिति आ पहुंची, जिसकी महत्ता से कृषि-अर्थव्यवस्था के विकास के संदर्भ में मुश्किल से इन्कार किया जा सकता है।

ब्राह्मणों के प्रभुत्व और आर्यों के कट्टर कर्मकांडों पर पहली प्रतिक्रिया उन **उपनिषदों** में व्यक्त हुई, जिनमें वैदिक काल के अंतिम दिनों में लोगों के हृदयों में व्याप्त प्रबल जिज्ञासाएं प्रतिबिंबित हैं। उपनिषदों में **यज्ञ** के बदले **आत्मा** से संबंधित विचारों पर अधिक प्रकाश डाला गया। सृष्टि के बारे में कहा गया कि विश्वात्मा की मूल कामना से उसकी उत्पत्ति हुई। **उपनिषदों** में पहली बार जीव से जीव की उत्पत्ति और मानवात्मा के विकास के विचार को साफ-साफ व्यक्त किया गया। यह कहा गया कि मनुष्य अपने पूर्वजन्म के आचरण के अनुसार ही सुख अथवा दुःख भोगता है। इससे **कर्म** का सिद्धांत पैदा हुआ, जिसके अनुसार यह मान लिया गया कि मनुष्य अपने इस जन्म का

फल दूसरे जन्म में भोगता है। इस शिक्षा का परिणाम यह हुआ कि मनुष्य ने दुःख को अपने कर्म का फल मान लिया और यह शिक्षा बहुत अंशों में भारतीय चिन्तन-धारा का मूलाधार बन गयी।

उपनिषद काल तक तपस्या का खूब प्रचार-प्रसार हो गया। तपस्वी एकांत आश्रमों में अथवा समाज से अलग छोटे-छोटे दलों में रहते थे। पहले यज्ञों के माध्यम से जो काम किया जाता था, अब उसके लिए जादू-टोने का प्रयोग किया जाने लगा और तपस्वी आत्मसंयम पर अधिक बल देने लगे। इस प्रकार तपश्चर्या ने वैदिक **यज्ञ** की श्रेष्ठता को और यज्ञ से लाभान्वित होने वाले ब्राह्मणों को भी चुनौती दे दी। लेकिन ब्राह्मणों ने समझौते का एक रास्ता निकाल लिया, जिसके अनुसार आर्य जाति के लोगों को चार आश्रमों अथवा व्यवस्थाओं में विभक्त कर दिया गया। इस व्यवस्था के अनुसार तय किया गया कि आर्य जाति के व्यक्ति को सबसे पहले **ब्रह्मचारी** होना होगा अर्थात गुरु के आश्रम में एक विद्यार्थी के रूप में उसे ब्रह्मचर्य-व्रत का पालन करते हुए तपस्वी की तरह जीवन व्यतीत करना पड़ेगा। वेदों अथवा वेदांशों का अध्ययन करने के बाद उसकी शादी होगी और तब वह **गृहस्थाश्रम** में प्रवेश करेगा। वृद्धावस्था में वह सांसारिक जीवन से मुंह मोड़कर तपस्वी का जीवन धारण करने के लिए **वाणप्रस्थाश्रम** में दाखिल हो जायगा। सबसे अंत में अर्थात जीवन के अंतिम दौर में वह मनन-चिन्तन और कठोर तपस्या के द्वारा भौतिक बंधनों से आत्मा को मुक्त करने के बाद एक घुमक्कड़ तपस्वी अर्थात **सन्यासी** हो जायगा। इस कृत्रिम विभाजन के द्वारा तपश्चर्या को मानव-जीवन के सबसे अंतिम छोर पर प्रतिष्ठित कर दिया गया, ताकि वह उसकी शरण में जाने के पहले सामाजिक उत्तरदायित्वों को पूरा कर ले। चार **आश्रमों** की व्यवस्था शूद्रों के लिए नहीं थी।

निम्न वर्णों के सदस्यों को शिक्षा-प्राप्ति का भी अधिकार नहीं था। शिक्षा एक अभिषेक-संस्कार के साथ शुरू की जाती थी, जिसे **उपनयन** संस्कार कहते थे। इस संस्कार के अनुसार शिक्षा के लिए बालक को एक गुरु के सुपुर्द किया जाता था। इसके बाद ही बालक समाज का पूर्ण सदस्य बनने का अधिकारी होता था। उपनयन की व्यवस्था ब्राह्मणों, क्षत्रियों और वैश्यो तक ही सीमित थी, शूद्र इसके योग्य नहीं समझे जाते थे। वैदिक काल में कभी-कभी लड़कियों को भी दीक्षित किया जाता था। कल्पना की गयी थी कि उपनयन-संस्कार के बाद बालक दूसरा जन्म धारण करता है, इसलिए तीन उच्च वर्णों के सदस्यों को **द्विज** (जिसका जन्म दो बार हुआ हो) विशेषण से विभूषित किया गया था, हालांकि परवर्ती काल में अनेक क्षत्रियों और वैश्यों ने दीक्षा-संस्कार का संपादन करना छोड़ दिया।

सैद्धांतिक दृष्टिकोण से शिक्षा का द्वार सभी **द्विजों** के लिए खुला हुआ था, हालांकि **वेदों** पर एकमात्र ब्राह्मणों का ही अधिकार था। छात्रों (**ब्रह्म-चारियों**) को कई वर्षों तक किसी ब्राह्मण गुरु के घर पर रहकर शिक्षा ग्रहण करनी पड़ती थी। गणित, व्याकरण और छंद-शास्त्र के अतिरिक्त **वेदों** का अध्ययन किया जाता था। संपूर्ण वैदिक काल में मौखिक शिक्षा की प्रथा प्रचलित थी। एक उत्तर वैदिक ग्रन्थ में गुरु के साथ पाठों को दोहराने वाले छात्रों की जीवंत तुलना बरसात में एक साथ टर्राने वाले मेंढकों से की गयी है। छात्र को एक-एक शब्द कंठस्थ कर लेना पड़ता था और ब्राह्मणों ने मौखिक शिक्षा के क्षेत्र में काफी उन्नति कर ली थी। लेकिन जान पड़ता है हड़प्पावासियों की भांति आर्यों ने लेखन-काल को विकसित नहीं किया था। वैदिक साहित्य के किसी भी स्थल पर आर्यों की लेखन-काल का स्पष्ट विवरण नहीं मिलता है। भारत की अब तक बची हुई प्राचीन लिपि का नमूना **ब्राह्मी** में लिखित **अशोक** (तीसरी शताब्दी ई. पू.) के शिलालेखों में मिलता है। कहा जाता है कि **ब्राह्मी** लिपि कई सदियों में विकसित हुई थी।

३. जैन धर्म और बौद्ध धर्म

७०० ई. पू. के आसपास पूर्वी उत्तर प्रदेश और बिहार की जनता के आर्थिक जीवन में बहुत बड़ा परिवर्तन दिखलायी पड़ने लगा । इसका कारण यह था कि इन क्षेत्रों के लोग पहले की अपेक्षा अब बड़े पैमाने पर लोहे का प्रयोग करने लग गये थे । पूरब में आर्यों की आबादी फैलने के साथ-साथ लोगों को लोहे के संबंध में अधिकाधिक जानकारी प्राप्त होती गयी । भाथी के प्रयोग से लोहे की नयी शिल्पकला का फैलाव होने लगा और बड़े पैमाने पर लोहे के उपकरणों तथा हथियारों के उत्पादन का सिलसिला शुरू हो गया । लोग गहरी जुताई के लिए लोहे के फालों का अधिकाधिक प्रयोग करने लगे । पांचवीं शताब्दी ई. पू. में अपना यश फैलाने वाले संस्कृत भाषा के प्रथम सुविख्यात वैयाकरण पाणिनी का कथन है कि खेतों को दो-तीन बार जोता जाता था और पैदावार के मुताबिक उनका वर्गीकरण किया जाता था । कृषि-कौशल में वृद्धि के साथ-साथ पौधों के बारे में लोगों की जानकारी भी बढ़ती गयी । उस समय के ग्रन्थों में विभिन्न प्रकार के चावलों का उल्लेख मिलता है ।

लोहे के उपकरणों और हथियारों के प्रयोग से मुख्यतः पूर्वी उत्तर प्रदेश और बिहार के जंगलों को साफ करने तथा वहां की भूमि को कृषि-योग्य बनाने में खूब मदद मिली । इन भू-भागों में ४०'' औसत वार्षिक वर्षा होने के कारण अवश्य ही घने जंगल रहे होंगे । धर्मग्रन्थों में जंगलों की सफाई को स्वीकृति प्रदान की गयी । एक कानूनवेत्ता के अनुसार राजा कृषि के विस्तार के लिए अथवा यज्ञों के लिए फलों अथवा फूलों वाले वृक्षों को कटवा सकता था । स्पष्टतः जंगलों की सफाई का काम मुख्य रूप से राज्य ने किया, लेकिन जंगलों को काटने और भूमि को कृषि-योग्य बनाने के लिए लोगों द्वारा किये जाने वाले व्यक्तिगत प्रयासों के उदाहरणों की भी कमी नहीं है । बौद्ध साहित्य में स्वामी अथवा स्वामी के पूर्वजों द्वारा साफ की गयी जंगल की भूमि को बेचने का एक उदाहरण मिलता है ।

कृषि और यंत्रों के समुचित प्रयोग के उन्नत ज्ञान के फलस्वरूप किसान ज्यादा से ज्यादा अनाज आदि उपजाने लगे, जिससे नगरों की वृद्धि में मदद मिली । जैन धर्मग्रन्थों में **महावीर** के युग के कई प्रकार के नगर-केन्द्रों का वर्णन है । चौथी शताब्दी ई. पू. में सिकंदर के एक कार्याधिकारी **एरिस्टोबुलस**

सिन्धु क्षेत्र में एक हजार से भी अधिक शहरों के ध्वंसावशेषों को देखा था। यदि यह यूनानी वर्णन अतिशयोक्तिपूर्ण हो, तो भी इस बात में संदेह की तनिक भी गुंजाइश नहीं है कि उत्तर भारत में उस काल में अनेक नगर खड़े हो चुके थे। संपूर्ण देश में ६००-३०० ई. पू. में लगभग ६० नगर थे। **श्रावस्ती** की तरह के महानगरों की संख्या बीस थी और इनमें से छह का संबंध गौतम बुद्ध के जीवन से था। ये महानगर थे चंपा (बिहार के अंतर्गत वर्तमान भागलपुर), राजगृह (पटना से लगभग ६० मील दक्षिण), साकेत (पूर्वी उत्तर प्रदेश में), कौशांबी (इलाहाबाद से ४० मील), बनारस और कुशीनगर (उत्तर प्रदेश के देवरिया जिले में वर्तमान कसिया)। लेकिन खुदाइयों से पता चलता है कि छठी शताब्दी ई. पू. में केवल राजगृह, वैशाली (बिहार में मुजफ्फरपुर के निकट वर्तमान बसाढ़), राजघाट (बनारस), चिरांद (बिहार में छपरा के निकट) और कौशांबी में ही शहरी बस्तियां थीं, श्रावस्ती (उत्तर प्रदेश में गोंडा और बहराइच जिलों की सीमा पर सहेट-महेट) का संबंध परवर्ती काल से था। इस प्रकार ज्ञात होता है कि ५०० ई. पू. के आसपास उत्तर-पश्चिम भारत में एक असाधारण शहरी जीवन का सूत्रपात हो चुका था।

भारत में ग्रीस देश से सिकंदर की सेना के आगमन से नगरो की वृद्धि में बहुत मदद मिली। इस नयी स्थिति के फलस्वरूप अनेक व्यापार-मार्ग खुल गये और पश्चिमोत्तर भारत तथा पश्चिम एशिया के बीच व्यापारिक संबंधों की संभावनाएं उजागर हो गयीं। इसके अतिरिक्त दक्कन और दक्षिण भारत की ओर जाने वाले मार्गों के फलस्वरूप उत्तर भारत की वस्तुओं के लिए नये-नये बाजार खड़े हो गये। दक्कन के उत्तरी भू-भाग में मिले और मौर्य-पूर्व काल के माने जाने वाले उत्तर भारत के पालिशदार चिकने मृद्‌भांडों (गंगा घाटी की मिट्टी के बने हुए विशिष्ट पात्रों) तथा लोहे की चीजों से यह पता चलता है कि इन क्षेत्रों में व्यापारिक संबंध था। लेकिन मुख्य व्यापार-मार्ग गंगा के इर्दगिर्द राजगृह से कौशांबी की ओर गुजरते थे और ये उज्जैन (मध्यप्रदेश) को पश्चिम के प्रमुख समुद्री बंदरगाह भड़ोच से जोड़ते थे; कौशांबी से होकर पंजाब के आसपास और तक्षशिला की ओर जाने वाला मार्ग भारत को पश्चिमी भू-भाग के विदेश-व्यापार से जोड़ने वाला प्रमुख मार्ग था।

व्यापार ने शहरी जीवन को विशेष रूप से प्रभावित और विकसित किया। **जातकों** अर्थात् बुद्ध की जन्म-गाथाओं में ५०० से लेकर १००० गाड़ियों के साथ एक जगह से दूसरी जगह जाने वाले काफिलों के कई वर्णन मिलते हैं। ५०० गाड़ियों के साथ इस तरह का एक काफिला उस सड़क से

होकर गुजरा था, जहां गौतम बुद्ध तपस्या कर रहे थे। कहते हैं कि राजगृह की अपनी यात्रा में बुद्ध की मुलाकात बेलथा से हुई थी, जो चीनी से भरे हुए घड़ों को ५०० गाड़ियों पर लादकर अंधकोविन्द (एक अज्ञात स्थान) की ओर जा रहा था। घोड़ों के सौदागर तथा अन्य प्रकार के कई सौदागर अपनी चीजों को बेचने के लिए एक जगह से दूसरी जगह जाया करते थे। व्यापार की वस्तुओं में वस्त्र का प्रमुख स्थान था; क्योंकि प्राचीन पालि-ग्रंथों के अनुसार बौद्धयुग में पूर्वोत्तर भारत में रूई का खूब प्रचलन हो गया था। लेकिन व्यापार मुख्यतः विलास की वस्तुओं का ही होता था।

वैदिकोत्तर युग में धातु के सिक्कों के प्रयोग के कारण व्यापार को खूब बढ़ावा मिला। वैदिक साक्ष्य के बावजूद पूर्ववर्ती युग में सिक्कों के चलन की बात बहुत ही संदेहास्पद बनी हुई है। भारत में सबसे प्राचीन काल के जो सिक्के मिले हैं, उन्हें हम बौद्धयुग के पहले के सिक्के नहीं मान सकते हैं। ये सिक्के सौदागरों द्वारा जारी किये गये थे और ये आहत सिक्के थे; इसीलिए आहत सिक्कों के रूप में इनका वर्णन किया गया है। ऐसा ज्ञात होता है कि इस काल में सिक्कों का खूब उपयोग होने लगा था और तुच्छ से तुच्छ वस्तु की भी कीमत मुद्रा के रूप में आंकी जाती थी।

शहरों की उन्नति के फलस्वरूप पूर्ववर्ती युग में आरंभ होने वाली विभिन्न कलाओं और शिल्पों ने व्यापार को मौद्रिक अर्थव्यवस्था से पूरी तरह जोड़ दिया। प्राचीन बौद्ध ग्रंथों में वस्त्र धोने वाले धोबियों, रंगरेजों, चित्रकारों, नाइयों, दर्जियों, बुनकरों, और रसोइयों के अतिरिक्त और भी कई प्रकार के कारीगरों का वर्णन मिलता है। कारीगरों की बाद वाली श्रेणी में सरकंडे की चीजें बनाने वाले, मिट्टी के बर्तन बनाने वाले, वाहन बनाने वाले, सिलाई का काम करने वाले, स्वर्णाभूषण बनाने वाले, धातु गलाने वाले, लकड़ी और हाथी दांत की चीजें बनाने वाले, फूल-मालाएं बनाने वाले तथा रेशमी वस्त्र-निर्माता शामिल थे। अनेक प्रकार के शिल्प-उद्योगों के अस्तित्व से सिद्ध होता है कि उपभोक्ता वस्तुओं के उत्पादन के क्षेत्र में विशिष्टीकरण का बोलबाला था।

कारीगर और दस्तकार अक्सर शिल्पी-संघों या श्रेणियों के अंतर्गत संगठित रहते थे। परवर्ती बौद्ध ग्रंथों में राजगृह में अठारह शिल्पी-संघों के अस्तित्व का उल्लेख है, हालांकि लकड़हारों, धातुकर्मियों, चर्मकारों और चित्रकारों के चार शिल्पी-संघों के ही नाम स्पष्ट रूप से गिनाये गये हैं। प्रत्येक शिल्पी-संघ के सदस्य नगर के एक विशेष भाग में रहते थे। इससे दस्तकारियों और उद्योगों का क्षेत्रीयकरण तो हुआ ही, साथ-ही-साथ उद्योग-धंधों के क्षेत्र में पिता से पुत्र को मिलने वाली वंश-परंपरा चल पड़ी। शिल्पी-संघ की

अध्यक्षता मुखिया (जेट्ठक) करता था। व्यापार और उद्योग (सेट्ठियों) के हाथों में थे और वे कई बार शिल्पी-संघों के प्रधान भी होते थे। साधारणतः वे नगरों में रहते थे, लेकिन जिन्हें राजा की ओर से निर्वाह (भोगागम) के लिए गांवों का राजस्व प्रदान किया गया था, वे गांवों से जुड़े रहते थे। सेट्ठी एक प्रकार का महाजन अथवा बैंकर था और कभी-कभी वह व्यापार-संघ की भी अध्यक्षता करता था। परम प्रभावशाली और निरंकुश राजा भी उसका सम्मान करता था। इन सभी बातों से यह सिद्ध होता है कि शहरों में महत्वपूर्ण सामाजिक समूहों के रूप में कारीगरों और सेट्ठियों का बोलबाला बढ़ता जा रहा था।

एक नया सामाजिक समूह अपने धन के बल पर गांवों में भी प्रभाव जमाता जा रहा था। भूमि का बड़ा भाग गहपतियों (भूस्वामियों) के अधिकार में था। प्राचीन काल में गहपति (अर्थात् गृहस्वामी) शब्द से किसी भी महत्वपूर्ण यज्ञ के अवसर पर अतिथि की सेवा करने वाले व्यक्ति और प्रमुख याजक का बोध होता था। लेकिन बौद्धयुग में इससे ऐसे व्यक्ति का बोध होने लगा, ''जो किसी भी जाति के एक विशाल पितृसत्तात्मक परिवार का मुखिया हो और जिसे मुख्यतः अपने धन के कारण सम्मान मिला हो''। अब वैदिकोत्तर काल में पशुओं की अपेक्षा जमीन ही उसकी मान-मर्यादा को अधिकाधिक निर्धारित करने लगी। प्राचीन बौद्ध ग्रंथों में गहपतियों का बार-बार उल्लेख किया गया है। गहपति मेण्डक राज्य की सेना को वेतन देता था और कहा जाता है कि उसने बुद्ध और संघ की सेवा के लिए १२५० गौसेवकों को नियुक्त किया था। कहते हैं कि अनाथपिण्डक नामक दूसरे गहपति ने बुद्ध को दान में दिये गये जेतवन के मूल्य के रूप में विशाल रकम चुकायी थी। साकेत के एक गहपति ने चिकित्सक जीवक को १६००० मुद्राएं तथा एक दास और दासी अर्पित की थी। बनारस के दूसरे गहपति ने अपने पुत्र की चिकित्सा के लिए जीवक को १६००० मुद्राएं दी थीं। गहपति कभी-कभी अच्छे दुकानदारों को कर्ज भी देते थे। वैदिक गृहस्वामी से तुलनात्मक दृष्टिकोण से परिवार के एक अधिक धनाढ्य मुखिया के रूप में गहपति का उद्भव समाज के भीतर बढ़ती हुई वित्तीय विषमता की ओर इंगित करता है। सामान्य लोग, दास और मजदूर उसके धन से ईर्ष्या करने लगे थे और उसका अहित भी सोचने लगे थे; इसलिए अपनी सुरक्षा के लिए वह अंगरक्षक रखने लग गया था।

गांवों और शहरों में एक नये धनाढ्य वर्ग के उद्भव से आर्थिक विषमताएं उत्पन्न हो गयीं। फलस्वरूप बंधुत्व और समानता के कबीलाई आदर्शों का लोप हो गया। वैदिक काल के अनेक कबीलों पर, मुट्ठी भर

लोगों के हाथों में निजी संपत्ति के संकेन्द्रन का गहरा प्रभाव पड़ा। इससे स्वभावतः चार प्रकार की व्यवस्थाएं खड़ी हो गयीं और वैदिकोत्तर ब्राह्मण विधि-ग्रंथों में पहली बार सामाजिक, कानूनी और आर्थिक विशेषाधिकारों तथा विषमताओं की व्याख्या की गयी। लौह शिल्पकला के ज्ञान से अप्रभावित रहने वाली अनेक आर्येत्तर जनजातियां भौतिक दृष्टिकोण से बहुत ही निम्न स्तर का जीवन बिता रही थीं। आदिम जनजातियां यंत्रों के ज्ञान और कृषि-संस्कृति से लैस वर्ण-विभक्त समाज से अलग-अलग रहकर मुख्यतः शिकारियों और बहेलियों के रूप में जीवनयापन कर रही थीं। संभवतः उनके सांस्कृतिक पिछड़ेपन के फलस्वरूप वैदिकोत्तर काल में अस्पृश्यता का विकास हो गया।

जनता के सामाजिक और आर्थिक जीवन के नये-नये स्वरूप वैदिक धर्मानुष्ठानों तथा पशु-यज्ञों से बिलकुल भिन्न नजर आ रहे थे; क्योंकि ये धर्मानुष्ठान और यज्ञ उस पशुधन के निरर्थक सर्वनाश के साधन बन गये थे, जो नये दलों की सहायता से सम्पन्न होने वाली कृषि का मुख्य आधार था। वैदिक धर्मानुष्ठानों और नवोदित सामाजिक समूहों की आकांक्षाओं में आपसी टकराव होने से ऐसे नये धार्मिक और दार्शनिक विचारों की खोज शुरू हो गयी, जो जनता के भौतिक जीवन में बुनियादी परिवर्तनों के अनुरूप हों। इस प्रकार छठी शताब्दी ई. पू. में गंगा की घाटी में वैदिक धर्म के विरुद्ध शिक्षा का प्रचार करने वाले अनेक नये धर्मोपदेशक पैदा हो गये। अजित केशकंबलिन ने **उच्छेदवाद** नामक एक कट्टर भौतिक दर्शन का प्रचार किया गया। समझा जाता है कि इससे लोकायत अथवा चार्वाक* दर्शन ने बहुत कुछ हासिल किया है। दूसरे धामिक नेता पकुध कात्यायन ने कहा कि जिस तरह धरती,

* लोकायत (अर्थात विश्वव्यापी) दर्शन के बारे में समझा जाता है कि यह बहुत लोकप्रिय था। बृहस्पति सूत्र (लोकायत सूत्र), जिस पर भारत का अधिकांश भौतिक चिन्तन आधारित है, पतंजलि के वर्णनानुसार किसी-न-किसी रूप में दूसरी शताब्दी ई. पू. में विद्यमान था। लेकिन अब इसका कहीं पता नहीं है। हमारे भौतिकवादी दर्शन का जो एकमात्र ग्रन्थ बच रहा है, उसका नाम तत्वोपप्लवसिंह है और इसकी रचना आठवीं शताब्दी में किसी जयर्षि ने की थी। जो भी हो, भौतिकवाद भारतीय चिन्तन का एक प्रमुख अंतःस्रोत रहा है। लोकायत के अंतर्गत अदम्य भोगवाद पर जोर दिया गया है; अतः कट्टर धर्मावलंबियों ने इसकी कड़ी भर्त्सना की है। ईसवी संवत की प्रारंभिक शताब्दियों से ही लोकायत दर्शन का संबंध चार्वाक् से जोड़ा जाता है, जिसके बारे में कहा जाता है कि वह बृहस्पति का शिष्य था। महाभारत में ब्राह्मण चार्वाक ने उत्तराधिकार के युद्ध में अपने बंधु-बांधवों को मौत के घाट उतारने के लिए युधिष्ठिर की भर्त्सना की है। लेकिन यह उल्लेखनीय है कि दूसरे ब्राह्मण उसे छद्मवेशी दैत्य घोषित करते हैं और उसे जलाकर राख कर देते हैं।

जल, वायु और प्रकाश मूलतः अनश्वर तत्व हैं, उसी तरह दुःख, सुख और जीवन भी अनश्वर हैं। यह समझा जाता है कि उसके विचारों से ही प्रेरणा प्राप्त कर परवर्ती वैशेषिक दर्शन अंकुरित हुआ। तीसरे समकालीन उपदेशक पुराण कस्सप ने आत्मा को शरीर से पृथक माना और उसने उस दर्शन की नींव रखी जिसे आगे चलकर सांख्य दर्शन कहा गया। उसकी विचारधारा आजीविका संप्रदाय के प्रवर्तक मखल्लि गोसाल की विचारधारा में विलीन हो गयी, जो सुरापान कर नंग-धड़ंग घूमा करता था और निरंकुश यौन-साधना में लीन रहता था। उसका विश्वास था कि आत्मा जिस विशिष्ट शरीर से हर जन्म में संबद्ध रहती है, उसकी किसी क्रिया का विचार किये बिना उसे पूर्व-निर्धारित पुनर्जन्म के अपरिवर्तनीय चक्र से गुजरना पड़ता है।

लेकिन छठी शताब्दी ई. पू. के आसपास उत्तर भारत में जितने भी धार्मिक संप्रदाय प्रचलित थे, उनमें केवल जैन धर्म और बौद्ध धर्म स्वतंत्र धर्मों के रूप में भारत में टिक सके। सातवीं शताब्दी ई. पू. में पार्श्व ने जैन धर्म के विचारों को फैलाया था। उन्होंने जैन धर्म के चार व्रतों का प्रतिपादन किया था। वे चार व्रत हैं: अहिंसा, अचौर्य, अपरिग्रह और सत्यवादिता। महावीर ने इस सूची में ब्रह्मचर्य व्रत का समावेश किया।

वर्धमान महावीर का जन्म ज्ञात्रि क्षत्रिय कुल में कुंदग्राम नामक वैशाली के उपनगर में हुआ था। उनके पिता सिद्धार्थ एक धनधान्य-सम्पन्न मुखिया थे और उनकी माता त्रिशला वैशाली के लिच्छवि राजकुमार चेटक की बहन थीं। वर्धमान का विवाह उसकी चचेरी बहन यशोदा से हुआ था। यशोदा के गर्भ से उनकी एक पुत्री का जन्म हुआ था, जो उनके भतीजे जमाली से ब्याही गयी थी। महावीर ने ३० वर्ष की उम्र में अपना घर छोड़ दिया और वे केवल वर्षा ऋतु में विश्राम करते हुए एक सन्यासी के रूप में बारह साल तक भ्रमण करते रहे। तेरहवें साल में कठोर तपस्या और सतत साधना उपरांत उन्होंने ज्रिम्भिका ग्राम (जिसका पता नहीं लग सका है) के निकट रिजुपालिका नदी के तट पर एक साल वृक्ष के नीचे कैवल्य अथवा पूर्ण ज्ञान की प्राप्ति की। उन्होंने अपने जीवन के शेष ३२ साल जैन धर्म के प्रचार में और मगध तथा अंग में सन्यासियों को जैन संप्रदाय में संगठित करने में बिता दिये। लेकिन परवर्ती काल में जैन धर्म को गुजरात और राजस्थान में (जहां इस समय बीस लाख जैन धर्मावलंबी हैं), उत्तर भारत के कुछ भागों में तथा मैसूर में अनुकूल वातावरण मिल गया। जैन महावीर के उपदेशों को सर्वप्रथम तीसरी शताब्दी ई. पू. में संकलित और व्यवस्थित किया गया, लेकिन पांचवीं अथवा छठी शताब्दी ई. पू. तक भी उनका संकलन का कार्य पूरा नहीं हो सका।

जैन धर्म मूलतः निरीश्वरवादी सिद्धांत का प्रतिपादक है। वह ईश्वर की

अवधारणा को स्वीकार नहीं करता है । लेकिन उसने अपने **तीर्थंकरों** को ईश्वर की तरह पूज्य माना है । जैन धर्म के अनुसार प्रत्येक नश्वर प्राणी में महान पद प्राप्त करने की क्षमता है और वह वस्तुतः महान पद का अधिकारी है । जैन धर्म ने यह मत प्रतिपादित किया कि सृष्टि उत्थान-पतन की अनेका- नेक सूक्ष्म तरंगों के बीच से गुजरते हुए शाश्वत नियमानुसार अपने कार्य में संलग्न रहती है । उसके अनुसार जीवन का एकमात्र उद्देश्य यह है कि आत्मा को विकारों से मुक्त किया जाय । **स्य द्वाद** का सिद्धान्त जैन-दर्शन का एक अनि- वार्य संघटक है । इस सिद्धांत के अनुसार अंतिम रूप से किसी बात को स्वीकार करना अथवा अस्वीकार करना संभव नहीं है; क्योंकि ज्ञान एक सापेक्ष गुण है । **उपनिषदों** के विपरीत जैन धर्म की यह मान्यता है कि आत्मा का शुद्धि- करण ज्ञान से नहीं बल्कि लंबे उपवास, अहिंसाव्रत के कठोर पालन, सत्य, अचौर्य, त्याग और इन्द्रिय-निग्रह से ही किया जा सकता है । बहुधा बेतुके ढंग से अहिंसाव्रत का पालन किया जाता था । राह में चलते हुए यदि अनजाने में भी एक चींटी की मृत्यु हो जाय, तो इसे जैन मतावलंबी सदाचार-विरुद्ध मानते थे । जैन लोग इस डर से कि कहीं किसी जीवाणु की हत्या न हो जाय, पानी भी बिना छाने नहीं पी सकते थे । वे मुंह को कपड़े के टुकड़े से ढंक लेते थे और यह काम वे स्वास्थ्य की दृष्टि से नहीं बल्कि हवा में उड़ते हुए किसी जीव की रक्षा की दृष्टि से करते थे । जैनियों के तपोमय जीवन में उपवास और हर प्रकार के आत्मपीड़न का विशेष महत्व था । चिलचिलाती धूप और वर्षा में घंटों तक अपने शरीर का दमन करना जैनियों के लिए एक साधना की बात थी । महावीर ने स्वयं सभी प्रकार के वस्त्रों को धारण करना छोड़ दिया था, हालांकि महावीर के पूर्ववर्ती तीर्थंकर पार्श्व ने तीन वस्त्रों को धारण करने की स्वीकृति दी थी । इस प्रकार गोसाल से भिन्न रूप में, जो व्यक्तिपरक और उच्छृंखल विषयासक्ति का पक्षधर था, महावीर का मत था कि कठोर तपोमय जीवन और शारीरिक उत्पीड़न से ही मनुष्य की आत्मा जीवन के संतापों से छुटकारा पा सकती है । लेकिन दोनों धर्म-प्रचारक समान रूप से चरमपंथी विचारों के पोषक थे, अतः उन्हें कभी जन-समर्थन प्राप्त नहीं हो सका ।

छठी शताब्दी ई. पू. के सभी धर्म-प्रचारकों में गौतम बुद्ध सर्वाधिक लोकप्रिय हैं । उनके धर्म का सामाजिक आधार अधिक ठोस था । गौतम को हम सिद्धार्थ भी कहते हैं । उनका जन्म ५८६ ई. पू. में शाक्य क्षत्रिय कुल के एक छोटे-से गणराज्य में हुआ था । उनके पिता शुद्धोधन शाक्यगण के मुखिया थे । उनकी माता का नाम महामाया था । राजकुमार गौतम को किशोरा- वस्था में क्षत्रिय-वंश की परम्परा के अनुसार युद्धकला की शिक्षा मिली थी । उनका विवाह अपनी चचेरी बहन यशोधरा से हुआ था और उन्हें राहुल नामक

एक पुत्र की प्राप्ति हुई थी, लेकिन इन सभी बातों के बावजूद वे अपने जीवन से सन्तुष्ट नहीं थे। २६ साल की आयु में गौतम ने अपना घर छोड़ दिया और अपने केश कटवाकर वे सन्यासी का जीवन बिताने लगे। वे ज्ञान-प्राप्ति के लिए जगह-जगह भटकते रहे, लेकिन उन्हें कहीं भी शांति नहीं मिली। अंत में मुक्ति की कामना से उन्होंने सन्यास से मुंह मोड़ लिया और ध्यान का मार्ग अपना लिया। उन्हें गया में निरंजना (वर्तमान फल्गु) नदी के तट पर पीपल के एक वृक्ष के नीचे ज्ञान की प्राप्ति हुई। उन्होंने बनारस के निकट सारनाथ में अपना पहला प्रवचन किया और अपने उन पूर्ववर्ती पांच शिष्यों को पुनः प्रभावित किया, जो उन्हें उस समय छोड़कर चले गये थे जब उन्होंने कठोर सन्यास-मार्ग को तिलांजलि दे दी थी। उनके उस प्रवचन को **धर्मचक्र प्रवर्तन** कहते हैं और वह बुद्ध की सभी शिक्षाओं का बीजकेंद्र माना जाता है। गौतम बुद्ध ने ४५ वर्षों तक पैदल-यात्रा करते हुए अपने विचारों का प्रचार किया। लेकिन शायद कोशांबी से आगे पश्चिम की ओर वे नहीं गये। पूरब में वे राजगीर और गया से होकर बराबर गुजरते रहे। उन्होंने गंगा के दक्षिणी तट पर मिर्जापुर के निकट दक्खिनगिरि की भी यात्रा की। ८० साल की उम्र में कुशीनारा में उनका जीवन-दीप बुझ गया। कहते हैं कि सुअर का मांस (**सूकर-मद्दव**) खाने से उनकी मृत्यु हुई। उन्होंने यह मांस पावा में अपने एक विवेक-हीन शिष्य चुंद के साथ खा लिया था।

बौद्ध धर्म के मुख्य सिद्धांत **अष्टांग मार्ग** में निहित हैं। पहला मार्ग अथवा उपाय है **सम्यक् दृष्टि** अर्थात् वह दृष्टि जो यह अनुभूति प्रदान करे कि लोभ, इच्छा आदि के कारण इस संसार में सर्वत्र दुःख-ही-दुःख व्याप्त है। दूसरा उपाय है **सम्यक् संकल्प**, जो लिप्सा और आसक्ति से छुटकारा दिलाये तथा हर व्यक्ति के हृदय में सबके लिए प्रेम और हर्ष के भाव जगाये। तीसरा उपाय है **सम्यक् वाचन** अर्थात् सभी सच बोलें और पारस्परिक मैत्री-भाव को विकसित करें। चौथा उपाय है **सम्यक् कर्म** अर्थात् हर व्यक्ति अहिंसा, अचौर्य और सदाचार के नियमों का पालन करे तथा ऐसा काम करे, जिससे दूसरों को लाभ हो। पांचवां उपाय है **सम्यक् जीवन** अर्थात् कोई भी आदमी अपने जीवन निर्वाह के लिए अपवित्र और भ्रष्ट साधनों का उपयोग न करे। छठा उपाय है **सम्यक् विचार** जिसका आशय है कि हर व्यक्ति बुरे विचारों से छुटकारा पाने के लिए मानसिक अभ्यास करे। सातवां उपाय है **सम्यक् स्मृति**, जिसके अनुसार मनुष्य को सदैव स्मरण रखना चाहिए कि मानव शरीर अणुओं से निर्मित है। अंतिम उपाय अथवा सत्य है **सम्यक् समाधि**, जो शारीरिक बंधनों और मानसिक लगावों से उत्पन्न बुराइयों को दूर करे। बौद्ध धर्म के अनुसार जो कोई भी इन महान आठ मार्गों का अनुसरण करेगा,

वह अंत में **निर्वाण** प्राप्त करेगा, चाहे उसका जन्म किसी भी कुल में क्यों न हुआ हो।

जैन धर्म और बौद्ध धर्म की कई बातें एक दूसरे से मिलती-जुलती हैं। उनमें पहली समानता यह है कि दोनों धर्मों के प्रवर्तकों ने शारीरिक और मानसिक कार्यों पर यथेष्ट बल दिया है। यह बात महावीर और गौतम के कठोर तपोमय जीवन से प्रमाणित भी हो जाती है। दोनों में दूसरी समानता यह है कि दोनों धर्मों ने वेदों के प्रभुत्व को ठुकरा दिया और पशु-बलि का विरोध किया, जिससे कट्टर ब्राह्मणवादी विचारों से उनका टकराव शुरू हो गया। लोहे के प्रयोग के फलस्वरूप शिल्प-विज्ञान के क्षेत्र में जो परिवर्तन हुए, उनसे अब हल-फाल से जुड़ी कृषि की खूब उन्नति हुई, जो मुख्यतः पशु-धन पर ही निर्भर थी। इस पृष्ठभूमि पर विचार करते हुए पशुओं की हत्या नहीं करने की शिक्षा महत्वपूर्ण प्रतीत होती है। अहिंसा के सिद्धांत के प्रचार से पहली बार कृषि के उत्थान में मदद मिली; क्योंकि पशुचारण-अर्थव्यवस्था के अंतर्गत एक वर्गमील में जितने लोग रहते थे, उतने ही क्षेत्र में उनसे दस गुनी संख्या से भी अधिक लोगों के भरण-पोषण में कृषि-कार्य से मदद मिल सकती थी। लेकिन जैन धर्म में अहिंसा के सिद्धांत पर अनावश्यक जोर देने से कृषकों को प्रोत्साहन नहीं मिला; क्योंकि कृषि-कार्य में कीड़े-मकोड़ों के मरने की संभावना से इंकार नहीं किया जा सकता था। महावीर के विचारों को ऐसे कारीगरों और दस्तकारों ने भी स्वीकार नहीं किया, जिनके धंधों में दूसरे जीवों के मरने का खतरा मौजूद था। जैनियों द्वारा निर्धारित व्यक्तिगत संपत्ति की सीमा के बारे में कहा गया कि यह सीमा केवल भू-संपत्ति के अधिकार पर ही रोक लगाती है। इसलिए जैन धर्म के अनुयायियों ने मुख्यतः तैयार माल के व्यापार को ही प्रधानता दी और महाजनी कारोबार को अपना लिया। इससे यह पता चलता है कि जैन धर्म शहरी संस्कृति और समुद्रीय व्यापार से इतना क्यों संबद्ध रहा। भारत के पश्चिमी सामुद्रिक तट विदेश-व्यापार के अनुकूल थे, अतः यह कोई आश्चर्य की बात नहीं है कि उस क्षेत्र में आज भी जैन धर्मावलंबी प्रचुर संख्या में रहते हैं।

अहिंसा के सिद्धांत के प्रचार पर जोर देने के मामले में बौद्ध धर्म जैन धर्म के मुकाबले में उदार था। यद्यपि बौद्ध धर्म जीव-हत्या से साफ-साफ परहेज करता है, तथापि उसने अपने अनुयायियों को मांस खाने से कभी नहीं रोका, लेकिन शर्त यह थी कि उस मांस को किसी गैर-बौद्ध कसाई ने काटा हो। फिर भी वुद्ध ने पशुओं की हत्या नहीं करने पर जोर दिया है, वह तर्कसंगत है। एक प्राचीन बौद्ध ग्रंथ में कहा गया है कि पशुओं की रक्षा करनी चाहिए क्योंकि वे "माता-पिता और संबंधी की भांति हमारे मित्र हैं" और "कृषि

उन पर निर्भर है"। बौद्ध धर्म ने यह समझ लिया था कि पशु कृषि के लिए अनिवार्य हैं। दीघ निकाय में बुद्ध ने राजा महाविजित की कहानी का जिक्र किया है, जिसको उसके पुरोहित ने सलाह दी थी कि वह किसानों को बीज तथा जो राज्य की सेवा करना चाहते हों, उन्हें पशु और यथोचित औजार दे। जैन धर्म के विपरीत, बौद्ध धर्म ने कृषि की तत्कालीन आवश्यकताओं की ओर पूरा ध्यान दिया, इसलिए गांव के लोगों ने उसे स्वीकार किया।

बौद्ध धर्म और जैन धर्म दोनों ने ही व्यापार के प्रति समान दृष्टिकोण अपनाया। प्राचीन ब्राह्मण विधि-ग्रंथों में व्यापार और कृषि का अधिकार वैश्यों को प्रदान किया गया है, जिन्हें सामाजिक धर्मतंत्र में तीसरा स्थान प्राप्त था। संकटकाल में ब्राह्मण व्यापार में लग सकते थे, लेकिन वे तरल पदार्थ, सुगंधित द्रव्य, वस्त्र, मक्खन, अन्न आदि का व्यापार नहीं कर सकते थे। स्पष्टतया इन वस्तुओं के व्यापार में जो लोग संलग्न रहते थे, उन्हें प्राचीन विधि-निर्माता हेय दृष्टि से देखते थे। मगध और अंग के निवासी सामाजिक दृष्टिकोण से हेय माने जाते थे, क्योंकि वे वर्जित वस्तुओं का व्यापार करते थे। बौधायन ने एक पाप-कर्म के रूप में समुद्र-यात्रा की भी भर्त्सना की। लेकिन इसके विपरीत बौद्ध ग्रंथों ने समुद्र-यात्रा को स्वीकृति प्रदान की। बुद्ध ने व्यापार के प्रति अनुकूल दृष्टिकोण अपनाया। उन्होंने और संघ ने अनाथपिण्डिक और कई अन्य अमीर सौदागरों से दान के रूप में प्रचुर धन ग्रहण किया था। ब्राह्मणवादी दृष्टिकोण को देखते हुए नवोदित व्यापारी समाज के लिए यह स्वाभाविक था कि वह समर्थन के लिए बौद्ध धर्म की ओर मुड़ जायें। यह कोई अचरज की बात नहीं है कि बुद्ध की ज्ञान-प्राप्ति के ठीक आठ हफ्तो के वाद बोध गया से गुजरते हुए दो सार्थवाह प्रारंभिक दौर में बुद्ध के साधारण शिष्य हो गये।

व्यापार और मुद्रा के प्रयोग से महाजनी कारोबार और सूदखोरी को बल मिला, लेकिन धर्मशास्त्र के लेखकों ने इन नयी प्रथाओं का समर्थन नहीं किया। आपस्तंब नामक एक प्राचीन विधि-निर्माता ने यह कहा कि सूद लेने वालों अथवा कर्ज पर सूद के बदले, रेहन के रूप में बंधे हुए व्यक्ति के श्रम पर जीवनयापन करने वालों का अन्न ब्राह्मणों को स्वीकार नहीं करना चाहिए। वह आगे कहता है कि सूदखोरों के पास जाने वाले ब्राह्मण को अपने पाप के लिए प्रायश्चित करना चाहिए। बौधायन ने वैश्यों के लिए महाजनी कारोबार को जायज ठहराया और सूदखोर ब्राह्मणों की भर्त्सना की। आदि बौद्ध ग्रंथों में न्यायसंगत आजीविका और न्यायसंगत कर्म को परिभाषित किया गया, लेकिन उन्होंने कहीं भी सूदखोरी की भर्त्सना नहीं की। दूसरी तरफ छिटपुट प्रसंगानुसार बुद्ध और संभवतः सूद पर रुपये कर्ज देने वाले सेट्ठियों के बीच

घनिष्ठ संबंध विद्यमान था। बुद्ध गृहस्थों को सलाह भी देते थे कि वे अपने कर्ज अदा कर दें और वे किसी कर्जदार को संघ में शामिल होने की इजाजत नहीं देते थे। दूसरे शब्दों में, बौद्ध धर्म ने हिन्दू धर्म से भिन्न रूप में, अप्रत्यक्ष रूप में ही सही, सूदखोरी को अपना समर्थन प्रदान किया, जो गंगा की घाटी की तिजारती अर्थव्यवस्था की विशेषता थी।

हम शहरी जीवन के कुछ मामलों में ब्राह्मणों और बौद्ध मतावलंबियों के दृष्टिकोणों में बहुत अंतर देखते हैं। ब्राह्मण विधि-निर्माताओं ने भोजनालयों को स्वीकृति नहीं प्रदान की; जो स्पष्ट रूप में शहरों के विकास में बहुत सहायक हो सकते थे। आपस्तंब ने उच्च जातियों के सदस्यों (मुख्यतः ब्राह्मणों) को आदेश दिया कि उन्हें दुकानों में पकाये गये भोजन को ग्रहण नहीं करना चाहिए। लेकिन बौद्ध ग्रन्थों ने इस तरह के दृष्टिकोण का समर्थन नहीं किया। शहरों के सामाजिक जीवन की दूसरी विशेषता यह थी कि वहां वेश्यावृत्ति पनपने लगी थी। शहरों के जन्म और जाति-भेद की उग्रता के कारण पुराने कबीलाई परिवारों के बिखराव के फलस्वरूप उपेक्षित महिलाओं का एक समूह खड़ा हो गया, और उन महिलाओं ने जीवन-निर्वाह के लिए वेश्यावृत्ति को अपना लिया। प्राचीन बौद्ध साहित्य में शहरों में रहने वाली वेश्याओं का वर्णन है। अंबपाली ने वैशाली को प्रसिद्धि प्रदान की। वह अपने ग्राहकों से एक रात की फीस के रूप में ५० **कर्षापण** लेती थी। इससे प्रभावित होकर बिंबिसार ने, जो मगध का राजा और बुद्ध का समकालिक था, अपनी राजधानी में एक वेश्या को बसा दिया, जो अंबपाली से दुगुनी फीस लेती थी। लेकिन ब्राह्मणवादी विधि-निर्माताओं ने वेश्यावृत्ति की भर्त्सना की। बौधायन और आपस्तंब ने ब्राह्मणों को **गणिकाओं** अर्थात् वेश्याओं अथवा पतित महिलाओं का भोजन ग्रहण करने से मना किया। इसके विपरीत यह एक वास्तविक घटना है कि एक बार बुद्ध ने अंबपाली का आतिथ्य स्वीकार किया था। बौद्ध संघ में महिलाओं को भी स्थान दिया जाता था और वहां वेश्याओं का प्रवेश वर्जित नहीं था। इसका यह अर्थ नहीं है कि गौतम बुद्ध का आचरण ठीक नहीं था बल्कि वस्तुस्थिति यह थी कि वे और उनके अनुयायी वेश्याओं से घृणा नहीं करते थे।

यद्यपि बौद्ध धर्म और उससे सीमित रूप में जैन धर्म ने जनता के भौतिक जीवन के नये परिवर्तनों की ओर ध्यान दिया तथा बौद्धिक धर्म की कट्टरताओं का विरोध किया, तथापि दोनों जाति-व्यवस्था को निर्मूल करना नहीं चाहते थे। महावीर और गौतम क्षत्रिय थे। उन दिनों ब्राह्मणों और क्षत्रियों में आपसी स्वार्थों को लेकर संघर्ष होता रहता था। उस संघर्ष को ध्यान में रखते हुए बौद्ध धर्म ने क्षत्रियों को पहला स्थान और ब्राह्मणों को दूसरा स्थान

प्रदान किया । बौद्ध धर्म ग्रन्थों में ब्राह्मणवादी आडंबरों और निर्धारित कर्मकांडों की बड़े तर्कसंगत ढंग से छीछालेदर की गयी । बौद्ध धर्म और जैन धर्म ने निम्न जातियों के प्रति बहुत ही उदार दृष्टिकोण अपनाया । चारों वर्णों के लोग संघ में शामिल हो सकते थे और भिक्षु बन सकते थे तथा चांडाल और पुक्कुस भी निर्वाण प्राप्त कर सकते थे । कहते हैं कि चांडाल-पुत्र मातंग ने परम पद प्राप्त किया था, जिसे अनेक क्षत्रिय और ब्राह्मण भी प्राप्त नहीं कर सके थे । यद्यपि जैन धर्म इस तरह का मिलता-जुलता कोई उदाहरण प्रस्तुत नहीं करता है, तथापि यह ध्यातव्य है कि महावीर की पहली महिला-शिष्या एक अपहृत दास-महिला मानी जाती है ।

दोनों ही धर्म निम्न जातियों के सदस्यों को ज्ञान-प्राप्ति से वंचित करना नहीं चाहते थे । उनके अनुसार जो कोई भी गुरु के पद पर आसीन हो जाता है, वह जाति का ध्यान किये बिना सम्मान का अधिकारी हो जाता है । बुद्ध की एक जन्म-गाथा में एक ब्राह्मण अपने चांडाल गुरु से प्राप्त शिक्षा का आकर्षण खो देता है; क्योंकि उसने लज्जावश गुरु से संबंध-विच्छेद कर लिया था । इसी से मिलता-जुलता उदाहरण एक परवर्ती जैन ग्रंथ में भी मिलता है, जिसके अनुसार एक मातंग (चांडाल) से जादू सीखने के लिए एक राजा ने निचला आसन ग्रहण किया । इन कहानियों से यह सिद्ध होता है कि बहुधा निम्न जातियों के सदस्य बौद्ध और जैन मठों में शामिल होते थे, हालांकि ऐसा वे संभवतः अपनी गरीबी के कारण करते थे ।

बौद्ध और जैन ग्रन्थों में समाज के निचले हिस्सों के प्रति बौद्धों तथा जैनों की सहिष्णुता के अनेक उदाहरण मिलते हैं । ब्राह्मणों से भिन्न रूप में बौद्ध भिक्षु अथवा भिक्षुणी चारों वर्ण के परिवारों से अन्न की याचना कर सकते थे अथवा उनके निमंत्रण पर उनके घर में जाकर भोजन कर सकते थे । इसी तरह एक प्राचीन प्रामाणिक ग्रंथ में इस बात की इजाजत दी गयी है कि जैन साधु निचले वर्ग के परिवारों, यहां तक कि बुनकर परिवारों से भी भोजन ग्रहण कर सकते हैं । लेकिन यह बात निश्चित रूप में नहीं कही जा सकती है कि भिक्षुओं और भिक्षुणियों के इस व्यवहार ने बौद्ध और जैन धर्मों के कितने कच्चे अनुयायियों को प्रभावित किया ।

बौद्धों और जैनों के धार्मिक केन्द्रों में, मालिक से छुटकारा पाये बिना किसी दास को अथवा अपना कर्ज अदा किये बिना किसी कर्जदार को दाखिल नहीं किया जा सकता था । इससे सिद्ध होता है कि दोनों में से किसी भी धर्म ने प्रचलित सामाजिक संबंधों को चुनौती नहीं दी । वास्तविकता यह है कि दोनों ने जाति-प्रथा को स्वीकार कर लिया । बुद्ध की एक जन्म-गाथा में यह दावा पेश किया गया है कि बुद्ध वैश्य अथवा शूद्र जातियों में नहीं बल्कि दो

उच्चतर जातियों में ही जन्म धारण कर सकते हैं । इसी प्रकार एक प्राचीन ग्रंथ में कहा गया है कि जैन गुरु नीच, स्वार्थी, अधम, बदनाम, गरीब और अभाव पीड़ित परिवारों अथवा ब्राह्मण परिवारों में जन्म नहीं लेते हैं । यद्यपि इस सूची में ब्राह्मण को शामिल कर जैनियों ने उनके प्रति अपने वैमनस्य भाव को प्रकट किया है, तथापि सूची में जो शेष श्रेणियां हैं, वे स्पष्टतः अधम सामाजिक संबंधों की द्योतक हैं ।

बौद्ध धर्म और जैन धर्म ने अपने निषेधात्मक स्वरूप के बावजूद जाति-प्रथा और अस्पृश्यता के विरुद्ध कोई दृढ़ संघर्ष नहीं किया । ऐसा प्रतीत होता है कि बौद्ध धर्म ने ब्राह्मण धर्म की ही भांति अस्पृश्यता के रूप को स्वीकार कर लिया, जिसका उद्भव वैदिकोत्तर काल में हुआ और जो आज भी भारत के सामाजिक जीवन में भयानक रूप में विद्यमान है । बौद्ध धर्म ने आदिम जनजातियों के चांडालों और निषादों को अस्पृश्य घोषित किया । एक स्थान पर स्वयं बुद्ध अवैध ढंग से प्राप्त भोजन की तुलना चाण्डाल के उच्छिष्ट अन्न से करते हैं । यह दृष्टिकोण पहले के उन ब्राह्मण विधि-निर्माताओं के स्वर में स्वर मिलाने के समान है, जिन्होंने यह आदेश दिया कि चांडाल से छू जाने पर ऊंची जातियों के लोगों को अवश्य ही स्नान कर लेना चाहिए । **जातक** कथाओं में वर्णन है कि चांडाल इस धरती के सबसे अधम प्राणी हैं और उनके शरीर का स्पर्श करने वाली हवा भी दूषित हो जाती है । एक कथा के अनुसार एक चांडाल को केवल देख लेने से ही बनारस के एक **सेट्ठि** की पुत्री की आंखें दूषित हो गयीं और उसे अपनी आंखों को साफ करना पड़ा । अतः यह स्पष्ट है कि इन नये धर्मों ने प्रचलित सामाजिक भेदभावों को समाप्त करने का प्रयास नहीं किया; फिर भी उन्होंने **निर्वाण** की प्राप्ति के लिए जाति की प्रधानता का खंडन किया ।

बौद्ध धर्म और जैन धर्म ने कुछ अर्थों में दासों की अवस्था को सुधारने का प्रयास किया । आपस्तंब ने केवल ब्राह्मणों को ही मनुष्यों की खरीद और बिक्री करने से वर्जित किया, लेकिन इन नये धर्मों ने अपने अनुयायियों को भी इस तरह का व्यापार करने से रोक दिया । **दीघ निकाय** ने स्वामियों को यह परामर्श दिया कि वे अपने दासों के साथ अच्छा व्यवहार करें । एक जैन ग्रंथ में भी वर्णन है कि मालिकों को अपने **दासों, दासियों, कर्मकारों** और **कर्मकारियों** का अच्छी तरह भरण-पोषण करना चाहिए । इस तरह की बातों से बौद्ध और जैन भिक्षुओं तथा भिक्षुणियों के हृदय में उदारता और सहृदयता के भाव अवश्य ही अंकुरित हुए, जिससे निम्न श्रेणियों के लोगों में उनके अनुयायियों की संख्या में वृद्धि हुई ।

४. प्रथम जनपदीय राज्य

धर्म की तरह तत्कालीन राजनीतिक घटनाओं ने भी जनता के भौतिक जीवन के रूपांतरण में प्रमुख भूमिका का निर्वाह किया। हम पूर्व अध्याय में देख चुके हैं कि **ऋग्वैदिक** काल का कबीलाई राजनीतिक संगठन वैदिक युग के अवसान-काल में टूट कर जनपदीय राज्यों के लिए अपना स्थान रिक्त करता जा रहा था। लेकिन छठी शताब्दी ई. पू. में बड़े राज्यों और उनके शक्ति-केन्द्र के रूप में शहरों के उदय के साथ-साथ जनपदीय भावना धीरे-धीरे मजबूत होती गयी। **पाणिनि** ने एक स्थान पर साफ-साफ कहा है कि जनता अपने **जनपद** के प्रति जिम्मेदार है। इस प्रकार यह महत्व की बात है कि देश के विभिन्न भागों में कई जनपदीय राज्य खड़े हो गये।

पौराणिक ग्रंथों के अनुसार छठी शताब्दी ई. पू. में भारत में १६ बड़े राज्य (**महाजनपद**) मौजूद थे। वे हैं : **गांधार, कंबोज, अस्सक, वत्स, अवंती, शूरसेन, चेदी, मल्ल, कुरू, पांचाल, मत्स्य, वज्जि (वृज्जि), अंग, काशी, कोशल** और **मगध**।

सोलह महाजनपदों में पहले काशी सबसे शक्तिशाली महाजनपद था और विदेह राजतंत्र के विनाश में उसने संभवत: प्रमुख भूमिका का निर्वाह किया था। उसकी राजधानी बनारस का एक महत्वपूर्ण नगर के रूप में यत्र-तत्र वर्णन मिलता है।

कोशल महाजनपद पश्चिम में गोमती नदी, दक्षिण में सर्पिका अथवा स्यंदिका (साय) नदी, पूरब में सदानीरा (गंडक) नदी, जो इसे विदेह से अलग करती थी और उत्तर में नेपाल की पहाड़ियों से घिरा था। सरयू के तट पर अयोध्या और अयोध्या के सन्निकट साकेत तथा उत्तर प्रदेश के गोंडा और बहराइच जिलों की सीमाओं पर स्थित श्रावस्ती (आधुनिक सहेट-महेट) इस महाजनपद के तीन प्रमुख नगर थे।

मगध के पूरब में अंग महाजनपद था। चंपा नदी दोनों को एक-दूसरे से अलग करती थी। इसकी राजधानी चंपा थी, जो चंपा नदी के तट पर ही बसी थी। अपने समय में यह धन-दौलत और व्यापार के लिए प्रसिद्ध थी।

अंग और वत्स के बीच मगध साम्राज्य था, जिसमें आधुनिक पटना और गया जिलों का समावेश था। यह उत्तर और पश्चिम में गंगा और सोन

नदियों से, दक्षिण में विन्ध्य के सीमांचलों और पूरब में चंपा नदी से घिरा हुआ था। वैदिक साहित्य में मगध और इसके निवासियों का बड़े भद्दे ढंग से चित्रण किया गया है। राजगृह अथवा गिरिव्रज में मगध की राजधानी थी, जिसे पांच पहाड़ियों की परिधि ने अजेय सिद्ध कर दिया था।

गंगा के उत्तर में वज्जि महाजनपद था, जो नेपाल की पहाड़ियों तक फैला हुआ था। इसके पश्चिम में सदानीरा (गंडक) थी, जो इसे मल्ल और कौशल के नगरों से अलग करती थी। इसके पूरब में कोसी और महानंदा के तटवर्ती जंगल फैले थे। वज्जि-राज्य आठ जनों (अट्टकुल) का महासंघ था। इन आठ जनों में विदेह, लिच्छवि, ज्ञात्रि और वृज्जि बड़े प्रभावशाली थे। ऐसा प्रतीत होता है कि विदेह साम्राज्य के विघटन और पतन के बाद वज्जि महासंघ को संगठित किया गया था। और यह महावीर तथा गौतम के समय में एक गणराज्य के रूप में फल-फूल रहा था।

मल्ल गणराज्य दो भागों में विभक्त था और दोनों की अपनी-अपनी राजधानी थी। मल्लों की पहली राजधानी कुशीनारा (जिसे आज हम गोरखपुर जिले का कसिया कहते हैं) और दूसरी राजधानी पावा (संभवत: पटना जिले के पावापुरी का समरूप) थी। विदेह वालों की भांति मल्लों ने भी पहले राजतंत्रीय संगठन को अपनाया था, लेकिन उस संगठन ने कालांतर में गणतंत्रीय व्यवस्था का रूप ग्रहण कर लिया। साहित्यिक कृतियों से पता चलता है कि मल्लों, लिच्छवियों और काशी तथा कौशल के कुलीन शासकों में किसी-न-किसी प्रकार का समझौता था। संभव है कि उन्होंने यह समझौता मगध की उदीयमान सत्ता के विरुद्ध किया हो।

चेदियों का राजतंत्र मोटे तौर पर बुंदलेखंड के पूर्वी भागों और बुंदेलखंड के निकटस्थ क्षेत्रों में फैला हुआ था। जातकों में उनके राजाओं की नामावली मिलती है।

शूरसेन राजतंत्र अपने "ऊबड़-खाबड़ और धूल-धूसरित मार्गों, अनैतिक कार्यों और यक्षों के कारण बदनाम था"। इसकी राजधानी मथुरा में थी।

कुरु, पांचाल और मत्स्य आर्यवंशीय राजतंत्र थे, जिनके अस्तित्व की हमें जानकारी मिलती है। कुरु दिल्ली-मेरठ के भू-भाग में बस गये थे और ऐसा ज्ञान पड़ता है कि पांचालों से उनकी मैत्री थी। कहते हैं कि बुद्ध ने उनके तिजारती नगर की यात्रा की थी, पांचालों की शाखा की राजधानी कंपिल्ला में थी। (संभवत: फर्रुखाबाद जिले का वर्तमान कंपिल)। मत्स्य के बारे में अधिक जानकारी नहीं मिलती है। इसे परंपरागत दृष्टिकोण से आधुनिक जयपुर क्षेत्र से संबद्ध माना जाता है।

कंबोज और गांधार मगध से बहुत दूर थे। पहला अफगानिस्तान में था और दूसरा काबुल की घाटी तक फैला हुआ था, तक्षशिला जिसका एक महत्वपूर्ण नगर था। बौद्ध परंपरा के अनुसार गांधार के राजा पुक्कुसति ने मगध में बिंबिसार के साथ उपहारों का आदान-प्रदान किया था और बुद्ध के दर्शन के लिए पैदल यात्रा की थी। ५३० ई. पू. के कुछ पहले फारस के अखमनी सम्राट साइरस ने हिन्दूकुश को पार किया था और कंबोज, गांधार तथा सिन्धु-पार के लोगों से भेंटें हासिल की थीं। ग्रीक इतिहासकार हिरोडोटस के अनुसार गांधार अखसनी साम्राज्य का २८वां प्रांत था और बहुत ही आबाद तथा धनधान्य संपन्न राज्य था। उसने ग्रीक-विरोधी युद्ध में फारस की सेना को धन-जन दिये थे।

अस्सक (अश्मक) राजतंत्र दक्षिण में गोदावरी नदी के समीप था और व्यवसायियों को अपनी ओर आकृष्ट करता था। अवंती कहीं अधिक महत्वपूर्ण था और इसकी राजधानी उज्जैन में थी। इसके राजा प्रद्योत के संबंध में अनेक दंतकथाएं प्रचलित हैं, जिनके अनुसार वह वत्स राज्य के शासक उदयन के शत्रु से उसका श्वसुर हो गया।

वत्स की राजधानी इलाहाबाद से ४० मील की दूरी पर कौशांबी(वर्तमान कोसाम) में थी और यह यमुना के तट पर बसी हुई थी। कौशांबी और उज्जैन एक बड़े व्यापार मार्ग से जुड़े थे। हम कह सकते हैं कि दोनों ने अवश्य ही उत्तर भारत के अंदरूनी व्यापार को बढ़ावा दिया होगा।

समकालीन राजनीति में सभी १६ महाजनपदों ने एक ही प्रकार की भूमिका का निर्वाह नहीं किया। काशी राज्य,जिसने पहले एक महत्त्वपूर्ण स्थान ग्रहण कर लिया था, कौशल और मगध से पराजित हो गया। कौशल और मगध दोनों ही गंगा की द्रोणी पर अपना अधिकार स्थापित करने के लिए आपसी प्रतिद्वंद्विता में संलग्न रहते थे ; क्योंकि व्यापारिक नौकाओं के सुगम यातायात के कारण मोर्चेबंदी और आर्थिक दृष्टिकोणों से यह द्रोणी बहुत महत्वपूर्ण थी। छठी शताब्दी ई. पू. में केवल चार राज्यों—काशी, कौशल, मगध और विज्जि महासंघ—की तूती बोल रही थी। लगभग सौ साल तक वे अपने राजनीतिक प्रभुत्व के लिए लड़ते रहे। अंततोगत्वा मगध को विजयश्री मिली और वह उत्तर भारत में राजनीतिक गतिविधियों का केन्द्र-स्थल हो गया।

मगध का पहला प्रमुख शासक बिंबिसार था। वह छठी शताब्दी ई. पू. के उत्तरार्द्ध में गद्दी पर बैठा था। यद्यपि बिंबिसार बौद्ध धर्म का संरक्षक था, तथापि बौद्ध सूत्रों ने उसकी वंश परम्परा पर विचार व्यक्त करना आवश्यक नहीं समझा। उसके बारे में कहा गया कि वह एक **सेनिया** था अर्थात 'उसके

पास अपनी सेना' थी । वह एक नियमित और स्थायी सेना रखने वाला सम्भ-
वत: पहला राजा था ।

वैदिक सूत्रों से ज्ञात होता है कि **पसेन्दि** (प्रसेनजित) कौशल का राजा था
और वह अपने को इक्ष्वाकुवंशीय कहता था, लेकिन दूसरे राजाओं ने उसके
इस दावे को स्वीकार नहीं किया । कहा जाता है कि वह एक शाक्य-कुमारी
से विवाह करना चाहता था । शाक्य लोग उसके अधीन थे, लेकिन उसके इस
दावे के कारण कि वह इक्ष्वाकुवंशीय है, वे बहुत परेशान हुए । अन्त में शाक्यों
ने एक चाल चली । उन्होंने महानाम शाक्य की सुन्दर पुत्री वासबखत्तिय को
कौशल के राजा के पास भेज दिया, जिसका जन्म नागमुण्डा नामक एक दास
महिला के गर्भ से हुआ था ; नागमुण्डा शब्द से ऐसा लगता है कि उसका जन्म
आदिम जनजातीय नागवंश में हुआ था । लेकिन इस विवाह से उत्पन्न विदु-
दाभा नामक पुत्र कौशल राज्य का उत्तराधिकारी बना ।

मगध और कौशल के शासकों ने एक-दूसरे के प्रति अनाक्रामक रुख अप-
नाया ; दोनों ने नये धर्मों को संरक्षण प्रदान किया और आपस में वैवाहिक
संबंध स्थापित किये । प्रसेनजित की बहन बिंबिसार की पत्नी थी और बिंबि-
सार को दहेज में काशी ग्राम मिला था । कुछ विवरणों से ज्ञात होता है कि
प्रसेनजित की कन्या का विवाह बिंबिसार के पुत्र के साथ हुआ था । बिंबिसार
ने अपने समय के कई अन्य राजघरानों से वैवाहिक संबंध स्थापित किये । उसने
लिच्छवि सरदार चेतक की पुत्री चेल्हना से विवाह किया । मद्र के राजा की
कन्या उसकी दूसरी रानी थी । विभिन्न राजकुलों से वैवाहिक संबंधों के कारण
बिंबिसार और तत्कालीन राजाओं के बीच सौहार्द की वृद्धि हुई और इस
प्रकार उसकी स्थिति सुदृढ़ हो गयी । बिम्बिसार ने अवंती के राजा प्रद्योत की
चिकित्सा के लिए अपने निजी चिकित्सक जीवक को उज्जैन भेजकर प्रद्योत से
मैत्री-संबंध स्थापित करने का प्रयास किया । अंग ही एकमात्र ऐसा महाजन-
पद था, जो बिंबिसार के आक्रमण का शिकार हुआ । अन्त में यह मगध में मिल
गया । मगध और कौशल के आपसी मैत्री-संबंधों ने उनके राजाओं को यह
छूट दे दी थी कि वे दोनों राज्यों के जंगली इलाकों में रहने वाली जनजातियों
पर प्रहार करते रहें ।

कौशल और मगध में आपसी टकराव अजातशत्रु के समय में शुरू हुआ ।
उसने राजा बनने की महत्वाकांक्षा से प्रेरित होकर अपने पिता बिंबिसार को
कैद कर कालकोठरी में डाल दिया और उसके बाद उसे मरवा दिया । कौशल-
राज की बहन बिंबिसार की रानी थी, जो अपने पति की हत्या का आघात
नहीं सह सकी और उसकी भी शीघ्र ही मृत्यु हो गयी । इस घटना से नाराज
होकर प्रसेनजित ने काशी ग्राम के दानपत्र को रद्द कर दिया, जिसे उसने अपनी

बहन के दहेज के रूप में बिंबिसार को दिया था। इस ग्राम का महत्व राजस्व की दृष्टि से उतना नहीं, जितना व्यावसायिक स्थिति की दृष्टि से था। इसलिए अजातशत्रु और प्रसेनजित में युद्ध छिड़ गया। दोनों में कई बार अनिर्णित युद्ध हुए लेकिन अन्त में प्रसेनजित को उसी के मंत्री दीर्घाचार्यण ने धोखा दे दिया। जब राजा अन्तिम बार बुद्ध के दर्शन के लिए यात्रा पर निकला हुआ था, तब दीर्घाचार्यण ने प्रसेनजित के पुत्र विदुदाभा को राजपद और सैन्य संचालन का भार सौंप दिया। भगोड़ा राजा एक दासी के साथ रात में फाटक बन्द होने के बाद राजगृह पहुंचा और थकावट के कारण मर गया। अजातशत्रु ने राज्य की ओर से उसके अन्तिम संस्कार का प्रबंध किया और भानजे की हैसियत से उसके राज्य पर अपना दावा पेश किया। बिना किसी युद्ध के कौशल राज्य पर मगध का अधिकार हो गया, क्योंकि सहसा राप्ती नदी में बाढ़ आ जाने से विदुदाभा अपनी सेना के साथ उसमें डूब गया।

अजातशत्रु वैशाली के लिच्छवियों द्वारा शासित वज्जी गणराज्य का विरोधी था। उसका यह विरोध जनजातीय संगठनों के विरुद्ध आम राजतंत्रीय वैमनस्य का द्योतक था। विदुदाभा ने पहले ही शाक्यों पर खुला हमला बोल कर भीषण नर-संहार मचाया था। अब लिच्छवियों को धूल चटाने का काम अजातशत्रु के जिम्मे रह गया था। मल्ल, लिच्छवि और इन्हीं की तरह की जनजातियां राजतंत्र के विकास में प्रबल गतिरोध उत्पन्न कर रही थीं ; क्योंकि राजतंत्र की वास्तविक शक्ति उनकी ऐसी सुसंगठित और स्थायी सेनाओं में निहित थी, जो जनजातीय स्वरूप को व्यक्त नहीं करती थीं। युद्ध का तात्कालिक कारण यह था कि लिच्छवि गण-शासक और मगध के राजा दोनों ही गंगा नदी पर पूर्ण नियंत्रण के दावे करते थे तथा व्यापारियों से दोनों ही चुंगी वसूलते थे ; इसलिए व्यापारियों ने हो-हल्ला मचाना शुरू कर दिया। इस स्थिति को देखते हुए अब पहला काम यह था कि पाटलिपुत्र (पटना) की किलेबंदी की जाय, जो गंगा, सोन और गंडक नदियों के तट पर बसा हुआ था और अजातशत्रु के समय में मगध की राजधानी बन गया था। अजातशत्रु ने लिच्छवियों में फूट डालने के लिए वस्सकार नामक अपने एक ब्राह्मण मंत्री को वैशाली भेजा। वस्सकार को अपने कार्य में सफलता मिल गयी। हर लिच्छवी सरदार अपने को दूसरे सरदारों से श्रेष्ठ समझने लगा और सभी अपने-अपने जायज अधिकारों से अधिक की मांग करने लगे। अब उन्होंने गण की बैठकों, सामूहिक सैनिक अभ्यासों और गण की न्याय सभा में भाग लेना प्रायः छोड़ दिया। जब फूट पराकाष्ठा पर पहुंच गयी, तब वस्सकार ने अजातशत्रु के पास खबर भेज दी कि अब वह अपनी सहज विजय के लिए सेना के साथ वैशाली की ओर चल पड़े। मल्लों की पराजय और विनाश का विस्तृत

सोलह महाजनपद
लगभग ६०० ई. पू.
कंबोज
गंधार
तक्षशिला
झेलम नदी
चेनाब नदी
रावी नदी
व्यास नदी
सतलज नदी
कुरु
पंचाल
सरस्वती नदी
सिंधु नदी
दिल्ली
कोशल
सूरसेन
यमुना नदी
गंगा नदी
श्रावस्ती
मत्स्य
लूनी नदी
अयोध्या
मल्ल
वृज्जि
काशी
चम्बल नदी
वत्स
कौशाम्बी
काशी
वैशाली
चम्पा
राजगृह
अंग
मगध
अवन्ति
चेदि
उज्जयिनी
नर्मदा नदी
ताप्ती नदी
महानदी
भारुकच्छ
गोदावरी नदी
अश्मक
अरब सागर
बंगाल की खाड़ी

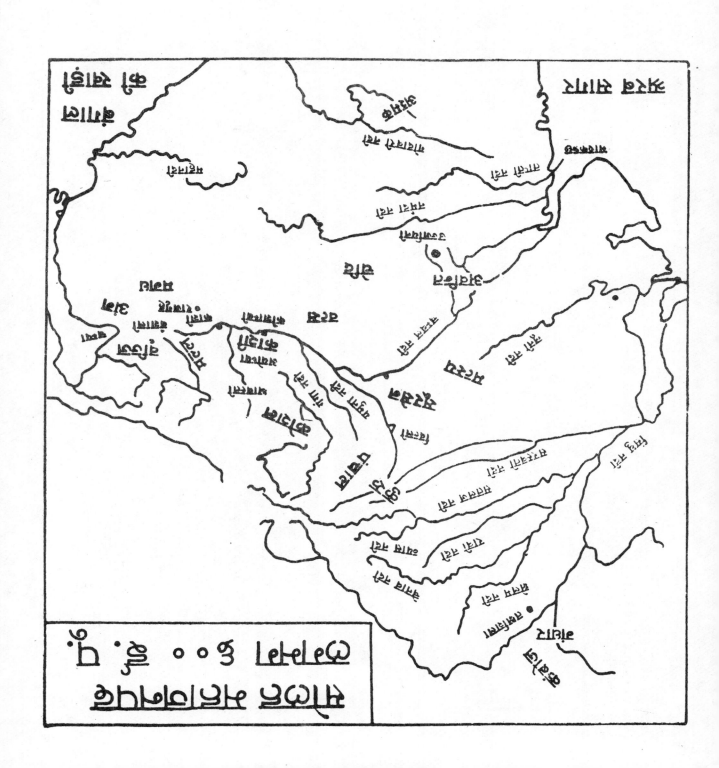

विवरण नही मिलता है, लेकिन वे भी शीघ्र ही विनष्ट हो गये। फिर भी यह नहीं समझना चाहिए कि लिच्छवियों का पतन एक मंत्री द्वारा फूट डालने के कारण हो गया। बात यह थी कि करों और उपहारों से वैशाली में अपार धन जमा हो गया था और सभी सरदार व्यक्तिगत संपत्ति के मोहजाल में फंसते जा रहे थे। अजातशत्रु के दूत के वहां पहुंचने के पहले से ही गण-जीवन छिन्न-भिन्न हो चुका था। लिच्छवियों के बीच में महावीर जैसे एक अद्वितीय धर्म-प्रचारक के उद्‌भव और कौशल के राजा की शरण में नौकरी के लिए बंधुल तथा कारायण नामक दो मल्लों के ागमन से यह साफ-साफ सिद्ध होता है कि गण के अच्छे-से-अच्छे सदस्य भी गण जीवन से संतुष्ट नहीं थे।

अजातशत्रु ने बहुत से क्षेत्रों को जीतकर मगध में मिला लिया, जिससे आगे चलकर मगध एक विशाल साम्राज्य के रूप में खड़ा हो गया। लेकिन उसके उत्तराधिकारियों को भी अपना मार्ग साफ करने के लिए बहुत कुछ करना पड़ा। **मज्झिम निकाय** में इस बात का थोड़ा-सा जिक्र मिलता है कि अवंती का राजा प्रद्योत मगध पर आक्रमण करना चाहता था, जिससे सतर्क होकर अजातशत्रु ने राजगृह की जबर्दस्त किलेबंदी कर दी। लेकिन अजातशत्रु के बाद अवंती और उसकी राजधानी उज्जैन को मगध साम्राज्य में मिला लिया गया। वत्स का राजा उदयन उज्जैन के प्रद्योत के साथ अपने झगड़े और महारानी वासवदत्ता के साथ अपने प्रणय-व्यापार को लेकर काफी प्रसिद्धि प्राप्त कर चुका है। लेकिन मगध के साथ वत्स के विलयन के बारे में कोई जानकारी नहीं मिलती है। वैदिक मूल के गणराज्य पुरु, शूरसेन और मत्स्य चौथी शताब्दी ई. पू. के बाद ओझल हो गये।

अजातशत्रु की मृत्यु ४६१ ई. पू. में हुई। इसके बाद पांच शासक गद्दी पर बैठे। महावंस नामक लंका के बौद्धों के इतिहास से पता चलता है कि उनमें से प्रत्येक ने अपने-अपने पिता की हत्या करके गद्दी हासिल की। इन पांच पितृहंताओं के जल्दी-जल्दी सिंहासनारूढ़ होते जाने से जनता में असन्तोष व्याप्त होता गया और संभवतः जनता ने ४१३ ई. पू. अंतिम राजा को पदच्युत कर बनारस के उपराजा शिशुनाग को सिंहासन पर बैठा दिया। शिशुनाग-वंश ने आधी शताब्दी तक शासन किया और उसके बाद महापद्म नंद ने सिंहासन पर अधिकार जमा लिया। नंदवंश का शासन ३२१ ई. पू. में समाप्त हुआ।

कुछ सूत्रों के अनुसार नंदवंश के संस्थापक महापदम का जन्म एक शूद्र माता के गर्भ से हुआ था। अन्य सूत्रों से पता चलता है कि वह किसी नाई की रखैल का पुत्र था। किसी भी हालत में इतनी बात तो अवश्य ही सच है कि अनेक गैरक्षत्रिय सत्ताधारी वंशावलियों में नंदवंश का प्रथम स्थान था। पौराणिक ग्रंथों में सभी क्षत्रियों के संहारकर्त्ता के रूप में महापद्म का चित्रण

किया गया है। तत्कालीन राजपरिवारों का अंतिम रूप से उन्मूलन करने का भी श्रेय उसे प्रदान किया जाता है। अतः नंदों के बारे में बहुधा यह कहा जाता है कि वे भारत के प्रथम साम्राज्य-निर्माता थे। उन्होंने उत्तराधिकार के रूप में मगध का विशाल साम्राज्य प्राप्त किया था, जिसे अपनी विशाल सेना के बल पर उन्होंने और भी दूर-दूर तक विस्तृत किया। उनकी विशाल सेना में २०००० घुड़सवार, २००००० पैदल सैनिक, २००० रथ और ३००० हाथी थे। प्रथम शताब्दी ई. पू. के मध्य भाग से संबद्ध राजा खाड़वेल के हाथीगुंफा के शिलालेखों से ज्ञात होता है कि नंदों का शासन कलिंग (उड़ीसा) के भी कुछ भागों पर था। संभवतः दक्कन के भी कुछ हिस्से मगध साम्राज्य में शामिल थे। मैसूर के बारहवीं शताब्दी के कुछ शिलालेखों से जान पड़ता है कि महाराष्ट्र के कुंतल क्षेत्र का दक्षिणी भाग नंदों के अधिकार में था, लेकिन बहुत बाद के इन विवरणों पर विश्वास नहीं किया जा सकता है। यद्यपि नंदा के साम्राज्य की वास्तविक सीमा को निर्धारित करना बहुत कठिन है, तथापि छठी शताब्दी ई. पू. में फूलने-फलने वाले सभी **महाजनपदों** में मगध सबसे अधिक प्रभावशाली था।

महापद्मनंद के शासन में मगध साम्राज्य के विस्तार और सुदृढ़ीकरण का पहला दौर समाप्त हुआ। लगभग उसी समय मकदूनियावासी सिकंदर ने अंतिम अखमनी सम्राट देरियस तृतीय को परास्त कर महापद्मनंद के संपूर्ण साम्राज्य को जीतने के लिए कूच किया था। बैक्ट्रिया में, जो सोवियत संघ और अफगानिस्तान की सीमा पर स्थित था, अपने लंबे पड़ाव के बाद सिकंदर ने हिन्दूकुश का दर्रा पार किया और ३२७ ई. पू. में पश्चिमोत्तर भारत में प्रवेश किया, जो अखमनी साम्राज्य का एक प्रांत था। तक्षिला (तक्षशिला) के राजा आंभी (ओम्फिस) ने ३२७ ई. पू. में सिकंदर के सामने घुटने टेक दिये। झेलम और रावी के मध्यवर्ती भागों के शासक पोरस ने उसका प्रतिरोध किया लेकिन पोरस की हार हो गयी और वह पकड़ लिया गया। बाद में सिकंदर उससे बहुत प्रभावित हुआ और उसने पोरस को सिंहासन पर पुनः बैठा दिया तथा भारत से लौटते समय उसे पंजाब का शासक बनाता गया। इसके उपरांत उसने ग्लाउगणिकाई (ग्लाचुकयानक) के कबीलाई गणराज्य और उसके ३७ नगरों को पराजित किया।

ग्रीक इतिहासकारों ने लिखा है कि अस्पासिओई (अश्वायन), अस्सोकेनोई (अश्नाकस), कथाइओई (कठ), मल्लोई (मालव), ओक्षीद्राकाई (क्षुद्रक), सिबाई (सिवि) और अगलास्सोई (अर्जुनायन ?) आदि कबीलों ने साहसपूर्वक सिकंदर का मुकाबला किया, लेकिन अद्रेस्ताई (आद्रिष्ट अथवा अरट्ट; अराष्ट्रक = बिना राजा का), अंबष्ठ और कथाइओई (क्षरिय) कबीलों ने

लड़ना उचित नहीं समझा । अस्पासिओई कबीले के साथ लड़ते हुए सिकंदर बहुत घायल हो गया । फिर भी उसने अस्पासिओइयों को कुचल डाला । कहते हैं कि उसने इनमें से अगभग ४०००० लोगों को बंदी बना लिया । २३०००० गाय-बैल उसके हंकवा लिये गये । इसी तरह उसने ७००० अस्सा-केनोई सैनिकों की पूरी टुकड़ी को मौत के घाट उतरवा दिया । कथाइओई कबीले को भी युद्ध में सफलता नहीं मिली । इस कबीले के १७००० लोग मारे गये और ७०००० लोग पकड़ लिये गये । सिकंदर का सबसे संगठित ढंग से मुकाबला किया मल्लोई (मालव) और ओक्षीद्राकाई (क्षुद्रक) कबीलों के राज्यसंघ ने । सिकंदर एक मालव दुर्ग पर चढ़ते हुए शत्रु के तीक्ष्ण तीर से बुरी तरह घायल हो गया । इससे गुस्से में आकर मकदूनियाई सैनिकों ने पूरी आबादी को मौत के घाट उतार दिया । मालवों की पराजय से पस्तहिम्मत होकर क्षुद्रकों ने घुटने टेक दिये । पश्चिमोत्तर भारत में दो साल तक ग्रीक सैनिकों का अभियान जारी रहा । इसके बाद सिकंदर के सैनिकों ने अपने हथियार डाल कर पूरब की ओर बढ़ने से इंकार कर दिया । इस प्रकार मकदूनिया के भाड़े के सैनिकों और मगध के नंदों की विशाल सेना में टकराव की नौबत नहीं आयी ।

सिकंदर भारत में कई बस्तियां स्थापित करता गया, जिनमें से कुछ अशोक के समय तक और कुछ आगे भी कायम रहीं । भारत में ग्रीस की मुख्य भूमि से विदेशी सेना के आगमन ने स्थल-मार्ग को खोल दिया और उससे सदियों तक व्यापार की खूब उन्नति हुई । लेकिन सिकंदर के तूफानी आक्रमण का तात्कालिक प्रभाव यह पड़ा कि प्राचीन काल से अभी तक जीवित रहने वाले अनेक कबीले बर्बाद हो गये । एक विशाल साम्राज्य का उदय हुआ, छोटे-छोटे राज्य उसमें विलीन हो गये । राजनीतिक एकीकरण की प्रक्रिया चल पड़ी । कुछ वर्षों के बाद चंद्रगुप्त मौर्य ने सिकंदर द्वारा उत्पन्न शून्य से लाभ उठाया और पश्चिमोत्तर भारत के सभी कबीले रजवाड़ों को मगध साम्राज्य में मिला लिया ।

यह एक बहुत ही दिलचस्प बात है कि सभी जनपदों में अकेले मगध का बोलबाला कैसे हो गया और वह एक शक्तिशाली राजतंत्र का अधिष्ठान तथा विस्तृत साम्राज्य का बीजकेन्द्र कैसे बन गया । मगध के उत्थान और विस्तार का एकमात्र श्रेय बिंबिसार, अजातशत्रु एवं महापद्मनंद जैसे शासकों की वैयक्तिक आकांक्षाओं तथा योग्यताओं को प्रदान करना बहुत ही बचकाना और सतही बात होगी । यद्यपि अजातशत्रु और महापद्म दोनों ही के उत्तराधिकारी बहुत ही अयोग्य थे, तथापि मगध पूर्ववत् फूलता-फलता रहा । मगध की सफलता के बहुत ही गूढ़ कारण थे । इसकी अनुकूल भौगोलिक

स्थिति ने इसे गंगा के संपूर्ण निचले मैदानी भू-भाग को नियंत्रित करने की क्षमता प्रदान की और उसकी महत्वपूर्ण उपजाऊ मिट्टी ने इसे कृषि का सुदृढ़ आधार प्रदान किया। दक्षिण बिहार में गया के पीछे के घने जंगलों से इसे निर्माण-कार्य के लिए इमारती लकड़ियां और सेना के लिए हाथी मिले। संभवतः सबसे बड़ी बात यह है कि मगध ने गया के दक्षिण-पूर्व की पहाड़ियों में मिलने वाले तांबे और खनिज लोहे के विशाल भंडार की आपूर्त्ति को पूरी तरह नियंत्रित किया। इस खनिज द्रव्यों पर मगध का अधिकार रहने से अच्छे-से-अच्छे हथियारों तथा उपकरणों के निर्माण में मदद मिली; क्योंकि भूमि को साफ करने तथा उसे कृषि-योग्य बनाने में मुख्यतः धातु-निर्मित औजारों का ही उपयोग किया जाता था। इस प्रकार मगध अपने सैन्य शिल्पविज्ञान को भी उन्नत कर सकता था, जैसा कि वैशालियों के विरुद्ध लड़ाई में उत्कृष्ट हथियारों के प्रयोग से सिद्ध होता है।

राजगृह २५ मील लंबी विशाल दीवारों और स्वाभाविक रूप से पहाड़ियों से घिरे रहने के कारण बिलकुल सुरक्षित था एवं अजातशत्रु के शासन-काल तक मगध की राजधानी के रूप में उसकी तूती बोलती रही। वहां ठंडे और गर्म सोतों से सदैव जल प्रवाहित होता रहता था तथा वह अनिश्चितकाल तक दुश्मनों के आक्रमण का मुकाबला कर सकता था। फिर भी प्रारंभ में मगध में व्यापार के उपयुक्त स्थल-मार्ग नहीं थे, लेकिन पाटलिपुत्र को राजधानी बना देने से जल-मार्ग से होने वाले व्यापार पर मगध का नियंत्रण स्थापित हो गया। इन सभी बातों का मगध के विस्तार और राज्य के स्थायित्व की दृष्टि से विशेष महत्व था तथा इन बातों का ही यह प्रभाव था कि मगध ने धीरे-धीरे सभी दूसरे समकालीन राज्यों को हड़प लिया।

मौर्य-काल के पहले के जो राज्य थे, उनके तीव्र विकास और सुदृढ़ीकरण से किसानों से मिलने वाले करों की वृद्धि का आधार स्थापित हो गया और आय के ठोस तथा स्थायी स्रोत से शाही खजाना भरने लगा। आरंभ में **बलि** के रूप में एक स्वैच्छिक खिराज की प्रथा प्रचलित थी, जिसे अब अनिवार्य घोषित कर दिया गया। **भाग** और **कर** के रूप में दो नये टैक्स अथवा कर लगाये गये, जिनसे पहले के लोग परिचित भी नहीं थे। इन करों से राज्य की आमदनी में वृद्धि हुई। गंगा की उपत्यका की उपजाऊ मिट्टी, और टैक्सों का भुगतान करने में सक्षम धनीमानी भूस्वामियों के एक नये वर्ग के उदय ने राजस्व-व्यवस्था के विकास में योगदान किया। पहले भी किसानों को टैक्स देने पड़ते थे, लेकिन अब टैक्स अदा करने वाले कारीगरों और व्यापारियों के नये वर्ग सामने आ गये। कानून की किताबों के अनुसार कारीगरों को राजा

के लिए महीने में एक दिन काम करना पड़ता था और व्यापारियों को अपनी चीजों की बिक्री पर टैक्सों का भुगतान करना पड़ता था।

शाही खजाने को भरने के लिए कराधान-संबंधी कुछ दमनात्मक कदम उठाये गये। **जातक**-कथाओं में कम-से-कम दो प्रकार के अधिकारियों—**तुंदिया** और **अकासिया**—का उल्लेख है, जो लोगों को पीटकर और बांधकर अथवा उन्हें अपने आय के स्रोतों से वंचित कर टैक्स वसूलते थे। यद्यपि हमें कर-संग्रह की व्यवस्था का विस्तृत विवरण नहीं मिलता है, तथापि हम मगध के नंद-राजाओं के बारे में पढ़ते हैं कि वे लोगों से कर वसूल कर अपार संपदा के स्वामी बन गये। पांचवीं शताब्दी ई. सन् में लंका में संकलित **महावंश** नामक एक बौद्ध ग्रंथ में मगध के उग्रसेन का वर्णन है, जिसने बहुत ही भ्रष्ट साधनों को अपनाकर लगभग ८० **कोटि** धन जमा कर लिया था। **जातकों** के अनुसार उस समय आधा दर्जन राजस्व-अधिकारी नियुक्त थे, जबकि उत्तरवर्ती वैदिक काल में **भागदुघ** (गाय दूहने वाला) नामक केवल एक कर-संग्राहक की ही नियुक्ति की गयी थी।

शासन-तंत्र की उन्नति कराधान-व्यवस्था के विकास पर निर्भर थी। वैदिकोत्तर काल में शाही सलाहकारों अथवा मंत्रियों के पदों की सृष्टि की जा चुकी थी। मगध के वस्सकार और कौशल के दीर्घाचार्यण बड़े प्रभावशाली मंत्री थे और उनकी जबर्दस्त राजनीतिक धाक थी। ग्रामीण क्षेत्रों के स्थानीय प्रशासन का भार गांव के मुखिया पर था, जिसके पद का उद्भव कबीलाई सैन्यदल के नेतृत्व से हुआ था; क्योंकि **ग्रामणी** शब्द से **ग्राम** अथवा जाति के मुखिया का बोध होता था। बुद्ध के समय में, जबकि कबीलाई जीवन का ह्रास हो रहा था, **ग्रामणी** ग्रामीण प्रशासन के प्रधान हो गये। वे **ग्रामाध्यक्ष**, **ग्रामणी** अथवा **ग्रामिका** आदि कई नामों से जाने जाते थे। बौद्ध साहित्य में बिंबिसार के युग में ८०,००० **ग्रामिकों** की चर्चा है, लेकिन यह संख्या स्पष्टत: अतिशयोक्तिपूर्ण है। फिर भी हर हालत में यह स्पष्ट है कि प्रशासन तंत्र जटिल और राज्यसत्ता सुदृढ़ होती जा रही थी।

स्थायी सेना राज्य-संगठन की वास्तविक और ठोस मददगार थी, जिसका अस्तित्व पिछले युग में भी था और बौद्ध युग के सामाजिक-आर्थिक विकास से वह बलवती होती गयी। कबीलाई जीवन के ह्रास और जातीय श्रेणियों में समाज के विभाजन से स्वभावत: स्थायी सेना ने कबीलाई सेना का स्थान ग्रहण कर लिया और इस युग ने स्थायी सेना को उचित मान्यता प्रदान की। उच्च पदाधिकारियों में **सेनानायक** के पद का विशेष महत्व था। कहते हैं कि सिकंदर के आक्रमण के समय मगध के नंद-राजा के पास २०००० घुड़सवार, २००००० पैदल सैनिक, चार घोड़ों वाले २०० रथ और ३०००-६०००

हाथी थे । यद्यपि नंदों की विशाल सेना का भरण-पोषण उनके समृद्ध राजकोष से किया जाता था, तथापि यह बात सही रूप में तत्कालीन सभी दूसरे राज्यों (महाजनपदों) के बारे में नहीं कही जा सकती है । अधिकांश महाजनपद स्थायी सेना के भरण-पोषण के लिए राजस्व-व्यवस्था पर निर्भर थे और यह राजस्व-व्यवस्था कहीं वैदिकोत्तर काल में जाकर कुछ मजबूत हुई ।

कानूनी और अदालती व्यवस्था, जो सत्ताधारी वर्ग के हाथों में बल प्रयोग का एक जबर्दस्त हथियार है, इसी काल में प्रकट हुई । जाति-विभक्त समाज में पुराने समतावादी कबीलाई कानून बाधक सिद्ध हुए । इसलिए ब्राह्मणवादी विचारकों ने प्रत्येक जाति के कर्त्तव्यों को निरूपित किया । इस बात का प्रभाव उनके दीवानी और फौजदारी कानूनों पर भी पड़ा । कबीलाई कानूनों के स्थान पर वर्ण-व्यवस्था पर आधारित नये कानूनों के क्रमिक प्रतिस्थापनों ने कबीलाई स्वरूपों वाली लोकप्रिय वैदिक सभाओं—सभा और समिति—के अभाव के कारणों को भी अंशतः स्पष्ट कर दिया ।

वैदिक काल के अंतिम दिनों में सभा और समिति का महत्व लुप्त होता जा रहा था । अब जातीय संगठन इन सभाओं के स्थान ग्रहण करते जा रहे थे और सामाजिक क्षेत्र में सभा और समिति के कार्यों को सीमित करते जा रहे थे । कबीलाई सभाएं छठी शताब्दी ई. पू. के विशाल जनपदीय राज्यों के सांगठनिक ढांचे में अपने को ठीक ढंग से उतार नहीं पा रही थीं और उनमें इतना लचीलापन भी नहीं रह गया था कि वे नये राज्यों में रहने वाली आर्येतर जनजातियों को समायोजित कर सकें । अतः जहां उत्तर वैदिक ग्रन्थों में पांचालों की समिति का उल्लेख है, वहां उनके उत्तराधिकारियों की जन-प्रिय सभा का कोई वर्णन नहीं मिलता है । दूसरी ओर, तत्कालीन ब्राह्मणवादी कानूनी किताबों में सिर्फ ब्राह्मणों को ही स्थान प्रदान करने वाली परिषद नामक नयी संस्था का स्वरूप स्थिर कर दिया गया ।

ये बातें मुख्यतः गंगा के उपजाऊ मैदानी इलाकों में केन्द्रित राजतंत्रात्मक राज्यों में ही सीमित थीं । ये राज्य उन तथाकथित गणराज्यों (गणों) से भिन्न थे, जो आधुनिक पंजाब के भू-भाग में फल-फूल रहे थे और जहां प्राचीन वैदिक कबीलों के अवशेष विद्यमान थे । इसी तरह ये राज्य गंगा की उपत्यका अथवा हिमालय की अपेक्षाकृत कम उर्वरक तलहटियों के राजतंत्रों के इर्दगिर्द भी फल-फूल रहे थे । हिमालय के उपक्षेत्र में स्थित जनपदीय गणराज्यों के बारे में कहा जा सकता है कि वे उत्तर वैदिक काल की जीवन-पद्धति के विरुद्ध उत्पन्न होने वाली प्रतिक्रिया की देन थे । वैदिक जीवन-विरोधी आंदोलन का लक्ष्य था कि उभरते हुए जाति-भेद और लिंग-भेद को समाप्त किया जाय तथा उन धार्मिक अंधविश्वासों को ठुकरा दिया जाय, जिनके फलस्वरूप बड़ी संख्या में

पशुओं को मौत के घाट उतार दिया जाता था । इस आंदोलन का यह भी लक्ष्य था कि ब्राह्मणों द्वारा घोषित वंशानुगत राजपद और उनके द्वारा समाज के अन्य सभी हिस्सों की उपेक्षा कर राजाओं को दिये जाने वाले विशेषा-धिकारों को खत्म किया जाय ।

वैदिक रूढ़िवादिता के विरोध में शुरू किये जाने वाले नये आंदोलन को सुदूर अतीत की परंपराओं से प्रेरणा मिली थी, जब किसी प्रकार का वर्णभेद और निम्नजातियों पर उच्चजातियों का किसी प्रकार का आधिपत्य तथा वंशानुगत राजाओं का आम जनता पर किसी प्रकार का अत्याचार नहीं था । संभवत: यह तथ्य उन कहानियों को ही स्पष्ट करता है, जिनके अनुसार राजतंत्रों के स्थान पर गणराज्य स्थापित हुए । बुद्ध का जिस शाक्य कबीले से संबंध था, उसकी उत्पत्ति की परंपरागत कहानी से पता चलता है कि शाक्य लोग कौशल राजपरिवार के वंशज थे । कहते हैं कि एक राजा ने अपने चार पुत्रों और चार पुत्रियों को निर्वासित कर दिया, इसलिए वे हिमालय की तलहटी में चले आये और उन्होंने आपस में विवाह कर अपनी नस्ल की शुद्धता को कायम रखने का निश्चय किया । इस वर्णन से साफ-साफ पता चलता है कि गणतंत्रों के संस्थापक अपने खानदान से टूटकर नये क्षेत्रों में चले आये थे । विदेह और वैशाली के बारे में भी यही बात कही जा सकती है, जो राजतंत्र से गणराज्यों के रूप में प्रकट हो गये थे ।

तत्कालीन सामाजिक और राजनीतिक परिस्थितियों को इस बात का श्रेय दिया जा सकता है कि राजतंत्रों से अलग होने का सिलसिला शुरू हो गया । प्राचीन काल में सत्ताधारी वर्ग के सदस्यों को लूटपाट की संपत्ति का एक हिस्सा और पराजित आर्येतर लोगों से भेंट मिला करती थी । लेकिन विजयी कबीलाई सरदार जनपदीय राज्यों में महत्वपूर्ण और वंशानुगत राज-पद प्राप्त कर लेने के बाद संपूर्ण राजस्व पर अपना दावा पेश करने लगे । कबीले के प्रमुख सदस्य इस बात का विरोध करते हुए किसानों से कर वसूल करने और अपनी सेना का स्वयं भरण-पोषण करने के अधिकारों की मांगें प्रस्तुत करने लगे । इस प्रतिक्रिया के फलस्वरूप एक नया राजनीतिक ढांचा प्रकट हुआ, जिसे आधुनिक इतिहासकारों ने गणतंत्र और जनतंत्र के रूप में गौरवान्वित किया है ।

गणराज्यीय सरकार के केन्द्रीय स्वरूप को देखने पर ऐसा ज्ञात होता था कि सामूहिक उत्तरदायित्व को महत्व दिया जाता था । कबीलाई प्रतिनिधि और परिवारों के प्रधान जन-सभा अथवा राजधानी के **संथागार** में आसन ग्रहण करते थे । गण-सभा की अध्यक्षता एक प्रतिनिधि करता था, जिसे **राजा** अथवा **सेनापति** कहते थे । एक परवर्ती बौद्ध ग्रंथ में एक कहानी मिलती है,

जिसके अनुसार **सिंह** को, **सेनापति खंड** का सबसे छोटा पुत्र होने के बावजूद, अपने पिता का स्थान ग्रहण करने की इजाजत दे दी गयी । जब **सिंह** अपने बड़े भाई के पक्ष में गद्दी छोड़ना चाहता था, तब सभा के सदस्यों ने साफ-साफ कहा कि इस पद पर उसके परिवार का नहीं बल्कि गण-सभा का अधिकार है । इससे पता चलता है कि गणराज्य के प्रमुख कार्याधिकारी का पद वंशानुगत नहीं था और वह राजा की तुलना में एक प्रमुख कार्याधिकारी ही था । सभा के सम्मुख सभी समस्याएं उपस्थित की जाती थीं और सदस्य सर्वसम्मति से ही कोई निर्णय लेते थे । इससे कुछ इतिहासकारों ने यह धारणा बना ली है कि वैदिकोत्तर काल के अराजतंत्रीय राज्यों का चरित्र वस्तुतः जनवादी था ।

लेकिन वास्तविकता यह है कि सभाओं पर कुलीनों का अधिकार था । राजतंत्र के अभाव का मतलब यह नहीं था कि सच्चे अर्थों में जनवाद लागू था । सभा के सदस्य अधिकतर क्षत्रिय जाति के थे और कम-से-कम लिच्छवियों के संबंध में तो यह मालूम है कि अधिकतर गैरक्षत्रिय, दास, मेहनतकश लोग आदि उनकी सभा में प्रवेश नहीं कर सकते थे । इससे यह साफ-साफ साबित हो जाता है कि गणराज्यीय व्यवस्था तत्वतः कुलीन व्यवस्था थी । अभिजात परिवारों (**राजकुल**) के वरिष्ठ सदस्य सभा के सर्वेसर्वा थे । राजकुल के सदस्यों को युद्ध की घोषणा करने का अधिकार था । गण-सभा के सदस्य **राजा** की उपाधि धारण करते थे । **सेनापति** राज्य का प्रधान अधिकारी माना जाता था और इस शब्द से राजतंत्रीय व्यवस्था की सेना के नायक का बोध होता था । गणराज्य के अधिकारी समकालीन राजतंत्रों के अधिकारियों की भांति पदवियां धारण करते थे । गणराज्यों और राजतंत्रों में समान रूप से **महामात्त (महामात्य)** और **(अमाच्छा) अमात्य** के पद प्रचलित थे । इससे सिद्ध होता है कि वैदिकोत्तर गणराज्यों पर तत्कालीन राजतंत्रों का काफी प्रभाव था ।

जिस ढंग से गैर-राजतंत्रीय सरकारें प्रशासकीय फरमानों और राज्य के कानूनों के माध्यम से व्यक्तियों तथा परिवारों को नियंत्रित करती थीं, उससे उनके अजनतांत्रिक स्वरूप का पर्दाफाश हो जाता है । एक **बौद्ध** ग्रंथ से हमें जानकारी मिलती है कि पावानगर में बुद्ध के आगमन के अवसर पर मल्लों ने आज्ञप्ति जारी की कि सार्वजनिक रूप से उनका स्वागत किया जाय और जो लोग इस आज्ञप्ति के अनुसार काम नहीं करेंगे, उन्हें दंडित किया जायगा और उन पर जुर्माना लगेगा । इससे मौर्यकाल की केन्द्रित शाही सरकार के सत्तावाद का पूर्वानुमान किया जा सकता है । यदि **जातक-कथा** पर विश्वास किया जाय, तो शाक्य किसी कन्या का विवाह अनकुलीन राजा के साथ भी नहीं कर सकते थे । भोजभात में जाति-बिरादरी के लोग ही

शामिल हो सकते थे । इसी तरह वैशाली के **गण** ने यह नियम निर्धारित किया था कि नगर के अलग-अलग हलकों में ही लड़कियां ब्याही जा सकती हैं । समाज के सभी सदस्यों के निजी और पारिवारिक जीवन को नियंत्रित करने के लिए गणराज्यों की ओर से जो कानून लागू किये गये थे, **धर्मसूत्र** के ब्राह्मण प्रणेताओं के कानूनों से अच्छे नहीं थे । राजतंत्र के अनिवार्य सांगठनिक और वैचारिक स्वरूपों को गणराज्य समाप्त नहीं कर सके । लिच्छवियों, शाक्यों, मल्लों आदि की सरकारें राजतंत्र के सभी आडंबरों को ढोती जा रही थीं । वे गणराज्यों के 'विकृत' धरातल से कभी ऊपर नहीं उठ सकीं और मगध साम्राज्य की चपेट में आ गयीं, जिसने समकालीन राज्यों से लंबा और कठिन संघर्ष करने के बाद अपना प्रभुत्व स्थापित कर लिया ।

५. मौर्य साम्राज्य

पुराने राजवंशों से बिल्कुल भिन्न रूप में, हमें मौर्य काल के इतिहास की जानकारी बौद्ध और जैन परम्पराओं, कौटिल्य के अर्थशास्त्र, यूनानी विवरणों, अशोक के प्रथम गूढ़ शिलालेखों और पुरातात्विक अवशेषों के अनेकानेक स्रोतों से मिलती है। पुराणों में, जो बहुत आगे चलकर लिखे गये, तथ्यपरक ऐतिहासिक सामग्री का अभाव है, अतः उन्हें पूरी तरह प्रामाणिक नहीं माना जा सकता है।

मौर्यवंश का संस्थापक चंद्रगुप्त २५ साल की उम्र में लगभग ३२१ ई. पू. में नंद के सिहासन पर बैठा। किंवदंती के अनुसार ब्राह्मण कौटिल्य, जिसे हम चाणक्य अथवा विष्णुगुप्त भी कहते हैं, उसका परामर्शदाता और मार्गनिर्देशक था। चन्द्रगुप्त के जन्म और उसके प्रारंभिक जीवन के बारे में विश्वसनीय तथ्य नहीं मिलते हैं, लेकिन आम तौर पर यह माना जाता है कि उसका संबंध मोरिय जाति से था और वह एक निम्न जाति का सदस्य था। अधिकांश इतिहासकार उसके जन्म के संबंध में प्रचलित पुराने विचारों से सहमत नहीं हैं। भारत और यूनान दोनों ही देशों के प्राचीन ग्रंथों में इस बात का उल्लेख है कि उसने अंतिम नंदराजा का तख्ता पलट दिया और उसकी राजधानी पाटलिपुत्र अर्थात आधुनिक पटना पर कब्जा जमा लिया। यूनानी विवरणों के अनुसार उसने पश्चिमोत्तर भारत में पहुंचकर यूनानी सेना को परास्त किया, जिसे सिकन्दर अपने पीछे छोड़ गया था।

लेकिन सिकन्दर के सेनापति सेल्यूकस निकेटर ने शीघ्र ही मकदूनियाई साम्राज्य के अधिकांश एशियाई प्रांतों को अपने काबू में कर लिया और ऐसा जान पड़ता है कि ३०५ ई. पू. में युद्ध क्षेत्र में चन्द्रगुप्त के साथ उसका मुकाबला हुआ था। दोनों में सन्धि हो गयी और दोनों वैवाहिक संबंध कायम करने पर सहमत हो गये, लेकिन किसने किसकी लड़की से विवाह किया, इसका ठीक-ठीक पता नहीं है। फिर भी ऐसा ज्ञात होता है कि चन्द्रगुप्त ने यूनानी सेनापति को ५०० हाथी उपहार के रूप में दिये और बदले में सिन्धु के उस पार के भू-भाग पर शासन का अधिकार प्राप्त किया। सेल्यूकस का राजदूत मेगास्थनीज पाटलिपुत्र में मौर्य दरबार में कई वर्षों तक रहा था और उसने देश के भीतरी भागों की खूब यात्रा की थी। जैन स्रोतों के अनुसार,

चन्द्रगुप्त ने अपने जीवन के अंतिम दिनों में जैन धर्म स्वीकार किया और अपने पुत्र के पक्ष में सिंहासन छोड़ दिया। कहते हैं कि भद्रबाहु नामक एक जैन साधु और अन्य कई साधुओं के साथ वह मैसूर के समीप श्रवण बेलगोडा गया, जहां उसने प्रचलित जैन प्रथा के अनुसार उपवास करके अपना शरीर त्याग दिया।

२९७ ई. पू. में चन्द्रगुप्त के बाद उसका पुत्र बिंदुसार गद्दी पर बैठा। यूनानी उसे अमित्रोकेट्स (संस्कृत शब्द अमित्रघात अर्थात शत्रु का नाश करने वाला) कहते थे। संभवतः सीरिया के सेल्यूसिद सम्राट एंटिओकस प्रथम से उसका संपर्क था। बिंदुसार एक बहुत ही सुरुचि-संपन्न व्यक्ति था और उसने एंटिओकस से कुछ मीठी शराब, सूखे अंजीर और एक हेत्वाभासी (Sophist) भेजने का अनुरोध किया था, लेकिन अंतिम को निर्यात नहीं किया जा सकता था, इसलिए कोई हेत्वाभासी नहीं भेजा गया। तिब्बत के बौद्ध साधु तारानाथ के अनुसार, जिसने १६वीं शताब्दी में भारत का भ्रमण किया था, बिन्दुसार ने "दो समुद्रों के बीच की भूमि" जीत ली थी। इसका यह अर्थ निकाल लिया गया है कि उसने संपूर्ण भारतीय प्रायद्वीप में मगध साम्राज्य को फैला दिया था। प्राचीन तमिल साहित्य में भी सुदूर दक्षिण में मौर्यों के आक्रमण की चर्चा है। लेकिन इस आधार पर यह मान लेना ठीक नहीं है कि बिन्दुसार ने भारत के सुदूर दक्षिणी क्षेत्र को भी जीतकर मगध साम्राज्य में मिला लिया था। फिर भी यह संभव है कि उसका साम्राज्य दक्षिण में मैसूर तक फैला हुआ था। लेकिन पूर्वी समुद्र तट पर कलिंग (आधुनिक उड़ीसा) से उसकी हमेशा दुश्मनी बनी रही और बिन्दुसार के पुत्र अशोक के शासन काल में ही कलिंग को पराजित किया जा सका।

लगभग सौ साल पहले तक अशोक पुराणों में उल्लिखित महज एक काल्पनिक मौर्य राजा था। १८३७ में जेम्स प्रिंसेप ने **देवानांपिय पियदस्सी** (देवताओं का प्रिय) नामक एक राजा का वर्णन ब्राह्मी लिपि में लिखित एक शिलालेख में पढ़ा और उसका गूढ़ अर्थ समझा। उसके बाद उसी तरह के अनेक शिलालेखों का पता लगा। प्रारंभ में यह समझा गया कि इन विवरणों का अशोक से कोई संबंध नहीं है। लेकिन १९१५ में अशोक पियदस्सी पर प्रकाश डालने वाला एक अन्य शिलालेख मिल गया। इससे, लंका के इतिहास **महावंश** की संपुष्टि के बाद, यह स्थिर हो गया कि इन शिलालेखों में देवानांपिय पियदस्सी के रूप में मौर्य सम्राट अशोक का ही उल्लेख है।

बौद्ध स्रोतों के अनुसार अशोक अपने सभी प्रतिद्वंद्वियों को मौत के घाट उतार कर गद्दी पर बैठा। इसके बाद उसने एक अत्याचारी के रूप में शासन

करना शुरू किया। लेकिन उसके शिलालेख, जो मौर्यकाल के इतिहास के अध्ययन के प्रमुख स्रोत हैं, इस बात का समर्थन नहीं करते हैं। ऐसा ज्ञात होता है कि अशोक के जीवन की सबसे महत्वपूर्ण घटना वह है, जब २६० ई. पू. में कलिंग-युद्ध में विजयी होने के बाद उसने बौद्ध धर्म ग्रहण किया। सम्राट ने स्वयं युद्ध की विभीषिका का वर्णन इन शब्दों में किया है : "१५०००० लोग बंदी बना लिये गये और १००००० लोग मारे गये तथा और भी अनेक लोग मौत के मुंह में चले गये..." कुछ विद्वानों ने हमें यह स्वीकार करने के लिए प्रेरित किया है कि युद्ध में हुए रक्तपात से द्रवित होकर अशोक ने नाटकीय ढंग से बौद्ध धर्म ग्रहण कर लिया। लेकिन उसके एक शिलालेख के अनुसार इस घटना के ढाई वर्षों के बाद जाकर वह बौद्ध धर्म का एक उत्साही समर्थक बना। इससे प्रभावित होकर उसने किसी देश को वशीभूत करने के लिए युद्ध करना छोड़ दिया। उसके शासन-काल में २५० ई. पू. में पाटलिपुत्र में बौद्ध धर्मावलंबियों को पुनर्गठित करने के लिए बौद्ध परिषद का तीसरा महासम्मेलन आयोजित किया गया, जिसकी अध्यक्षता मोगल्लिपत्ता तिस्सा ने की। अशोक के अपने बिवरणों से यह पता नहीं चलता है कि उसने अपने शासन-काल में आयोजित बौद्ध परिषद के सम्मेलन में भाग लिया हो। फिर भी उसके चार राज्यादेशों से यह सिद्ध होता है कि बौद्ध धर्म के प्रति उसकी दृढ़ आस्था थी और बौद्ध महासंघ से भी उसका संबंध था। लेकिन वे राज्यादेश यह आधार प्रस्तुत नहीं करते हैं कि बुद्ध ने कभी बौद्ध साधु की वेशभूषा धारण की थी।

प्रथम तीन मौर्य राजाओं को यह श्रेय प्रदान किया जाता है कि उनकी राजनीतिक प्रभुसत्ता के अंतर्गत देश के एक विशाल भू-भाग का एकीकरण हुआ। चन्द्रगुप्त ने लगभग संपूर्ण उत्तर भारत को मगध शासन के अधीन कर लिया था। इधर-उधर से जो प्रमाण एकत्र किये गये हैं, उनसे सिद्ध होता है कि भारतीय प्रायद्वीप के दक्षिण का एक विशाल भू-भाग बिन्दुसार के शासन-काल में ही मौर्यों के अधीन था और अशोक ने कलिंग को जीत लिया था। अशोक के शिलालेखों में चोल, पांड्य, सत्यपुत्र और केरलपुत्र जैसे सुदूर दक्षिण के लोगों का वर्णन मिलता है, लेकिन संभवतः उनसे उसका संबंध बहुत ही मैत्रीपूर्ण था। अशोक के राज्यादेशों की गहरी छानबीन से यह पता चलता है कि दक्षिण में मैसूर और पश्चिम में कांधार से आगे मौर्यों के शासन का प्रभाव नहीं था। परंपरा के अनुसार कश्मीर मौर्य साम्राज्य का एक अंग था और अशोक ने श्रीनगर का निर्माण करवाया था। कहते हैं कि मध्य एशिया का खोतन क्षेत्र भी मौर्य शासन के अंतर्गत था और तिब्बत के स्रोतों से पता चलता है कि अशोक ने उस क्षेत्र की यात्रा भी की थी।

मौर्यकालीन
भारत
परोपनिसडाई
शाहबाजगढ़ी
मानसेहुरा
गंधार
आराकोसिया
कंधहार
यवन
कालसी
टोपरा
सतलज नदी
मेरठ
सिंधु नदी
दिल्ली
गंगा नदी
गेड्रोसिया
मथुरा
निगलिवा
रम्मिनदेई
रामपुरवा
लौरिया नंदनगढ़
लौरिया अरेराज
बैराट
प्रयाग
कौशाम्बी
महास्थान
पाटलिपुत्र
सारनाथ
सहसराम
बराबर
मगध
उज्जयिनी
पुलिन्द
सांची
रूपनाथ
गिरनार
नर्मदा नदी
महानदी
ताम्रलिप्ति
धौली
जौगढ़
गोदावरी नदी
सोपार
कलिंग
आंध्र
कृष्णा नदी
नासिक
सिद्दपुर
ब्रह्मगिरि
येर्रागुडी
जटिंग-रामेश्वर
अरब सागर
बंगाल की खाड़ी
श्रवण बेलगोला
सत्यपुत्र
कावेरी नदी
वे स्थान जहां अशोक के शिलालेख प्राप्त हुए हैं...... •
प्राचीन नगर..... △
पांड्य
केरलपुत्र

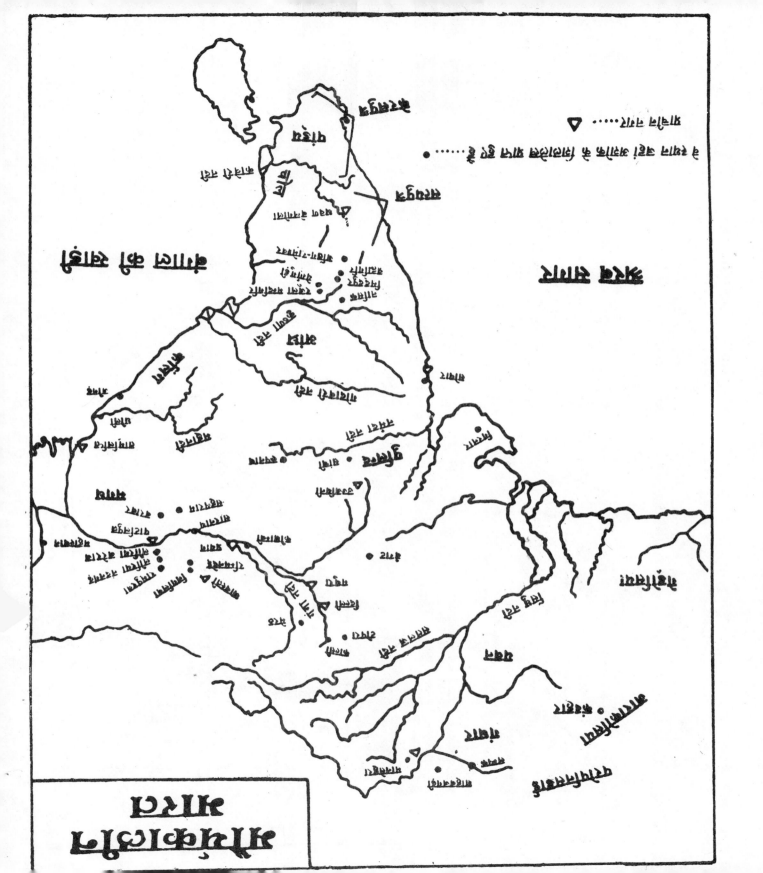

यदि खोतन पर मगधों का आधिपत्य नहीं भी माना जाय, तो भी दोनों के आपसी मैत्री संबंधों से इंकार नहीं किया जा सकता है। लेकिन मौर्यों के शासन-काल में भारत और चीन के आपसी संबंधों के प्रमाण नहीं मिलते हैं। कहते हैं कि अशोक ने अपनी लड़की का विवाह नेपाल के एक राजपुरुष से किया था और संभव है कि नेपाल मौर्य-प्रभाव में रहा हो। अशोक ने अपने एक राज्यादेश में सैल्यूकस निकेतर के पोते सीरिया के एन्टिओकस थियोस (२६०-२४६ ई. पू.), मिस्र के फिलाडेलफस टालेमी तृतीय (२८५-२४७ ई. पू.), मकदूनिया के एंटिगोनस गोनाटस (२७६-२३६ ई. पू.), सीरीन के मागस और एपिरस के सिकंदर—हेलेनिक जगत के सभी समकालीन राजाओं—का उल्लेख किया है, जिनके साथ उसके दौत्य-संबंध थे। श्रीलंका की परंपरा इस बात का प्रचुर प्रमाण उपस्थित करती है कि श्रीलंका के साथ मौर्यों का बहुत ही घनिष्ठ संबंध था। कहते हैं कि अशोक ने एक बौद्ध भिक्षु के रूप में अपने पुत्र महेन्द्र को श्रीलंका भेजा था। श्रीलंका का तत्कालीन राजा तिस्सा अशोक से बहुत प्रभावित हुआ था। अवश्य ही विदेशी शासकों के साथ मैत्रीपूर्ण राजनीतिक संबंधों की स्थापना से बाहरी दुनिया के साथ नियमित आवागमन और विचारों के आदान-प्रदान में वृद्धि हुई होगी।

मौर्य शासन के अंतर्गत लगभग संपूर्ण भारत (सुदूर दक्षिण को छोड़कर) का राजनीतिक एकीकरण विशाल सेना के बल पर संपन्न हुआ। मौर्यों को छोड़कर प्राचीन भारत के किसी भी राजघराने के पास इतनी विशाल सेना नहीं थी। प्लुटार्च और जस्टिन के अनुसार चंद्रगुप्त ने नंदों की पैदल सेना से तीन गुनी अधिक संख्या में अर्थात् ६००००० आदमियों को लेकर संपूर्ण उत्तर भारत को रौंद दिया था। मेगास्थनीज के अनुसार मौर्य सेना में कुल ४००००० सैनिक थे। सैन्यबल में अपार वृद्धि और सुसंगठित सत्ता के विकास से मौर्य वंश के राजा के सम्मान और गौरव में भी अवश्य ही वृद्धि हुई होगी।

कौटिल्य ने धर्म और अन्य सभी प्रकार के आदेशों की तुलना में राजकीय आदेश को श्रेष्ठ माना, हालांकि राजा बदलती हुई परिस्थितियों के अनुसार धर्म की व्याख्या कर सकता था। अशोक ने अपने राजकीय आदेशों में राजनीतिक एकाधिकार का अकाट्य प्रमाण प्रस्तुत किया। उसके राजकीय आदेश जनता के सामाजिक और धार्मिक जीवन को भी संचालित करते थे। शासन अपनी विशाल नौकरशाही व्यवस्था के माध्यम से जीवन के सभी क्षेत्रों को नियंत्रित करता था। कौटिल्य ने १८ **तीर्थों** का उल्लेख किया है, जो संभवतः **महामात्र** अथवा उच्च पदाधिकारी माने जाते थे। उसने २७ अधीक्षकों का भी उल्लेख किया है, अधिकतर आर्थिक क्रियाकलापों का संचालन करते थे। इनमें से कुछ अधीक्षक सैन्य विभागों से भी संबंध रखते थे। कौटिल्य ने **गोप**, **स्थानिक**,

धर्मस्थ, नागरक आदि कई अधिकारियों का भी उल्लेख किया है, जो महत्वपूर्ण कार्यों का संपादन करते थे। लेकिन **अर्थशास्त्र** के अनुसार कार्यों का निर्वाह किस हद तक किया जाता था, यह कहना बहुत कठिन है। फिर भी इसमें तनिक भी संदेह नहीं है कि शाही हुकूमत की आवश्यकताओं से प्रेरित होकर मौर्यों ने अधिकारियों की संख्या में वृद्धि की। इन सभी बातों और प्राक् मौर्ययुग के योद्धावर्ग के बढ़ते हुए प्रभाव के फलस्वरूप अवश्य ही राज्यसत्ता की श्रीवृद्धि हुई होगी।

विशाल भू-भाग पर निरन्तर बढ़ती संख्या में नौकरशाहों और विशाल स्थायी सेना के बल पर शासन का दायित्व निभाने में स्वभावत: अपार व्यय होता था। इसलिए शाही खजाने के लिए स्थानीय आय के स्रोत भी ढूंढ लिये गये। ऐसा प्रतीत होता है कि मौर्य शासन का यह एक प्रमुख सिद्धांत था कि लाभप्रद आर्थिक क्रियाकलापों की व्यवस्था और संचालन की ओर पूरा ध्यान दिया जाय।

घनी आबादी वाले क्षेत्रों से अतिरिक्त जनसंख्या को हटाकर कमजोर लोगों को फिर से बसाने के लिए नयी बस्तियां स्थापित की गयीं। राज्य की ओर से पहली बार शूद्रों को किसानों के रूप में इन बस्तियों में बसाने की व्यवस्था की गयी। उन्हें या तो दूसरे स्थानों से प्रलोभन देकर लाया गया अथवा घनी आबादी वाले क्षेत्रों से उन्हें विस्थापित कर फिर बसाया गया। मौर्य शासन ने अपनी नीति के अनुरूप कलिंग-युद्ध के १५०००० लोगों को फिर से बसाने के लिए नयी बस्तियों का निर्माण करवाया। परती जमीन पर खेती शुरू करने के लिए शूद्रों को करों में छूट देने के साथ ही मवेशी, बीज और द्रव्य दिये गये। राज्य की ओर से इस नीति का अनुसरण इस दृष्टिकोण से किया गया कि उसने जो कुछ खर्च किया है, वह उसे वापस मिल जायगा।

नये आबाद क्षेत्रों में, जिन्हें शाही जमीन अथवा शाही गांव (**सीता**) कहते थे, गांव के अवकाशप्राप्त अधिकारियों और पुरोहितों को भूमि प्रदान की जाती थी, लेकिन उस भूमि को बेचने, बंधक रखने अथवा दूसरे को देने की इजाजत नहीं थी। सामान्य किसान भी अपनी भूमि राज्य को कर नहीं देने वाले किसी व्यक्ति को नहीं दे सकते थे। यदि किसान अपनी भूमि पर खेती नहीं कर पाता था, तो उसकी भूमि किसी दूसरे व्यक्ति को दे दी जाती थी। शाही गांवों के निवासियों पर कठोर प्रतिबन्ध लगे हुए थे और शाही गांव को छोड़कर भाग निकलना बहुत कठिन था।

गृहस्थ-जीवन व्यतीत किये बिना कोई सन्यासी नहीं हो सकता था। यदि कोई व्यक्ति अपनी पत्नी और अपने आश्रितों के भरण-पोषण का प्रबन्ध किये बिना सन्यास ग्रहण कर लेता था, तो उसे सजा भुगतनी पड़ती थी। संन्यास

के संबंध में स्त्रियों पर भी ऐसे ही कठोर प्रतिबन्ध लगे हुए थे । संन्यासियों को नये आबाद गांवों में जाने की इजाजत नहीं थी । निम्न जातियों के लोग अपनी संस्थाएं या दल गठित नहीं कर सकते थे । सार्वजनिक मनोरंजन पर प्रतिबन्ध था; क्योंकि ऐस. समझा जाता था कि अभिनेता, नर्तक, गायक, संगीतज्ञ, बहुरूपिये और चारण नये आबाद क्षेत्रों के कृषि-कार्यों में कठिनाइयां उत्पन्न कर दे सकते हैं । इस संबंध में कौटिल्य ने यह स्पष्ट तर्क प्रस्तुत किया : "गांव के लोग अपनी निस्सहायावस्था से उबरने के लिए खेती के कामों में खूब मन लगायेंगे, फिर तो करों, मजदूरों की संख्या, धन और अनाज की वृद्धि की संभावना स्पष्ट हो जायगी ।"

ऐसा ज्ञात होता है कि कौटिल्य ने कृषि-उत्पादन में वृद्धि के लिए ग्रामीणों के गंवारूपन को जान बूझकर प्रोत्साहित किया, जिसमें लोगों का अधिक-से-अधिक अतिरिक्त धन हड़पा जा सके । स्वयं कौटिल्य ने मौर्य शासन के शोषण-वादी स्वरूप को साफ-साफ शब्दों में व्यक्त किया है : "चारों जातियों के बीच में जमीन की बन्दोबस्ती के संबंध में सबसे अच्छा यह होगा कि जिन निम्न जातियों का बोलबाला हो, उन्हीं के बीच में जमीन की बन्दोबस्ती की जाय; क्योंकि हर दृष्टि से उनसे लाभ उठाया जा सकता है ।"

जिस जमीन पर हाल में खेती का काम शुरू हुआ हो, उसमें से एक निश्चित भू-भाग पर राजा का अधिकार (सीता) होता था । प्रारम्भिक पालि-साहित्य में, जिसका संबंध प्राक् मौर्यकाल से है, बड़े फार्मों का बहुत ही कम उल्लेख किया गया है । लेकिन ज्ञात होता है कि मौर्यकाल में ऐसे कई फार्म थे, जिनकी देखरेख के लिए अनेक दास, भाड़े के मजदूर और कृषि-अधीक्षक (सीताध्यक्ष) नियुक्त थे । अर्थशास्त्र के अनुसार कृषि-अधीक्षक राजकीय फार्म में अपने कृषि ज्ञान का पूरा उपयोग करता था और सरकार को निजी तौर पर खेती करने वाले लोगों से करों के रूप में जितनी आमदनी होती थी, उससे कम आमदनी राजा को राजकीय फार्म से नहीं होती थी ।

शासन की ओर से बड़े पैमाने पर कृषि-कर्म के लिए जमीन की सफाई की व्यवस्था और अधिकारियों की प्रत्यक्ष देखरेख में राजकीय भूमि पर कृषि-कार्यों के संपादन से गंगा की उपत्यका तथा अन्य क्षेत्रों में किसान भारी संख्या में स्थायी रूप से बस गये । लेकिन मौर्य शासक ने सिंचाई की जो सुविधा प्रदान की थी, उससे भी कृषि की अपार प्रगति हुई । अर्थशास्त्र में सिंचाई के लिए जल के वितरण और माप का उल्लेख किया गया है । उसमें इस बात का भी उल्लेख है कि राज्य उन क्षेत्रों से नियमित रूप से जल-कर की वसूली करता था, जहां उसकी ओर से सिंचाई की व्यवस्था की जाती थी । कहते हैं

कि पुष्यगुप्त नामक चंद्रगुप्त के एक राज्यपाल ने सौराष्ट्र में गिरनार के निकट एक नदी पर बांध का निर्माण करवाया था ।

राज्य के संरक्षण में ग्रामीण बस्तियों के विस्तार के साथ-साथ आन्तरिक आवागमन का विकास हुआ और उससे स्वभावतः व्यापार में वृद्धि हुई । पहले जहां जंगल था, वहां जमीन की सफाई के बाद नयी किसान-बस्तियां स्थापित हो जाने से एक स्थान से दूसरे स्थान पर जाने की पूरी सुविधा हो गयी । यूनानी स्रोतों से पता चलता है कि मौर्यकाल में आवागमन का खूब विकास हुआ था । उत्तर भारत की नदियां भी, जो साम्राज्य का केंद्र थीं, सुगम यातायात के विकास में बहुत सहायक सिद्ध हुईं । इन सभी बातों से घरेलू व्यापार की उन्नति हुई । बिन्दुसार और अशोक के समय यूनानियों के साथ सौहार्दपूर्ण सम्बन्ध रहने के कारण पश्चिमी देशों में विदेश-व्यापार को बढ़ावा मिला ।

मुद्रा का प्रयोग कुछ पहले से ही हो रहा था, लेकिन मौर्य-काल में व्यापार की वृद्धि से इसका धड़ल्ले के साथ प्रयोग होने लगा । केवल व्यापार में ही धन नहीं लगाया जाता था बल्कि सरकार भी अपने अफसरों को नगद राशि देती थी । **अर्थशास्त्र** में उल्लेख है कि अधिकारियों को उदारतापूर्वक ४८००० **पण** से लेकर ६० **पण** तक वेतन-भुगतान किया जाता था । नगद आर्थिक व्यवस्था, सरकार के कार्यकलापों की मजबूत आधारशिला थी । अब तक भारी संख्या में जो आहत सिक्के (अधिकतर चांदी के) मिले हैं, वे मौर्यकाल के माने जाते हैं । ये सिक्के पूर्वी उत्तर प्रदेश और बिहार में मिले हैं, जो साम्राज्य के केंद्र थे ।

मौर्य शासन मुनाफे के सभी व्यापारों और उद्योगों को अनेक अधीक्षकों के माध्यम से पूरी तरह नियंत्रित करता था । वाणिज्य अधीक्षक (**अर्थशास्त्र** में जिसे **पण्याध्यक्ष** कहा गया है), जिसका अस्तित्व मेगास्थनीज के वृतांत से भी सिद्ध होता है, केवल वस्तुओं के मूल्यों को निर्धारित ही नहीं करता था बल्कि जब किसी वस्तु की भरमार हो जाती थी, तब वह हस्तक्षेप भी करता था । **संस्थाध्यक्ष** (बाजार-अधीक्षक) व्यापारियों के जाल-फरेब से लोगों की रक्षा करता था । मापतौल-अधीक्षक (**पौतवाध्यक्ष**) को मापतौल के मानकों को लागू करने का काम सौंपा गया था । राज्य की सभी नौकाओं की निगरानी नौका-अधीक्षक (**नावाध्यक्ष**) करता था; अर्थात वह जल-यातायात को सुव्यवस्थित करता था तथा नौ-शुल्क वसूलता था । मार्ग-कर अधीक्षक (**शुल्काध्यक्ष**) व्यापारियों से पांचवें से पचीसवें हिस्से तक चुंगी वसूलता था । बुनाई-उद्योग, शराब के कारखानों और शराब की दुकानों की निगरानी के लिए भी अधीक्षकों की बहाली की जाती थी । एक तरफ राजा द्वारा नियुक्त पदाधिकारी निजी व्यापार का नियंत्रण और विनियमन करते थे, तो दूसरी तरफ स्वयं

मौर्य शासन व्यापार और वस्तुओं के उत्पादन-कार्य का नियमन करता था । सामान्य रूप से सरकारी कर्मचारी सरकारी माल (**राजपण्य**) की बिक्री का प्रबंध करते थे, लेकिन उसके लिए गैर-सरकारी व्यापारियों के सहयोग की भी जरूरत पड़ती थी ।

सरकार को न केवल अपने अधीनस्थ उद्यमों से ही बल्कि अर्थशास्त्र में उल्लिखित अनेक प्रकार के करों से भी आर्थिक आय होती थी । भूमि का लगान (**भाग**) राजस्व का मुख्य साधन था और ऐसा जान पड़ता है कि छठा भाग लगान के रूप में लिया जाता था, लेकिन यूनानी स्रोत के अनुसार चौथा भाग लगान के रूप में लिया जाता था । भूमि से प्राप्त होने वाले मुख्य लगान के अतिरिक्त जल-कर भी लिया जाता था । उपज के हिस्से से भी राज्य को ठोस आमदनी होती थी । किसानों को बहुधा **पिण्डकर** देना पड़ता था, जो ग्राम-समूह को मद्देनजर रखकर लगाया जाता था । **बलि और कर** जैसे करों के बारे में निश्चित रूप से कुछ नहीं कहा जा सकता है । संभवतः कर बागानों से प्राप्त होने वाले फलों और फूलों की उपज का एक भाग था । ग्रामवासियों को अपने क्षेत्र से गुजरने वाली शाही सेना (**सेनाभक्त**) के स्वागत-सत्कार की व्यवस्था करनी पड़ती थी । आगे चलकर इस प्रथा ने सामंती आतंक का रूप धारण कर लिया ।

उपर्युक्त करों के विपरीत, **हिरण्य** जिन्स के रूप में नहीं बल्कि नगद रूप में लिया जाता था । चुंगी और नौका-शुल्क राजकोष की आय के अन्य प्रमुख स्रोत थे । राजधानी (**दुर्ग**) में रहने वाले दस्तकारों के संघों को कर चुकाना पड़ता था । ऐसा समझा जाता है कि गांवों में रहने वाले दस्तकार करों से मुक्त थे । स्पष्ट है कि सरकार जितना भी संभव हो सकता था, उसके अनुसार लोगों से उपज का अधिक-से-अधिक हिस्सा जानबूझकर ले लेती थी ।

फिर भी ऐसा ज्ञात होता है कि कौटिल्य ने जितने भी करों का उल्लेख किया, वे राज्य की आवश्यकताओं की पूर्ति में सहायक नहीं थे । इसीलिए उसने संकटकाल में राजस्व की व्यवस्था के लिए विभिन्न प्रकार के कदम उठाने की सिफारिश की । इनमें से एक संकटकालीन उद्ग्रहण अथवा कर था **प्रणय** जिसका शाब्दिक अर्थ होता है स्नेहोपहार, लेकिन व्यावहारिक रूप में यह उद्ग्रहण प्रलय मचा देता था । किसानों को दो फसलें उगाने के लिए बाध्य किया जाता था । यद्यपि कौटिल्य ने कहा कि राजा को मंदिर का धन जब्त कर लेना चाहिए, तथापि एक ब्राह्मण चमत्कारिक प्रभाव दिखलाकर और नयी मूर्तियां स्थापित कर भोले-भाले लोगों से धन ऐंठ सकता था । दूसरी शताब्दी ई. पू. में पंतजलि ने लिखा कि मौर्यों ने धन के लिए अंधभक्ति

की परंपरा प्रचलित की । नगद और जिन्स के रूप में एकत्र तथा शाही भंडारों में संग्रहीत ये सभी सामान्य और संकटकालीन कर मौर्य साम्राज्य की अर्थ-व्यवस्था के मुख्य आधार थे ।

मौर्य अर्थव्यवस्था की एक महत्वपूर्ण बात यह थी कि खनन और धातुकर्म पर सरकार का एकाधिकार था, जिससे सिंहासन की ताकत में वृद्धि हुई और जिसने विशाल साम्राज्य को कायम रखने में योगदान किया । अर्थशास्त्र में खान-अधीक्षक (आकराध्यक्ष) का स्पष्ट उल्लेख है, जिसका प्रमुख कार्य था नयी खानों का पूर्वेक्षण करना और पुरानी तथा अप्रचलित खानों को फिर से चालू करना । कौटिल्य के अनुसार नमक-अधीक्षक नमक की खानों की देख-भाल करता था । यद्यपि साहित्यिक स्रोतों से पता चलता है कि खानों से कई प्रकार की धातुएं निकाली जाती थीं तथापि पुरातात्विक खोजों से यह प्रमाणित होता है कि केवल तांबे और सोने का ही प्रचलन था । संभव है कि मौर्यकाल में पहली बार छोटानागपुर के धालगूम की तांबे और सोने की खानें चालू की गयी हों । मैसूर की सोने की खानों के बारे में भी यही बात कही जा सकती है । भारी संख्या में प्राप्त चांदी के आहत सिक्कों पर विचार करते हुए, जिन्हें हम मौर्यकाल से संबद्ध मानते हैं, यह कहा जा सकता है कि चांदी की खानें चालू थीं । अर्थशास्त्र में यत्रतत्र विभिन्न प्रकार के लोहों और लोहाध्यक्ष के वर्णनों से यह स्पष्ट संकेत मिलता है कि लोहे का काम होता था ।

साम्राज्य की सभी खानों पर राज्य का एकाधिकार था, हालांकि खानों से प्राप्त धातुओं का बहुलांश व्यापारियों, दस्तकारों, सुनारों के संघों और व्यक्तिगत निर्माताओं के हाथों में बेच दिया जाता होगा । खनिज साधनों पर एकाधिकार होने से सेना के लिए धातुओं के शस्त्रास्त्रों के निर्माण तथा कृषि एवं उद्योग के लिए अपेक्षित उपकरणों और औजारों की आपूर्ति पर भी सरकार का पूरा नियंत्रण हो गया । इससे मौर्य साम्राज्य की स्थिति काफी मजबूत हो गयी, लेकिन उल्लेखनीय है कि ग्रामीण आबादी को पूरी तरह निरस्त कर दिया गया ।

मौर्य साम्राज्य के लोगों के सांस्कृतिक स्तरों में बहुत भिन्नता थी । इसके निवासी प्रस्तर युग के बर्बर जीवन से लौह युग में दाखिल हुए थे और वे पाटलिपुत्र में रहते थे, जो चंद्रगुप्त के समय में संसार का सबसे बड़ा नगर था । कौटिल्य के अर्थशास्त्र और अशोक के शिलालेखों में कई कबीलों की चर्चा है । वे अब किसानों की तरह स्थिर जीवन व्यतीत करने लगे थे और निजी संपत्ति पर आधारित एक वर्गीय समाज के सदस्य बन चुके थे । कौटिल्य ने अपने ग्रंथ के एक पूरे अध्याय में स्वतंत्र कबीलों के लगातार टूटते जाने की प्रकियाओं

का उल्लेख किया है। प्रारंभिक अवस्था में जासूसों, विषैले पदार्थों, ब्राह्मणों, ज्योतिषियों, नशीले पेय पदार्थों, औरतों, नटों और रिश्वतों के माध्यम से कबीले के लोगों में फूट के बीज बोये जाते थे, लेकिन बाद में स्वयं राजा सशस्त्र हस्तक्षेप करने के लिए सामने आ जाता था। इस तरह कबीला बिखर जाता था और इसके सदस्य पांच से दस परिवारों की इकाइयों में सुदूर भागों में, संभवतः नवस्थापित क्षेत्रों में बसने के लिए भेज दिये जाते थे। लेकिन यह सोचना ठीक नहीं होगा कि कबीले केवल बाहरी तत्वों के हिंसात्मक कार्यों से टूट जाते थे बल्कि उनका विघटन राज्य की देखरेख में विभिन्न क्षेत्रों में संगठित स्थायी कृषि-जीवन के विस्तार के फलस्वरूप शुरू हो गया था।

जिन क्षेत्रों में कृषि-जीवन व्यवस्थित और स्थिर हो चुका था, वहां वर्णों के आधार पर समाज संगठित था। चारों वर्गों के लोग अंतर्जात हो चुके थे और उनकी कट्टरता ने शायद तनावों का रूप धारण कर लिया था। मेगास्थनीज ने सात जातियों का उल्लेख किया है—दार्शनिक, किसान, सैनिक, चरवाहे, दस्तकार, दंडाधिकारी और पार्षद। जाहिर है कि उसने पेशे के साथ जाति को जोड़कर भ्रम पैदा कर दिया है। कौटिल्य ने चार जातियों के कर्त्तव्य बतलाये हैं। इस संबंध में वह पहले के ब्राह्मणवादी विधिवेत्ताओं का ही पूरी तरह अनुसरण करता हुआ दीख पड़ता है। बौद्ध साहित्य इंगित करता है कि बौद्धकाल के ब्राह्मण सामाजिक दृष्टिकोण से क्षत्रियों से निकृष्ट थे। लेकिन अव तक वे ऊंचा स्थान प्राप्त कर चुके थे, जैसा कि उन्हें दी गयी अनेक प्रकार की रियायतों और वरीयताओं से प्रमाणित होता है। शुरू की तीन जातियां—ब्राह्मण, क्षत्रिय और वैश्य—द्विज (द्विजन्मा) थीं और उन्हें शूद्रों तथा जाति-बहिष्कृत अस्पृश्यों से सिद्धांततः कहीं अधिक विशेषाधिकार प्राप्त थे।

लेकिन मौर्यकाल में पहली बार कुछ शूद्रों को, जो अब तक खेतिहर मजदूर ही थे, नये आबाद क्षेत्रों में जमीन दी गयी। वे शाही जमीन पर बटाईदारों के रूप में नियुक्त किये गये। उन पर पहले से कहीं अधिक पैमाने पर बेगारी (**विष्टि**) थोप दी गयी। उनके बीच दलालों के रूप में **विष्टिवंधक** नामक (कौटिल्य द्वारा सर्वप्रथम उल्लिखित) सरकारी कर्मचारियों का गिरोह क्रियाशील हो गया।

कौटिल्य ने दस्तकारों की मजदूरी तय की है, जिनमें से अधिकांश संभवतः शूद्र थे। जान पड़ता है कि समाज के सदस्यों में सबसे कम मजदूरी उन्हीं लोगों को मिलती थी। कौटिल्य के अनुसार राज्य द्वारा नियुक्त **दासों** और भाड़े के मजदूरों (**कर्मकारों**) को "मुट्ठी भर चावल" और रद्दी शराब देनी चाहिए। उसने सुझाव दिया कि सेना में वैश्यों और शूद्रों की भर्ती होनी

चाहिए; लेकिन यह बात पूरी तरह संदेहास्पद है कि सैनिकों के रूप में वस्तुत: उनकी भर्ती की जाती थी अथवा नहीं ।

कौटिल्य ने चार जातियों के अतिरिक्त सामान्य रूप से अंत्यवासयिन (अंतिम छोर पर स्थित) नामक १५ मिश्रित जातियों का उल्लेख किया है । ऐसा समझा जाता है कि ये वर्ण-संकर जातियां थीं । ये जातियां आर्यों के सामाजिक घेरे से बिलकुल बाहर रहती थीं । चाण्डाल और स्वपाक जैसी मिश्रित जातियों के सदस्य अस्पृश्य माने जाते थे । उन्हें श्मशान-भूमि के निकट, प्रमुख बस्ती के बाहर, जीवन व्यतीत करना पड़ता था ।

मौर्यकालीन भारत में दास-प्रथा प्रचलित थी या नहीं—यह एक विवादास्पद प्रश्न है । मेगास्थनीज हमें बतलाता है कि भारत में दास नहीं थे । लेकिन अर्थशास्त्र में दास-प्रथा और दास्य-मुक्ति से संबंधित विस्तृत नियमों को सूत्रबद्ध किया गया है । अधिकांश दास शूद्र थे और वे मुख्य रूप से मेहनत-मजदूरी करते थे । विशेष परिस्थितियों में उच्च वर्णों के सदस्य भी बंधक रखे जा सकते थे । कौटिल्य ने ऐसे लोगों को अहिताक कहा है । उसने नियम निर्धारित करके लोगों को बतलाया कि गुलामों के साथ किस तरह व्यवहार किया जाय । अहिताकों के संबंध में उसके नियम बहुत उदार थे । आर्येतर अथवा शूद्र दासों से भिन्न रूपों में अपनी पहचान स्थापित करने वाले भूतपूर्व आर्य दासों की स्थिति की रक्षा के संबंध में उसकी चिन्ता को आसानी से समझा जा सकता है; क्योंकि कौटिल्य स्वयं ब्राह्मण था ।

फिर भी ब्राह्मणवादी विधिवेत्ताओं ने जिस रूप में उम्मीद की थी, उस रूप में समाज की व्यवस्था नहीं चल रही थी । ब्राह्मणों और क्षत्रियों की भांति वैश्य भी द्विज थे, लेकिन वे सामाजिक दृष्टिकोण से उनसे ओछे थे । वैश्यों ने वाणिज्य-व्यापार में भाग लेकर अपार संपत्ति जमा कर ली । अपने व्यापार-संघों के माध्यम से वे बहुधा शहरी संस्थाओं को नियंत्रित करते थे । फिर भी उन्हें वह सम्मानपूर्ण स्थान नहीं दिया जाता था, जिसका वे अपने को अधिकारी समझते थे । बौद्ध धर्म और जैन धर्म जैसे वेद-विरोधी धर्मों के प्रति उनके आकर्षण का कारण यह था कि अपने से उच्च मानी जाने वाली दोनों जातियों के प्रति उनके मन में खीज थी । शूद्र भी उच्च वर्णों के प्रति द्वेष-भाव से कम अभिभूत नहीं थे । वे अपने जीवन की स्थितियों से पूरी तरह असंतुष्ट थे और अपराध-कर्मों में लिप्त थे । कौटिल्य ने विभिन्न श्रेणियों के अपराधियों और संदेहास्पद व्यक्तियों की जो सूची बनायी, वे सभी शूद्र थे । उसने आदेश जारी किया कि यदि कोई शूद्र अपने को ब्राह्मण कहे, देवताओं की संपत्ति चुराये अथवा राजा के प्रति बैर-भाव दिखलाये, तो जहरीला विलेप लगाकर उसकी आंखें फोड़ डाली जायें अथवा उससे जुर्माने

के रूप में ८०० **पण** वसूल किये जायें। इससे ज्ञात होता है कि कुछ शूद्र पुरोहितों और सत्ताधारी वर्गों के दुश्मन थे।

हमें जो स्रोत सुलभ हैं, उनसे पता चलता है कि विभिन्न धार्मिक संप्रदायों का बोलबाला होने के कारण तनाव और झगड़े पैदा होते रहते थे। बौद्ध धर्म और जैन धर्म के बढ़ते हुए प्रभाव के बावजूद जनता के बीच वेदों का महत्व पूरी तरह खत्म नहीं हुआ था। कौटिल्य ने वैदिक जीवन-पद्धति का यशोगान किया। उसने वैदिक यज्ञों का अनुष्टान करने की आकांक्षा रखने वाले राजकुमार के लिए **चौलकर्म, उपनयन, गोदना** आदि वैदिक संस्कारों को निर्धारित किया। **अर्थशास्त्र** में इस बात के प्रमाण मिलते हैं कि मंदिरों में विभिन्न देवताओं की पूजा होती थी। इससे पता चलता है कि ऐसे धार्मिक विचार भी प्रचलित थे, जो वेदों से पूरी तरह भिन्न थे। ग्रंथ में जिन देवताओं का उल्लेख है, उनमें से शिव और संकर्षण बाद में ब्राह्मणों के देव मंदिर के प्रमुख देवताओं के रूप में प्रतिष्ठित हो गये। मेगास्थनीज ने दियोनिसस के रूप में उनका उल्लेख किया है। यूनानी दूत ने हेराक्लस का भी वर्णन किया है, जिसकी पूजा मथुरा क्षेत्र में होती थी। संभवत: यह देवता आगे के आख्यानों में कृष्ण के नाम से पुकारा गया। **अर्थशास्त्र** की **श्री** की पहचान श्री लक्ष्मी (विष्णु-पत्नी) के रूप में स्थापित की गयी है। संभव है कि मूल रूप में यह देवी आर्येतर युग की उर्वरता की देवी रही हो और इसने आगे चलकर हिन्दू धर्म में भी अपना स्थान बना लिया हो। कौटिल्य के अनुसार इन देवताओं की प्रजा के सिलसिले में मूर्त्ति के सम्मुख साष्टांग दंडवत (**प्रंपल**) करने और पुष्प तथा गंध (**पुष्पचूर्णोपहार**) के उपहार अर्पित करने की प्रथा प्रचलित थी। इससे आस्तिकतावादी संप्रदाओं की पूजा-पद्धति का पूर्वानुमान किया जा सकता है, जो कालांतर में देश के विभिन्न भागों में प्रचलित हो गयी थी। **अर्थशास्त्र** में अहित करने वाली दुरात्माओं, जादुई खेलों और सभी प्रकार के अंधविश्वासों के भी प्रमाण मिलते हैं।

फिर भी, चौथी शताब्दी ई. पू. तक बौद्ध धर्म अपने विस्तार की सभी संभावनाओं के साथ एक विशिष्ट धर्म के रूप में अपना स्थान ग्रहण कर चुका था। यद्यपि अशोक के शासन-काल के पहले यह मुख्यत: मगध और कौशल के क्षेत्रों में ही सीमित था तथापि मथुरा और उज्जैनी के क्षेत्र भी यत्किंचित इससे प्रभावित हो चुके थे। बौद्ध धर्म धीरे-धीरे फैलते जाने से अपनी एकता खोता जा रहा था। पाटलिपुत्र में आयोजित बौद्ध परिषद का तृतीय महासम्मेलन संकीर्णतावादी बौद्धों का, संघ को पुनर्गठित करने और उससे विक्षुब्धों तथा नवसुधारकों को निकाल-बाहर करने का अंतिम प्रयास था। इस महासम्मेलन

में उपमहादेश के विभिन्न भागों में धर्मदूत भेजने का भी निश्चय किया गया। बौद्ध धर्म की भांति जैन धर्म की प्रगति नहीं हुई। अशोक के शिलालेखों में निग्रंथों (जो सांसारिक मोह-माया छोड़ चुके थे) के रूप में जैनियों का उल्लेख है, लेकिन अर्थशास्त्र में उनका जिक्र तक नहीं किया गया है। चौथी शताब्दी ई. पू. में निग्रंथ समुदाय मगध में रहता था, लेकिन आगे की किंवदंतियों के अनुसार अशोक के समय में पुण्ड्रवर्धन (उत्तर बंगाल) में निग्रंथ जम चुके थे। संभवतः आजीविक पंथ, जिसकी स्थापना बुद्ध के समकालिक मखालि गोसाल ने की थी, जैन धर्म से भी अधिक ख्याति प्राप्त कर चुका था। जान पड़ता है कि संपूर्ण मौर्यकाल में यह एक प्रमुख पंथ के रूप में प्रचलित रहा। अशोक और उसके पौत्र दशरथ ने बिहार की नागार्जुनी पहाड़ियों में आजीविक संघ को कुछ गुफाएं प्रदान की थीं।

ऐसा प्रतीत होता है कि मौर्यों के विशाल साम्राज्य में भिन्न-भिन्न धार्मिक विचारधाराएं और प्रथाएं प्रचलित रहीं। लेकिन ब्राह्मण बौद्धों, जैनों और आजीविकों को घृणा की दृष्टि से देखते थे; क्योंकि उनकी वजह से ब्राह्मणों का आसन डोल उठा था। कौटिल्य ने उन्हें वृषल और पाषंड कहा। उसके कथनानुसार पाषंड श्मशान-भूमि के समीप अथवा उसके एक छोर पर रहते थे। उसने देवताओं और पितरों को दिये जाने वाले भोजों में बौद्ध धर्म और अजीविक पंथ के साधुओं को आमंत्रित करने पर भारी जुर्माना देने का नियम बनाया। संभव है कि वैदिक ब्राह्मणों और नवजात विरोधी पंथों के अनुयायियों के बीच विचारधारात्मक संघर्ष के फलस्वरूप सामाजिक और धार्मिक तनाव पैदा होते रहे हों, लेकिन इस बात का कोई ठोस उदाहरण नहीं मिलता है।

इसी पृष्ठभूमि में अशोक ने सामाजिक तनाव और संकीर्णतावादी झगड़ों को खत्म करने तथा विशाल साम्राज्य के भिन्न-भिन्न तथ्यों के बीच में सौहार्दपूर्ण संबंधों को विकसित करने के लिए **धम्म** की नीति का प्रतिपादन किया। **धम्म** संस्कृत शब्द **धर्म** का पर्यायवाची प्राकृत रूप है। लेकिन अशोक के राज्यादेश में इस शब्द का बड़े ही व्यापक अर्थ में प्रयोग किया गया है। इससे सामान्य धार्मिक विश्वास द्वारा प्रेरित सत्कार्यों से उत्पन्न निष्ठा मात्र का बोध नहीं होता है।

अशोक ने हिंसा से परहेज करने, माता-पिता, बच्चों, बुजुर्गों, नौजवानों, मित्रों, स्वामियों, सेवकों और विभिन्न धार्मिक संप्रदायों के पारस्परिक सम्बन्धों को विकसित करने पर जो जोर दिया तथा प्रजा के कल्याण के प्रति जो अपनी गहरी रुचि दिखलायी, वे इस बात के द्योतक हैं कि उसकी **धम्म**-नीति एक आचार-संहिता थी, जिसका लक्ष्य था कि लोगों में सामाजिक

उत्तरदायित्व की चेतना जगाती जाय । उसकी **धम्म**-नीति इस बात पर अधिक बल देती थी कि मानव की गरिमा को प्रतिष्ठित किया जाय । उसके माध्यम से वह सभी सामाजिक, धार्मिक और सांस्कृतिक सीमाओं से बिल्कुल परे पदाचार की भावना को जाग्रत करना चाहता था । धम्म की अवधारणा साम्राज्य की विशालता को देखते हुए बिलकुल संगत थी क्योंकि विशाल साम्राज्य की एकता की रक्षा परस्पर-विरोधी सामाजिक, धार्मिक और सांस्कृ- तिक तत्वों द्वारा उत्पन्न तनावों की समाप्ति के बाद ही संभव थी ।

इसलिए अशोक ने सहिष्णुता पर अधिक जोर दिया ; क्योंकि धम्म के मूल सिद्धांतों में इसका प्रमुख स्थान था । ''स्वामियों और सेवकों का पारस्परिक सद्व्यवहार, माता-पिता की आज्ञा का पालन तथा मित्रों, परिचितों, संबंधियों, पुरोहितों और साधुओं के प्रति उदारता'' का प्रचार करके अशोक पारिवारिक जीवन के साथ-साथ सामुदायिक जीवन को भी सुखद बनाना चाहता था । उसकी राजघोषणाओं में धार्मिक उदारता का प्रमुख स्थान था । उसने उपहारों और विभिन्न प्रकार की मान्यताओं के आधार पर सभी मतों तथा सन्यासियों एवं साधारण व्यक्तियों के प्रति भी सम्मान व्यक्त करने का दावा प्रस्तुत किया । अपने शासन के तीसवें वर्ष में उसने आजीविकों को बारबर की पहा- ड़ियों में दो गुफाएं दान में दीं । लेकिन सम्राट की दृष्टि में विभिन्न धार्मिक पंथों को उपहार देने और सम्मानित करने से कहीं अधिक महत्वपूर्ण बात यह थी कि उसके विकास का मार्ग प्रशस्त किया जाय । उसके मतानुसार यह बात तभी चरितार्थ हो सकती थी, जबकि अपने पंथ को सर्वश्रेष्ठ और दूसरे पंथ को तुच्छ घोषित करना छोड़ दिया जाय । वैचारिक भिन्नताओं की स्वतंत्र अभिव्यक्ति को अस्वीकार करने से बहुधा दबे हुए तनाव फिर उभरने लगते हैं । लेकिन अशोक ने तनावों को खत्म करने पर जो जोर दिया, उसे साम्राज्य की एकता की अावश्यकता के संदर्भ में ही समझा जा सकता है ।

लेकिन विडम्बना यह है कि सहिष्णुता पर जोर देने के बाद भी अशोक ने महोत्सवों और सभाओं पर पाबंदी लगा दी थी । उसने सम्भवतः यह काम विचारों की विभिन्नताओं से पैदा होने वाले विवादों के भय से किया था । लेकिन राजकीय महोत्सवों अथवा सभाओं पर कोई पाबंदी नहीं थी । यह निषेधात्मक कार्रवाई मौर्य साम्राज्य के कठोर केन्द्रीकृत प्रशासन के अनुरूप थी । फिर भी राजा के नये विचारों पर सार्वजनिक रूप से आलोचनात्मक समागम आयोजित किये जा सकते थे । इसलिए ऐसा जान पड़ता है कि राजा के नये विचारों और प्रशासनिक कार्यों के प्रति किसी तरह के सार्वजनिक विरोध को दूर करने के लिए महोत्सवों अथवा सभाओं पर पाबंदी लगायी गयी थी ।

अशोक ने अपनी धार्मिक उदारता के बावजूद अंधविश्वास से प्रेरित सभी तरह के "निरर्थक उत्सवों और यज्ञों" की निंदा की। वह खासकर ऐसे समारोहों का विरोध करता था, जो बीमारी, संतान के जन्म अथवा विवाह अथवा यात्रा पर जाने के समय आयोजित किये जाते थे। धार्मिक और आडम्बरपूर्ण अनुष्ठानों में भाग लेने से औरतों को विशेष रूप से रोका जाता था। अशोक ने संभवतः पुरोहितों के प्रभाव को खत्म करने के लिए धार्मिक अनुष्ठानों और यज्ञों पर प्रहार किया था, क्योंकि पुरोहित इन अनुष्ठानों और यज्ञों का संपादन करते थे तथा जनता के अंधविश्वास से लाभ उठाते थे।

अशोक के धम्म में अहिंसा पर भी जोर दिया गया। कहते हैं कि कलिंग युद्ध की विभीषिका से द्रवित होकर उसने अब और रक्तपात करना छोड़ दिया, लेकिन ऐसा ज्ञात होता है कि कलिंग-युद्ध के कई वर्षों के बाद ही उसके मन में युद्ध के प्रति वितृष्णा उत्पन्न हुई। अपने एक राज्यादेश के अनुसार उसने पशु-वध पर रोक लगा दी थी। लेकिन, जैसा कि कहा जाता है, यदि अशोक का यह राज्यादेश राज्य द्वारा संरक्षित पशु-क्षेत्रों पर ही लागू था, तो ऐसा प्रतीत होता है कि उसने कौटिल्य की नीति को ही जारी रखा था, जिसके अनुसार अवध्य सूचित किये गये पशुओं को मारना दंडनीय अपराध था। यह भी संभव है कि अशोक केवल यज्ञानुष्ठानों में पशुबलि की प्रथा पर रोक लगाना चाहता था और सामान्य रूप से पशुओं को मारने पर रोक लगाने की उसकी मंशा नहीं थी; क्योंकि उसने खुद कहा है कि शाही महल के रसोईघर में रोज दो मोर और एक हरिण मारे जाते थे। लेकिन पशु-वध पर पाबंदी लगाने से ब्राह्मणों को अवश्य ही धक्का लगा होगा; क्योंकि पशु बलि से उनकी आजीविका चलती थी। अशोक ने युद्ध का परित्याग करने और धार्मिक अनुष्ठानों में पशुओं के वध पर रोक लगाने के बावजूद हिंसा को पूरी तरह तिलांजलि नहीं दी थी। जंगलों में रहने वाले खतरनाक कबीलाई लोगों का सामना करने में उसने हिंसा की संभावना से इन्कार नहीं किया था।

धम्म-नीति के अंतर्गत समाज-कल्याण से संबंधित कई कदम उठाये गये थे। अशोक अपने शासन के दस साल के उपरांत जब बोधगया गया था, तब उसने शाही यात्रा (**धम्म यात्रा**) की प्रथा का शुभारंभ किया था। संभवतः इन यात्राओं के माध्यम से वह आम जनता से संपर्क स्थापित करता था, धम्म की नीतियों से लोगों को अवगत कराता था और उनके सार्वजनिक कल्याण की ओर ध्यान देता था। ब्रह्मगिरि में प्राप्त एक शिलालेख के अनुसार सम्राट ने अपनी यात्रा के अवसर पर एक राज्यादेश जारी किया था, जिससे पता चलता है कि उसने साम्राज्य के सुदूर दक्षिणी भागों की भी यात्रा की थी। साम्राज्य की सीमाओं में आयोजित शाही यात्राओं से क्षेत्रीय पदाधिकारियों को भी

नियंत्रित और अनुशासित किया जाता था। शाही यात्राओं के अतिरिक्त, सभी उच्च प्रशासनिक अधिकारियों को आदेश दिया गया था कि वे पंचवर्षीय यात्रा का आयोजन करें।

अशोक ने अपनी धम्म-नीति को लागू करने के लिए कुछ नये ढंग के पदाधिकारी नियुक्त किये, जिन्हें लोग **धम्ममहामात्त** (संस्कृत के अनुसार **धर्म-महामात्र**) कहते थे। ये पदाधिकारी अन्य सरकारी अधिकारियों और राजकीय कोषों को नियंत्रित करते थे। ये न केवल पाटलिपुत्र और इसके आसपास के क्षेत्रों में ही अपनी क्रियाशीलता का परिचय देते थे बल्कि सुदूर सीमावर्ती क्षेत्रों तथा पड़ोसी लोगों के बीच में भी इनकी गतिविधियां जारी रहती थीं। ये कानून का पालन करने वाले लोगों और जातियों की शिकायतों पर ध्यान देते थे, उन्हें उचित व्यवहार का आश्वासन देते थे और बन्दियों के कल्याण की बात सोचते थे। इनमें से कुछ पदाधिकारी मुख्यतः बौद्धों, ब्राह्मणों, आजीविकों और निर्ग्रंणों की देखभाल करते थे। ये पदाधिकारी धम्म-नीति के क्रियान्वयन के लिए प्रत्यक्ष रूप से उत्तरदायी थे। ये समाज के सभी तरह के लोगों के घरों में और शाही परिवार में भी प्रवेश कर सकते थे। शायद लम्बे अरसे में **धम्ममहामात्तों** के जनता के जीवन में दखल देने के अधिकार में वृद्धि हो गयी थी। अशोक ने चट्टानों अथवा एकाश्म स्तंभों पर उत्कीर्ण किये गये अपने राज्यादेशों के माध्यम से अपनी धार्मिक विचारधारा को प्रचारित-प्रसारित किया। अब तक उसके ३७ राज्यादेश प्रकाश में आये हैं।

अशोक के धर्म ने कला को बहुत प्रभावित किया। बौद्ध परम्परा के अनुसार उसने ८४००० स्तूप बनवाये थे। लेकिन तत्कालीन कला के सर्वोत्कृष्ट नमूने लंबे और खूब पालिशदार एकाश्म स्तंभ हैं, जो जमीन पर बिना किसी रोक-टोक के सीधे खड़े हैं और जिनके शीर्ष पर प्रायः किसी-न-किसी पशु की आकृति अंकित है। अभी तक इस तरह के १४ स्तंभ मिले हैं। इनमें से कुछ स्तंभ अशोक के समय के पहले के ज्ञात होते हैं। सभी मौर्य स्तंभ चुनार के भूरे बलुआ पत्थर को तराश कर बनाये गये हैं और उन पर खूब ओपदार पालिश की गयी है। अनुमान किया जाता है कि चुनार (उत्तर प्रदेश) अथवा उसके आसपास एक कला-केन्द्र था, जो मौर्य सरकार के संरक्षण में काम करता था। इन स्तंभों को इस प्रमुख उद्देश्य से स्थापित किया जाता था कि वे मौर्य सम्राटों की शक्तिशाली सत्ता और शान-शौकत से आम जनता को प्रभावित और अभिभूत करें; यह बात स्तंभों के भव्य स्वरूप और उनके शीर्षभाग पर स्थापित पशुओं की शानदार आकृतियों से अपने आप सिद्ध हो जाती है।

मौर्यकालीन स्थापत्य कला के बहुत ही कम अवशेष मिले हैं। कुम्हरार (पटना) की खुदाइयों से स्तंभों पर खड़े सभा-भवन वाले एक मौर्य प्रासाद का

पता चला है। इस प्रासाद के सभा-भवन की तुलना **दारियस** द्वारा निर्मित सौ स्तंभों वाले सभा-भवन के खाके से की जा सकती है। संभवतः मौर्यकाल पर ईरान की शाही कला का प्रमुख प्रभाव है। लेकिन इस कला की जड़ें स्थानीय समाज की गहराई में प्रवेश नहीं कर सकीं और आगे चलकर भारत के कलात्मक जीवन के विकास में यह योगदान नहीं कर सकी। फिर भी ऐसा जान पड़ता है कि मौर्यों ने गुफा-निर्माण कला के क्षेत्र को विशेष रूप से प्रभावित किया। **बारबर** और नागार्जुनी के गुफा-भवन अशोक और उसके उत्तराधिकारी दशरथ के समय के हैं। नागार्जुनी की गुफा-कला मौर्यकाल की एक महत्वपूर्ण देन है।

अपने शासन के अंतिम दिनों में शाही संगठन पर अशोक की पकड़ ढीली हो गयी थी। उसकी धम्म-नीति इच्छित उद्देश्य की प्राप्ति में सफल नहीं हो सकी और सामाजिक तनाव बढ़ते गये। तक्षशिला में जहां उसके पिता के शासन-काल में विद्रोह हो चुका था, मंत्रियों के दमन के फलस्वरूप पुनः विद्रोह की ज्वाला भड़क उठी। वहां के विद्रोह को दबाने के लिए राजकुमार **कुणाल** को भेजा गया। अशोक के राज्यादेश से इस बात का भी पता चलता है कि सरकारी कर्मचारियों के दुर्व्यवहार से जन-असंतोष बढ़ रहा था।

२३२ ई. पू. में अशोक की मृत्यु के साथ-साथ मौर्य साम्राज्य का पतन शुरू हो गया। शीघ्र ही इसके टुकड़े हो गये। साम्राज्य पश्चिमी और पूर्वी दो भागों में विभक्त हो गया। एक मत के अनुसार पश्चिमी भाग पर कुणाल का शासन रहा और कुछ समय के लिए वहां संप्रति ने शासन किया। बैक्ट्रिया के यूनानियों ने पश्चिमोत्तर प्रदेश पर धावा बोलना शुरू कर दिया और १८० ई. पू. तक वस्तुतः यह प्रदेश उनके अधिकार में आ गया। दक्षिण में आंध्रवासियों के सतवाहनों ने संकट की स्थिति उत्पन्न कर दी और बाद में दक्कन के हाथों में चला गया।

मौर्य साम्राज्य के पूर्वी भाग पर, जिसकी राजधानी पाटलिपुत्र थी, अशोक के उत्तराधिकारी लगभग आधी सदी तक शासन करते रहे। मौर्यवंश का अन्तिम सम्राट बृहद्रथ था। कहते हैं कि १८०-१८१ ई. पू. में अपने ब्राह्मण सेनापति पुष्यमित्र शुंग द्वारा वह मार डाला गया और उसके बाद शुंगवंश का शासन शुरू हुआ।

अशोक पर यह दोष मढ़ा जाता है कि उसकी वजह से मौर्य साम्राज्य का विघटन हुआ। कहते हैं कि उसकी बौद्धपक्षी नीति से ब्राह्मण उसके दुश्मन हो गये। लेकिन आम तौर पर उसकी प्रशासनिक नीति न मुख्यतः बौद्धपक्षी थी और न प्रत्यक्षतः ब्राह्मण-विरोधी। यह भी समझा जाता है कि अहिंसा के प्रति

उसकी कथित निष्ठा से मौर्य सेना कमजोर हो गयी। लेकिन उसके शिलालेखों से यह बात पूरी तरह प्रमाणित नहीं होती है।

मौर्य साम्राज्य के पतन के लिए मुख्यत: अशोक की नीति के आर्थिक निष्कर्षों को उत्तरदायी ठहराया जा सकता है। कलिंग-युद्ध के बाद अशोक ने कोई युद्ध नहीं किया। सेना का उपयोग केवल कवायदों तथा सार्वजनिक समारोहों तक सीमित था। विशाल सेना निरर्थक सिद्ध हो रही थी और उसके रख-रखाव पर भारी खर्च होता था। विशाल नौकरशाही व्यवस्था अशोक के पहले से ही चली आ रही थी। अशोक ने नये-नये पदाधिकारियों को नियुक्त करके उसके स्वरूप को और भी आडंबरपूर्ण बना दिया। **अर्थशास्त्र** में उल्लिखित पदाधिकारियों के विपरीत, इन पदाधिकारियों का उत्पादन-संगठन से कोई भी संबंध नहीं था। अशोक के नि:शुल्क सार्वजनिक कार्यों और जनता के प्रति उसके कथित पितृवत् अनुराग के फलस्वरूप शाही खजाना खाली होता जा रहा था। प्रशासन का भारी खर्च गंगा की उपत्यका की स्थिर कृषि-अर्थव्यवस्था से प्राप्त होने वाले सीमित राजस्व-करों से पूरा किया जाता था। प्रायद्वीपीय क्षेत्रों को पूरी तरह संघबद्ध नहीं किया गया था और उससे राज्य को अधिक आमदनी नहीं होती थी। मगध साम्राज्य का हृदय-स्थल था, लेकिन वहां भी कृषि-योग्य भूमि की व्यवस्था के लिए जंगलों का सफाया करते जाने से बाढ़ के खतरे बढ़ गये और फसलें बर्बाद होने लगीं। इसलिए शाही खजाने में धन जमा होना बंद हो गया और राहत-कार्यों में सरकार को पानी की तरह धन बहाना पड़ा। ये सभी बातें अनुमानित लग सकती हैं, लेकिन उत्तरवर्ती मौर्य शासकों द्वारा प्रचलित आहत सिक्कों में चांदी की मात्रा में कमी करने से पता चलता है कि सिक्कों में खोट आ गयी थी—शासकों ने ढहती हुई अर्थव्यवस्था को बचाने के लिए यह कदम उठाना आवश्यक समझा था। इस प्रकार हम कह सकते हैं कि मौर्य साम्राज्य के अंतिम राजनीतिक विघटन का सबसे बड़ा कारण यह था कि शाही वित्त-व्यवस्था निरंतर क्षीण होती जा रही थी।

६. विदेशी आक्रमण और व्यापार

१८० ई. पू. में दुर्बल मौर्य साम्राज्य का पतन हो गया और उसके बाद शुंगों का शासन शुरू हुआ। शुंग रूढ़िवादी ब्राह्मण परिवार के वंशज थे। संभवतः वे उज्जैन के भू-भाग से आये थे, जहां वे मौर्यों की सेवा में संलग्न थे। अंतिम मौर्य राजा बृहद्रथ के सेनापति पुष्यमित्र ने अपने स्वामी की हत्या करके राजसिंहासन पर अपना अधिकार जमा लिया। उसके साम्राज्य की राजधानी मध्य प्रदेश के विदिशा में थी। कहते हैं कि वह एक कट्टर ब्राह्मणवादी था और उसने दो अश्वमेध अनुष्ठान किये थे। बौद्ध साहित्य के अनुसार वह बौद्धों का हत्यारा था और उसने बौद्ध मठों तथा विहारों को नष्ट किया था। कहा जाता है कि पुष्यमित्र ने अशोक द्वारा निर्मित ८४००० स्तूप ध्वस्त कर दिये थे। लेकिन भरहुत के अवशेषों से इस बात की पुष्टि नहीं होती है; क्योंकि ये अवशेष शुंग-काल के माने जाते हैं। अतः बौद्धों का वह प्रचार निश्चय ही मतांधता से प्रेरित है।

शुंगों ने कई युद्ध किये। उन्होंने उत्तरी दक्कन में विदर्भ (बरार) राज्य पर आक्रमण किया। उत्तर-पश्चिम में वे यूनानियों के विरुद्ध युद्ध में संलग्न रहे। दक्षिण-पूर्व में संभवतः उन्होंने कलिंग पर भी धावा बोल दिया था, लेकिन कुछ विद्वान इसे सही नहीं मानते हैं। शुंग-शासन में संपूर्ण गंगाघाटी शामिल थी और वह (शुंग-शासन) नर्मदा नदी तक फैला हुआ था। पाटलिपुत्र, अयोध्या और विदिशा शुंग-राज्य के प्रमुख नगर थे और एक बौद्ध ग्रंथ के अनुसार जालंधर और साकल (स्यालकोट) भी शुंग-राज्य में शामिल थे। जो भी हो, सौ साल के अंदर ही शुंग-राज्य निरंतर क्षीण होते हुए मगध तक ही सीमित रह गया। शुंग-शासन के बाद राजसिंहासन पर कण्व बंश के ब्राह्मणों का अधिकार हो गया। कण्ववंश २८ ई. पू. तक अस्थिरता से शासन करता रहा।

दो ब्राह्मण वंशों के पतन के बाद अयोध्या, कौशांबी, मथुरा और बरेली जिले के अहिच्छत्र में स्वतंत्र जागीरें चमक उठीं। पहले मौर्य साम्राज्य ने जिन कबीलाई राज्यों को हड़प लिया था, अब वे पुनः सिर उठाने लगे। मथुरा के दक्षिण-पूर्व अर्जुनायनों ने लगभग शुंगकाल के पतन के समय अपनी स्वतंत्र सत्ता स्थापित कर ली। मुद्रा-विषयक तथ्य प्रमाणित करते हैं कि पंजाब में भी कई कबीलाई गणराज्य खड़े हो गये। औदुंबरों ने रावी और व्यास की द्रोणियों पर अधिकार जमा लिया। सिवालक पहाड़ियों की तलहटी के समीप व्यास और यमुना के बीच में कुनिंद आजाद हो गये। रावी और सतलज के क्षेत्र पर, जहां आजकल पंजाब का जालंधर क्षेत्र है, त्रिगर्तों का शासन

स्थापित हो गया। सतलज और यमुना के बीच का भू-भाग, जहां आधुनिक लुधियाना, अंबाला, करनाल, रोहतक और हिसार जिले हैं, यौधेयों के कब्जे में आ गया। वे पेशेवर योद्धाओं के रूप में विख्यात थे और पाणिनी, जिसका जन्म पांचवी शताब्दी ई. पू. में हुआ था, उनसे परिचित था। यौधेयों की रियासत के पश्चिम में अगस्त्यों का कबीलाई गणराज्य था।

मौर्योत्तर काल की सबसे महत्वपूर्ण राजनीतिक घटना यह है कि उत्तर-पश्चिम से विदेशियों ने आक्रमण करना शुरू कर दिया। इनमें से सबसे पहले बैक्ट्रिया के यूनानियों ने धावा बोला, जिन्हें प्राचीन भारतीय साहित्य में **यवन** कहा गया है। यवन शब्द की व्युत्पत्ति पुरानी फारसी के **योन** शब्द से हुई, जिससे प्रारंभ में आयोनियन यूनानी का बोध होता था और बाद में यूनानी जाति के सभी लोगों का बोध होने लगा। **एकेमेनिडिस** शासक-काल में ही एशियाई यूनानी बैक्ट्रिया (बल्ख) में आकर बस गये थे। सिकंदर और उसके सेनापति सैल्यूकस निकेतर के समय में अनेकानेक यूनानी बस्तियां खड़ी हो गयीं। प्रायः तीसरी शताब्दी ई. पू. के मध्यकाल में बैक्ट्रिया के राज्यपाल **दियोदोट्स** ने सैल्यूसिद राजा एन्टिओकस के विरुद्ध बगावत कर दी। बगावत को दबाने की कोशिश की गयी, लेकिन इसमें सफलता नहीं मिली। अंततोगत्वा एन्टिओकस तृतीय ने, बैक्ट्रिया की स्वतंत्र सत्ता को मान्यता दे दी और २०० ई. पू. में दिओदोट्स के परपोते को एक सैल्यूसिद दुल्हन भेंट की। लेकिन सेल्यूसिद शासक ने हिन्दूकुश को पार किया और कहते हैं कि २०६ ई. पू. में उसने अपने समकालिक मौर्यशासक **सुभसेन** को पराजित किया।

भारत का उत्तर-पश्चिमी क्षेत्र बिलकुल असुरक्षित था, अतः यूनानी इसकी ओर लोभ की दृष्टि से देखने लगे। दूसरी शताब्दी ई. पू. के प्रारंभ में यूथेडेमस का पुत्र डिमेत्रियस भारत के बहुत भीतर घुस आया। उसने और उसके उत्तराधिकारियों ने भारत पर कई बार आक्रमण किये। कहते हैं कि इनमें से एक आक्रमणकारी राजा **मिनेन्दर** पाटलिपुत्र तक पहुंच गया था। मिनेन्दर का शासन १५५ ई. पू. से १३० ई. पू. तक रहा और उसने भारत में भारतीय-यूनानी सत्ता को किसी-न-किसी रूप में स्थायित्व प्रदान किया। उसके सिक्के उत्तर में सुदूर काबुल से लेकर दिल्ली के निकट मथुरा तक में मिले हैं। कहते हैं कि उसके राज्य में स्वात घाटी, हाजरा जिला और सुदूर रावी नदी तक के पंजाब के इलाके शामिल थे। मिनेन्दर सबसे प्रसिद्ध भारतीय-यूनानी शासक था और बौद्धग्रन्थ **मलिन्दपण्हो (मिलिन्द प्रश्न)** में मिलिन्द के रूप में उसका गुणगान किया गया है। इस ग्रन्थ में बौद्ध दार्शनिक नागसेन और उसके बीच में जो बातचीत हुई, उसका पूरा विवरण दिया गया है। बातचीत से संतुष्ट होकर उसने बौद्धधर्म स्वीकार कर लिया।

उसकी मृत्यु के बाद कुछ समय तक रीजेंसी का बोलबाला रहा और तब **स्त्रातो** सिंहासनारूढ़ हुआ। इस बीच यूक्रेटाइडों ने, जिनकी आंखें भारत पर गड़ी हुई थीं, यूथेडेमस वंशावली के भारतीय-यूनानियों के गृह-प्रदेशों को छीन लिया। शीघ्र ही यूक्रेटाइड काबुल से आगे की ओर बढ़ चले और उन्होंने तक्षशिला को जीत लिया। भारत में यूनानियों के अधिकार-क्षेत्र यूक्रेटाइडों और यूथेडेमस वंशावली के बीच विभक्त थे।

उत्तर-पश्चिमी भारत के भारतीय-यूनानी साम्राज्य बहुत दिनों तक कायम नहीं रहे। आबो-हवा के साथ-साथ राजनीतिक परिस्थितियों ने मध्य एशिया की खानाबदोश जातियों को नयी दिशाओं की ओर जाने के लिए मजबूर कर दिया। चीनी सम्राट शी हुआंग ती ने, जिसने चीन की विशाल दीवार का निर्माण करवाया था, अपने साम्राज्य को खूब सुदृढ़ कर लिया, जिससे इन खानाबदोश जातियों को चीन में घुसने का मौका नहीं मिल रहा था। इसके अतिरिक्त इनके चरागाह भी नष्ट होते जा रहे थे, अतः इन्हें मध्य एशिया से भागने के लिए मजबूर होना पड़ा। यूह-ची और अन्य खानाबदोश जातियां पश्चिम की ओर उमड़ चलीं। उत्तर-पूर्व की ओर से दबाव पड़ने के कारण सिथियनों ने बैक्ट्रिया पर हमला बोल दिया और उस पर कब्जा जमा लिया। यूही-ची उनका पीछा कर रहे थे। इसलिए सिथियन, जिन्हें भारत के लोग शक कहते हैं, बैक्ट्रिया से आगे की ओर बढ़े और उन्होंने ईरान पर तथा उसके बाद भारत के यूनानी राज्यों पर हमले बोल दिये। प्रथम शताब्दी ई. पू. के मध्य तक भारत पर कुछ ही यूनानी सरदारों ने शासन किये और शकों का प्रभाव-क्षेत्र मथुरा जैसे देश के भीतरी भाग तक फैल गया। प्रथम शक राजा का नाम मौस अथवा मोग (८० ई. पू.) था।

प्रथम शताब्दी ई. पू. के अन्त में ईरानी नामधारी अनेक राजाओं ने, जिनका उल्लेख पह्लव अथवा भारतीय-पार्थियाई के नाम से किया गया है, उत्तर-पश्चिमी भारत पर कब्जा जमा लिया। इन राजाओं में गोंदोफार्नेस को सबसे अधिक ख्याति मिली। उसके शासन-काल में **सेंट थामस** भारत आया, जिसके जरिये भारत ईसाई धर्म के संपर्क में आया। कहते हैं कि मद्रास के निकट म्यालपुर में ईसाई धर्मप्रचारक की हत्या कर दी गयी। जन-श्रुति के अनुसार गोंदोफार्नेस ने प्रथम शताब्दी ई. सन् के पूर्वार्द्ध में शासन किया।

जो भी हो, यूह-ची लोगों के आगे बढ़ते जाने से भारतीय-पार्थियाई शासन छिन्न-भिन्न हो गया। एक चीनी स्रोत से हमें ज्ञात होता है कि प्रथम शताब्दी ई. सन् में कुजुल कैडफिसस नामक यूह-ची सरदार ने पांच यूह-ची कबीलों को संयुक्त किया और अपने आदमियों के साथ हिन्दूकश पर्वत को लांघकर काबुल और कश्मीर में अपना अड्डा जमा लिया। उसे इस बात

का श्रेय प्राप्त है कि उसने काबुल में अंतिम यूनानी राजाओं को परास्त किया। ८० साल की उम्र में कुजुल की मृत्यु हुई। उसके बाद उसका लड़का वीमा कॅडफिसस गद्दी पर बैठा। वीमा ने सोने के सिक्के जारी किये। इससे महत्व-पूर्ण परिवर्तन हुआ। उसके बाद कुषाणों ने सोने और तांबे के सिक्के ढलवाये।

वीमा के बाद कुछ समय तक अराजकता की स्थिति रही और तब कनिष्क गद्दी पर बैठा। पहले के दोनों राजाओं के साथ कनिष्क का क्या संबंध था, इसके बारे में निश्चित रूप से कुछ नहीं कहा जा सकता है। उसके प्रभाव से कुषाण राजवंश प्रतिष्ठित हुआ। उसके राज्यारोहण की तिथि विवादास्पद है, लेकिन सबसे अधिक सम्भावित तिथि ७८ ई. सन् लगती है। इसी साल एक नया संवत् चल पड़ा, जो शक संवत् के नाम से जाना जाता है। कनिष्क के शासन में कुषाण साम्राज्य उन्नति के शिखर पर पहुंच गया और अपने समय में विश्व की एक विशाल शक्ति के रूप में उसकी तूती बोलने लगी। भारत में उसका आधिपत्य सुदूर दक्षिण में सांची तक और सूदूर पूर्व में बनारस तक फैल गया। मध्य एशिया पर उसका व्यापक प्रभाव था। उसकी राजधानी **पुरुषपुर** (पेशावर) में थी। मथुरा उसके साम्राज्य का दूसरा महत्वपूर्ण नगर था।

बौद्ध धर्म से कनिष्क का बहुत ही गहरा संबंध था। उसने स्वयं बौद्धधर्म को अपनाकर कश्मीर में चौथी बौद्ध सभा आयोजित की, जहां बौद्धमत और शिक्षा से संबंधित अनेक विषयों पर विचार-विमर्श हुए। उसने धर्म प्रचारकों को खूब प्रोत्साहित किया। उसकी प्रेरणा से मध्य एशिया और चीन में बौद्ध धर्म के प्रचारक भेजे गये। कहते हैं कि कनिष्क ने पेशावर में एक विशाल स्तूप बनवाया, जहां बुद्ध के स्मृतिचिह्नों को गाड़ दिया गया। चीनी यात्री हुआन सांग ने, जो सातवीं शताब्दी में भारत आया था, स्तूप का विस्तृत वर्णन किया है। अल-बरूनी (१००० ई. सन्) के समय में भी यह सजीव रूप में खड़ा था। पेशावर में जो छिटपुट खुदाइयां हुई हैं, उनसे स्तूप की योजना, विहार की स्थिति, कुछ प्रस्तर-मूर्तियों, गचकारी और कनिष्क-युग के कुछ आकर्षक पात्रों की जानकारी मिलती है।

अश्वघोष, वसुमित्र, पार्श्व, संघारक्ष, धर्मात्राता, मातृचेत आदि बौद्ध विद्वानों को कनिष्क का संरक्षण प्राप्त था। लेकिन ज्ञात होता है कि कनिष्क ने राजनीतिक दृष्टिकोण से बौद्ध धर्म को संरक्षण प्रदान किया था। किंवदंतियों को छोड़कर ऐसे बहुत ही कम उदाहरण मिले हैं, जिनसे यह सिद्ध होता हो कि उसने गहरी आस्था से बौद्ध धर्म स्वीकार किया था। उसके सिक्कों पर बौद्ध चिह्न अंकित हैं, लेकिन वे अन्य प्रकार के सिक्कों की तुलना में बहुत ही कम हैं। बौद्धधर्म के प्रति अपने विश्वास के बाद भी, समझा जाता है

कि, उसने मध्य एशिया में लड़ते हुए जान गंवायी। चीनी आख्यानों के अनुसार एक कुषाण राजा हानवंश की राजकुमारी से विवाह करना चाहता था और प्रथम शताब्दी ई. सन् के अंतिम दिनों में सेनापति पान चाओ ने उसे परास्त कर दिया था। संभव है कि वह राजा कनिष्क रहा हो। कनिष्क के उत्तराधिकारी सौ साल तक राज्य करते रहे, लेकिन कुषाण साम्राज्य उनके शासन-काल में निरंतर कमजोर होता जा रहा था। प्रायः तीसरी शताब्दी ई. सन् के मध्य में फारस के ससानी राजवंश के एक राजा ने कनिष्क के एक उत्तराधिकारी वासदेव को हरा दिया और कुषाणों को गुलामों की तरह जीवन व्यतीत करने के लिए मजबूर कर दिया।

इस बीच दक्कन में नये-नये राज्य प्रकट हो चुके थे। प्रथम शताब्दी ई. सन् के मध्यकाल में खारवेल के अधीन कलिंग उठ खड़ा हुआ और कुछ समय तक मगध के शासकों को बहुत संकट में फंसाये रहा। हाथीगुंफा से खारवेल का एक लंबा अभिलेख प्राप्त हुआ है, जो दुर्दशाग्रस्त है। उस अभिलेख से हमें खारवेल का जीवन-परिचय मिलता है। वह जैनधर्मावलंबी था, हालांकि सैन्य अभियानों में संलग्न रहता था। कहते हैं कि उसने पश्चिमी दक्कन के राजा को परास्त किया था, उत्तर में राजगृह को अपने कब्जे में कर लिया था और मगध को पराजित किया था। विवरणों से यह भी ज्ञात होता है कि उसने उत्तर-पश्चिम में यूनानियों पर हमला किया था और दक्षिण में पांड्य राज्य को रौंद डाला था। खारवेल ने एक नंद राजा द्वारा निर्मित नहर को विस्तृत किया और अपनी प्रजा के कल्याण के लिए काफी धन खर्च किया। उसके शासन-काल के बाद संभवतः कलिंग कई छोटी-छोटी रियासतों में विभक्त हो गया।

उत्तर-पश्चिम दक्कन में मौर्य साम्राज्य के खण्डहरों पर प्रथम शताब्दी ई. पू. में सातवाहनों का साम्राज्य खड़ा हो गया। सातवाहन साम्राज्य की राजधानी प्रतिष्ठान (महाराष्ट्र के अंतर्गत आधुनिक पैठन) में थी। सातवाहनों को आंध्रवंशी माना जाता है और कहते हैं कि आंध्र में ही वे पैदा हुए थे। वे आंध्र से गोदावरी नदी से होते हुए पश्चिम की ओर आये और मौर्य साम्राज्य के विघटन से लाभ उठाकर पश्चिम में ही बस गये। लेकिन दूसरे मतानुसार वे पश्चिमी दक्कन के मूल निवासी थे और पश्चिमी तट तक धीरे-धीरे फैलते गये, अतः पश्चिमी तट कालांतर में आंध्र के नाम से प्रसिद्ध हो गया। सातवाहनों के जो पुराने अभिलेख मिले हैं, उनसे इस मत की पुष्टि होती है।

अशोक के शिलालेखों में आंध्र वालों का उल्लेख है। संभवतः वे मौर्य-शासन में ऊंचे-ऊंचे पदों पर प्रतिष्ठित थे। कहते हैं कि प्रथम सातवाहन राजा

मौर्योत्तर काल और गुप्तकाल का भारत
लगभग १००-२०० ई.
बमियान
काबुल
गंधार
पुरुषपुर
तक्षशिला
कश्मीर
कंवहार
क्वेटा
जालंधर
आर्यावर्त
बोलन दर्रा
सिंधु नदी
सतलज नदी
थानेश्वर.
हरिद्वार
ब्रह्मपुत्र नदी
दिल्ली
कन्नौज
मथुरा
साकेत
गंगा नदी
यमुना नदी
बनारस
नालंदा
मालव
बेसनगर
प्रयाग
सांची
कच्छ
खम्भात
कलकत्ता
जूनागढ़
वल्लभी
नर्मदा नदी
महानदी
ताप्ती नदी
हाथीगुम्फा
(उदयगिरि)
काठियावाड़
नासिक
प्रतिष्ठान
कल्याण
बम्बई
चोल
गोदावरी नदी
घंटशिला
कृष्णा नदी
बंगाल की खाड़ी
अरब सागर
कावेरी नदी
मद्रास
कांचीपुरम
अरिकामेडु
अंडमान और निकोबार
द्वीप समूह
चेर
चोल
तमिलनाडु
लक्षद्वीप
श्रीलंका
पांड्य

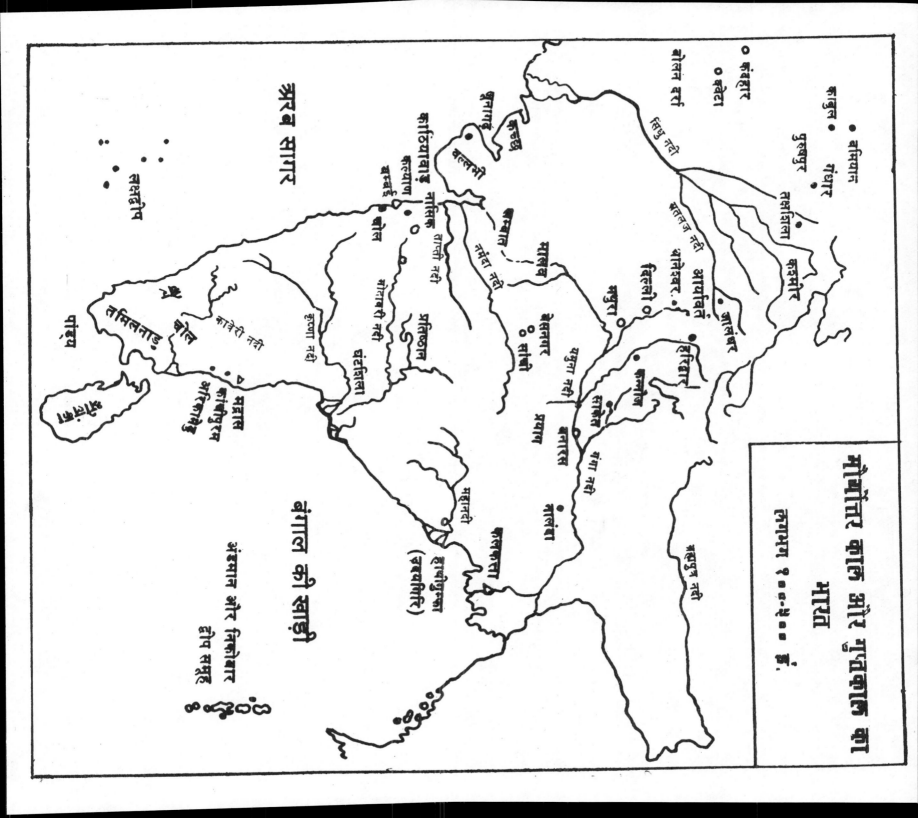

सिमुक ने शुंग-राज्य को धूल में मिला दिया था। लेकिन क्षहरात वंश के शकों ने पश्चिमी दक्कन से सातवाहनों को खदेड़ दिया। शक सरदार नहपान के जो सिक्के और अभिलेख नासिक के आसपास मिले हैं, उनसे पता चलता है कि प्रथम शताब्दी ई. सन् के अंत में अथवा दूसरी शताब्दी ई. सन् के प्रारंभ में उस क्षेत्र पर शकों का आधिपत्य था। लेकिन सातवाहनों ने अपने सबसे बड़े शासक गौतमीपुत्र शतकर्णि के शासन-काल में अपने पश्चिमी क्षेत्रों का पुनरुद्धार किया। गौतमीपुत्र और उसके पुत्र वासिष्ठिपुत्र ने, जिसने दूसरी शताब्दी ई. सन् के पूर्वार्ध में शासन किया, अपने क्षेत्र को फैलाया तथा सातवाहनों का गौरव बढ़ाया। कहते हैं कि गौतमीपुत्र ने शकों की सत्ता को ध्वस्त किया और क्षत्रियों के घमण्ड को चूर-चूर किया। इसी तरह उसने द्विजों के हितों की रक्षा की तथा चारों वर्णों के मेलजोल पर रोक लगा दी। लेकिन इस बात के बावजूद शकों और सातवाहनों के आपसी विवादों को खत्म करने के लिए दोनों में वैवाहिक संबंध स्थापित किये गये। पश्चिमी शक राजवंश के रुद्रदमन ने, जिसने दूसरी शताब्दी ई. सन् में राजस्थान और सिंध पर शासन किया, सातवाहन राजा से अपनी कन्या का विवाह किया था। लेकिन इस वैवाहिक संबंध से कोई बड़ा लाभ नहीं हुआ। उसके एक अभिलेख से पता चलता है कि उसने अपने एक सातवाहन शत्रु को युद्ध के मैदान में दो बार हराया, लेकिन घनिष्ठ संबंध के कारण उसकी हत्या नहीं की। रुद्रदमन की मृत्यु के बाद सातवाहनों ने शक-भूमि पर शीघ्र ही धावा बोल दिया और अपने पहले के क्षेत्रों को फिर हासिल कर लिया। दूसरी शताब्दी ई. सन् के अंत में सातवाहनों ने पश्चिमी तटवर्ती काठियावाड़ पर, कृष्णा नदी के डेल्टा और दक्षिण-पूर्व में उत्तरी तमिलनाडु पर शासन किया।

लेकिन तीसरी शताब्दी ई. सन् में उनकी सत्ता धीरे-धीरे दुर्बल हो गयी और क्षेत्रीय राज्यपाल आजादी का दावा करने लगे। उनके पतन के बाद अनेक राज्य खड़े हो गये। उत्तर-पश्चिमी दक्कन में आभीरों की तूती बोलने लगी, महाराष्ट्र और कुंतल में छुतु और उसके बाद कदंब अपने प्रभाव दिखलाने लगे। आंध्रदेश पर इक्ष्वाकुओं की धाक जम गयी। भूतपूर्व सातवाहन साम्राज्य के उत्तर-पूर्वी भू-भाग पर पल्लवों ने अपना खानदानी शासन स्थापित किया और छठी शताब्दी ई. सन् के मध्यकाल तक उनका यश फैलता रहा। विदर्भ (बरार) में वाकाटकों ने अपना प्रभाव जमा लिया।

उत्तर के आर्यों और दक्षिण के द्रविड़ों में वैदिक काल के अंत में ही आपसी संपर्क शुरू हो गया था; लेकिन लगता है कि दक्षिण में कबीलाई शासन को शाही शासन की स्थिति में आने तक कई शताब्दियां लग गयीं। अशोक के शिलालेखों में दक्षिण के सर्वप्रथम भारतीय राज्यों—चोल, पांड्य, सतियपुत्र

और केरलपुत्र—का उल्लेख किया गया है, जो स्पष्टतः उसके साम्राज्य के बहिर्वर्ती राज्य थे। इनमें से चोल (कोरोमंडल), पांड्य (प्रायद्वीप का दक्षिण-पूर्वी छोर) और केरल अथवा चेर (मालाबार) राज्य मौर्योत्तर काल में भी विद्यमान थे। खारवेल ने तमिल राज्य संघ को परास्त किया था। संभव है कि उक्त तीनों राज्य तमिल राज्य संघ में शामिल रहे हों।

प्राचीन तमिल साहित्य में दक्षिण के पुराने भारतीय राज्यों का वर्णन है। प्राचीन तमिल साहित्य **संगम साहित्य** के रूप में विख्यात है। इसकी रचना प्रारंभिक शताब्दियों में हुई थी। जनश्रुति के अनुसार कई शताब्दी पहले तमिलनाडु की राजधानी **मदुरै** में लगातार तीन महासभाएं आयोजित की गयी थीं। इन महासभाओं में सभी कवि और गायक एकत्र हुए थे। इन्हीं कवियों और गायकों की सम्मिलित वाणी संगम साहित्य के रूप में प्रसिद्ध हुई। पहली महासभा में देवताओं ने भाग लिया था, लेकिन इस महासभा का संकलन सुरक्षित नहीं रह सका। जनश्रुति के अनुसार दूसरी महासभा के अंत में सबसे पुराना तमिल व्याकरण **तोलकाप्पियम** लिखा गया, लेकिन प्रतीत होता है कि वास्तव में इसकी रचना बहुत बाद में हुई। तीसरी महासभा में **इतुथौगै** का संकलन किया गया, जिसमें आठ खंडों में कुल २००० कविताएं संकलित हैं। यह तीसरा संकलन प्राप्य है। संगम की रचनाओं से जानकारी मिलती है कि चेर, चोल और पांड्य हमेशा आपस में लड़ते-भिड़ते रहे। **महाभारत** में उल्लेख है कि ये तीनों राज्य कुरुक्षेत्र के युद्ध में शामिल थे। इन बातों से ज्ञात होता है कि ये पुराने राज्य थे। तमिल के लोग बहुत पहले ही समुद्र-यात्रा पर निकल चुके थे। दूसरी शताब्दी ई. सन् तक वे दो बार श्रीलंका पर आक्रमण करके कुछ समय तक उसके उत्तर-पूर्वी भागों पर अपनी धाक जमा चुके थे। लगभग इन्हीं दिनों वे दक्षिण-पूर्व एशिया के संपर्क में आये। प्रथम शताब्दी ई. सन् में पश्चिम के साथ फूलते-फलते व्यापार के माध्यम से मिस्र और रोम साम्राज्य से उनके संपर्क में वृद्धि हुई।

प्रथम शताब्दी ई. पू. से तृतीय शताब्दी ई. सन् तक के भारत के राजनीतिक इतिहास में संघर्षरत कबीलों, राजाओं और दिलेर आक्रमणकारियों का बहुत ही भ्रमोत्पादक विवरण प्रस्तुत किया गया है। मौर्योत्तर काल के अधिकांश राज्य बहुत ही छोटे थे। उत्तर में कुषाण और दक्षिण में सातवाहन ही ऐसे दो बड़े राजवंश थे, जिनके शासन दूर-दूर तक फैले हुए थे। लेकिन सातवाहन और कुषाण दोनों ही मौर्य शासनतंत्र की भांति केन्द्रीकृत राजनीतिक सत्ता की स्थापना नहीं कर सके। दोनों ही राजवंशों के शासकों ने अनेक छोटे-छोटे राजाओं से सामंती आधार पर संबंध स्थापित किये थे। सातवाहनों के अधीन मराठी, इक्ष्वाकु आदि कई जागीरदार थे, जो अपने स्वामियों के सर्वनाश के

बाद स्वतंत्र शासक बन बैठे। कुषाणों द्वारा अपनायी गयीं शानदार उपाधियों से भी सिद्ध होता है कि ऐसे अनेक छोटे-छोटे शासक थे, जो महाराजाधिराज के सम्मुख नतमस्तक रहते थे उन्हें खिराज आदि देते थे और अपनी सैनिक सेवाएं प्रदान करते थे। जाहिर है कि पूर्वोत्तर काल के मौर्यों की भांति देश के विशाल भू-भाग पर कुषाणों और सातवाहनों का प्रत्यक्ष प्रशासनिक नियंत्रण नहीं था।

मौर्योत्तर राज्यतंत्र के अधिष्ठाता को सभी दैवी गुणों से संपन्न माना जाता था। प्राचीन काल में बहुधा राजाओं के साथ देवताओं की तुलना की जाती थी; लेकिन अब राजाओं की तुलना देवताओं के साथ की जाने लगी। एक सातवाहन विवरण के अनुसार गौतमीपुत्र शतकर्णि की तुलना अनेक पराक्रमी देवताओं से की गयी है। तुलनात्मक दृष्टिकोण से राजा के दैवी गुणों पर बहुत बल दिया गया और गुप्तकाल में तो इस पर और भी बल दिया जाने लगा। कुषाण शासकों ने भी अपने दैवी गुणों पर बल दिया, यह बात उनकी उपाधि देवपुत्र से स्पष्ट हो जाती है। संभवतः रोम से प्रभावित होकर उन्होंने मृत राजाओं (**देवकुल**) की प्रतिमाएं स्थापित करने के लिए मृतात्माओं के मंदिरों के निर्माण की प्रथा शुरू की। लेकिन मृत राजा की पूजा-पद्धति को भारत की मिट्टी बरदाश्त नहीं कर सकी। उस काल की स्थानीय रचनाओं में राजाओं के देवकुलों का बारम्बार वर्णन किया गया है। लेकिन राजाओं की देवत्व-प्राप्ति से यह सिद्ध नहीं होता है कि देश में सर्वत्र उनके अधिकार और प्रशासन की प्रशंसा होने लगी।

दूसरी ओर, सातवाहनों ने ब्राह्मणों और बौद्ध संयासियों को, जो वस्तुतः उनकी केन्द्रीय सत्ता को कमजोर करते थे, लगान और प्रशासनिक नियंत्रण से मुक्त भूमि दान करने की प्रथा शुरू कर दी। प्राचीन साहित्य में पुरोहितों को दिये जाने वाले भूमि-उपहारों का वर्णन मिलता है। लेकिन भूमि-अनुदान का सबसे पुराना अभिलेखात्मक प्रमाण प्रथम शताब्दी ई. पू. का है, जब सातवाहनों ने वैदिक यज्ञानुष्ठानों को सफल बनाने के निमित्त पुरोहितों को ग्राम अर्पित किये। प्रारंभ में इस तरह के अनुदान सभी तरह के करों से मुक्त रहते थे, लेकिन धीरे-धीरे सातवाहनों ने दान ग्रहण करने वालों को प्रशासनिक अधिकार भी दे दिये। दूसरी शताब्दी ई. सन् के एक अभिलेख के अनुसार कहते हैं कि सातवाहन शासक गौतमीपुत्र शतकर्णि ने दान में दिये गये खेत अथवा गांव के प्रशासनिक मामलों में हस्तक्षेप नहीं करने का आदेश अधिकारियों को दे दिया था। ऐसी परिस्थिति में वृत्तिभोगी को दान मिले हुए क्षेत्र की प्रशासनिक व्यवस्था करने की छूट मिल जाती थी। इस प्रकार दान में मिले हुए गांव

प्रशासनिक दृष्टिकोण से अर्धस्वतन्त्र हैसियत के क्षेत्र हो गये, फलस्वरूप देशव्यापी राज्य-नियंत्रण अशक्त हो गया।

धार्मिक आधार पर खुले आम भूमि का अनुदान देने की प्रथा चल पड़ी। लेकिन भूमि अनुदान देने के पीछे यह मंशा काम कर रही थी कि लोगों को व्यक्तिगत रूप से खेती करने के लिए अधिकाधिक प्रोत्साहित किया जाय। मौर्यों की तरह सातवाहनों की नौकरशाही व्यवस्था व्यापक नहीं थी। इसलिए वे विभिन्न प्रकार के आर्थिक क्रियाकलापों का विनियमन नहीं कर सके, जैसा कि मौर्यों ने किया था। राज्य की देखरेख में जंगलों की सफाई और नयी बस्तियों की स्थापना संभव नहीं थी। कृषि का प्रसार व्यक्तिगत प्रयासों पर निर्भर था। एक तत्कालीन बौद्ध ग्रंथ में भारी संख्या में निजी तौर पर खेती करने वालों तथा कठोर परिश्रम करने वालों का उल्लेख मिलता है। किसी लावारिस जमीन पर स्वयं मेहनत करके फसल पैदा करने वाले उस जमीन के मालिक हो जाते थे। अपने युग के सबसे बड़े विधिवेत्ता मनु के अनुसार जमीन उसकी है, जिसने सबसे पहले जंगल को साफ कर उसे कृषि-योग्य अथवा आवास-योग्य बनाया और हरिण उसका है, जिसने उसे सबसे पहले घायल किया। यह सिद्धांत संभवतः बंजर धरती पर व्यक्तिगत खेती को प्रोत्साहित करने के लिए प्रतिपादित किया गया था।

आर्थिक दृष्टिकोण से उस युग की सबसे महत्वपूर्ण बात यह थी कि भारत और पश्चिमी विश्व के बीच व्यापार की गति तेज हो गयी। कहते हैं कि सबसे पहले आंतरिक आवागमन की स्थिति को सुधार कर मौर्यों ने व्यापार की उन्नति का आधार प्रस्तुत किया था। उन्होंने एक लम्बा राजमार्ग बनवाया था, जो पाटलिपुत्र से तक्षशिला तक जाता था। पाटलिपुत्र सड़क से गंगा की डेल्टा पर स्थित ताम्रलिप्ति (तामलुक) नामक बंदरगाह से जुड़ा हुआ था, जहां से जहाज बर्मा और श्रीलंका की ओर जाते थे। लेकिन दक्षिण भारत की ओर स्थल मार्गों का विकास मौर्यों के बाद हुआ। ये स्थल-मार्ग मुख्यतः नदी की घाटियों, समुद्र के तटवर्ती क्षेत्रों और पहाड़ी दर्रों से होकर गुजरते थे। अब देश के विभिन्न भाग व्यापार-मार्गों से जुड़ चुके थे और कुछ व्यापार मार्ग पश्चिमी तथा मध्य एशिया की ओर जाते थे। तक्षशिला और काबुल एक राजमार्ग से जुड़े थे। काबुल से अनेक मार्ग विभिन्न दिशाओं की ओर जाते थे। उत्तरी मार्ग बैक्ट्रिया (उत्तर अफगानिस्तान), ऑक्सस क्षेत्र, कास्पियन सागर और काला सागर के काकेशस से होकर गुजरता था। दक्षिणी मार्ग कांधार और हेरात से एकबातना (फारस-स्थित हमदान) की ओर जाता था। उस मार्ग से व्यापारी पूर्वी मध्य सागर के तट की ओर जाते थे। एक राजमार्ग कांधार से फारस के पर्सिपोलिस और सूसा की ओर भी जाता था।

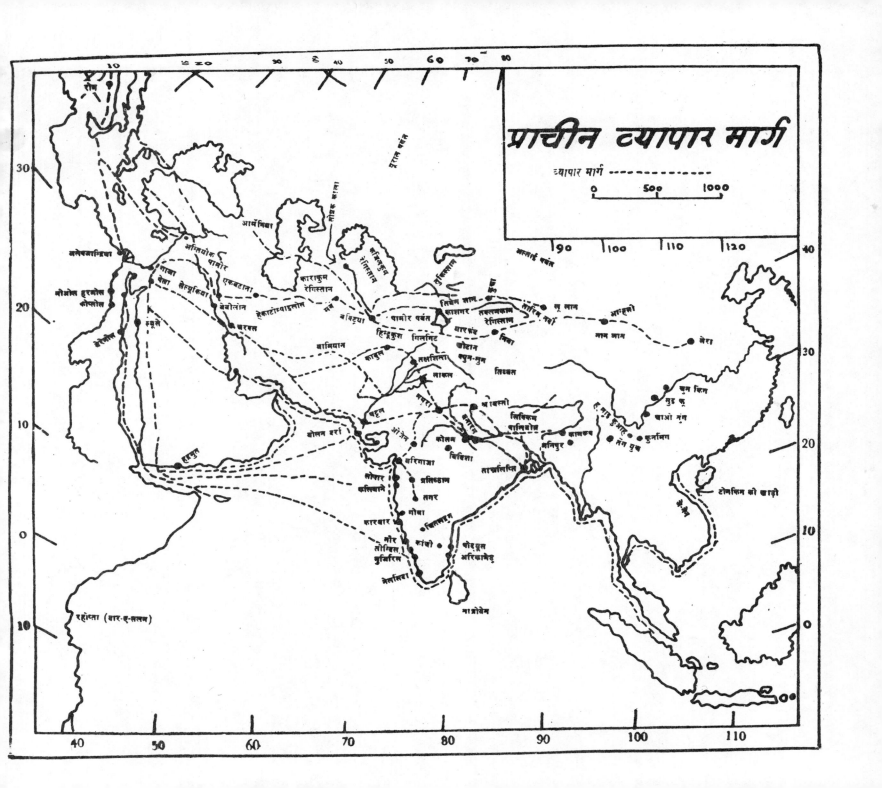

प्राचीन व्यापार मार्ग
व्यापार मार्ग
0
500
1000
अलेक्जान्द्रिया
आर्मेनिया
अन्तियोक
पामीर
एकबटाना
सेल्यूकिया
बेबीलोन
काराकुम रेगिस्तान
बक्ट्रिया
पामीर पर्वत
हिन्दूकुश
गिलगिट
काशगर
तकलमकान रेगिस्तान
यारकंद
खोतान
तक्षशिला
शाकल
तिब्बत
मथुरा
श्रावस्ती
उज्जैन
विदिशा
बरिगाजा
प्रतिष्ठान
तगर
सोपार
कल्याण
गोवा
कारवार
कांची
मुजिरिस
ताम्रलिप्ति
मणिपुर
अल्ताई पर्वत
यूराल पर्वत
टोनकिन की खाड़ी

पश्चिमी बंदरगाहों से जहाज समुद्र-मार्ग से होते हुए अदन अथवा सोकोत्रा की ओर जाते थे और वहां से जहाज लाल सागर में प्रवेश करते थे। आधुनिक **स्वेज** के किसी निकटवर्ती स्थान से सिकन्दरिया में सामान भेजा जाता था। सिकन्दरिया भूमध्यसागरीय भू-भाग का एक मशहूर व्यापार-केन्द्र था। आवागमन के विकास से संबंधित एक महत्वपूर्ण बात यह थी कि ४६-४७ ई. सन् के आसपास हिप्पालस नामक एक यूनानी नाविक ने मानसून हवाओं का पता लगा लिया था। इससे अरब सागर से होकर मध्यसागरीय क्षेत्रों में जहाजों का आना-जाना संभव हो गया और भारत तथा पश्चिम एशिया के बन्दरगाहों की दूरी कम हो गयी।

विदेशी आक्रमणों के कारण भारत को पश्चिमी तथा मध्य एशिया से जोड़ने वाले कुछ स्थल-मार्ग अवरुद्ध से हो गये, लेकिन दूसरी ओर उनसे व्यापार को भी बल मिला। उत्तर-पश्चिमी भारत पर भारतीय-यूनानियों, कुषाणों और शकों की जीत से पश्चिमी और मध्य एशिया में और गहरा संपर्क स्थापित हो गया। मध्य एशिया से होकर जाने वाला मार्ग (जो रेशम-पथ के नाम से प्रसिद्ध था, क्योंकि चीन के रेशम का व्यापार मुख्यतः इसी मार्ग से होता था) चीन को पश्चिम के एशियाई भू-भागों और रोम-साम्राज्य से जोड़ता था। भारत के व्यापारी चीनी रेशम के व्यापार में बिचौलियों की भूमिका अदा करते थे। इसलिए भारत और चीन के बीच मध्य एशिया संपर्क का काम करता था। उत्तर-पश्चिमी भारत के सौदागर अधिकतर इन्हीं क्षेत्रों में व्यापार करते थे और पश्चिमी तथा दक्षिणी भारत के सौदागर दक्षिण अरब, लाल सागर और सिकन्दरिया में अड्डे जमाये रहते थे, जहां से बड़े पैमाने पर रोमन व्यापार का संचालन किया जाता था।

पश्चिमी विश्व की एक महान शक्ति के रूप में रोमन साम्राज्य के उदय से भारतीय व्यापार को प्रथम शताब्दी ई. पू. से ही लगातार बढ़ावा मिलता गया; क्योंकि रोमन साम्राज्य का पूर्वी भाग भारत की विलास-सामग्री का प्रमुख खरीदार हो गया। एक अज्ञात यूनानी नाविक द्वारा लिखित (प्रथम शताब्दी ई. सन्) **पेरिप्लस ऑफ दि इरिथ्रियन सी** में रोमन साम्राज्य को भेजी जाने वाली भारतीय वस्तुओं का विशद वर्णन है। निर्यात की जाने वाली मुख्य वस्तुएं थीं—गोल मिर्च, मोती, हाथी-दांत, जटामांसी, मलमल, हीरे, केसर, रत्न और कछुए की खोपड़ी। प्लिनी के अनुसार **आगस्टस** द्वारा सिकन्दरिया पर आधिपत्य जमाये जाने के बाद रोम के लोग आम तौर पर मोतियों का प्रयोग करने लगे। रोमन बालाएं न केवल अपनी अंगुलियों और कानों में ही मोती धारण करती थीं बल्कि अपने जूतियों में भी उन्हें जड़ती थीं। रोम के लोग भारतीय मलमल पर भी लट्टू रहते थे। रोम की औरतें भारतीय

मलमल को सात तहों में धारण कर रोम की सड़कों पर घूमती थीं। कहते हैं कि उन्होंने नैतिक दृष्टि से नगर में संकट की स्थिति उत्पन्न कर दी थी। भारत के व्यापारी चीन से रेशम खरीदते थे और रोम साम्राज्य में उसका निर्यात करते थे। इसका इतना महत्व था कि रोमन सम्राट औरेलियन ने सोने के बराबर इसका मूल्य घोषित कर दिया था। भारतीय व्यापारी रोमन लोगों के मसालों की मांग की पूर्ति स्थानीय आधार पर नहीं कर पाते थे, इस प्रकार वे दक्षिण-पूर्व एशिया के व्यापारियों के संपर्क में आये।

भारत अपने निर्यात के बदले में रोमन साम्राज्य से पुखराज, महीन वस्त्र, लिनेन, अंजन, कच्चा शीशा, तांबा, टिन, लेड, शराब, मैनसिल, हरताल और गेहूं का आयात करता था। रोमन लोग भारत को शराब के दोहत्थे कलश और लाल चमकीले अर्रेटाइन मृदभांड भी निर्यात करते थे, जो पांडिचेरी के निकट अरिकमेडु में मिले हैं। वे भारत को भारी संख्या में सोने और चांदी के सिक्के भी भेजते थे। भारतीय उपमहाद्वीप में खुदाइयों से अब तक रोमन सिक्कों के अड़सठ खजाने मिले हैं। अकेले विन्ध्य के दक्षिण में इस तरह के सत्तावन खजाने पाये गये हैं। प्लिनी का कथन है कि भारत के साथ व्यापार में रोमनों को अपार धन खर्च करना पड़ता था। वह दुःखाभिभूत होकर कहता है कि भारत, चीन और अरब हर साल १० करोड़ सेस्टर चूस लेते हैं। इस राशि का लगभग आधा भाग भारत में आता था।

ईसवी सन् की प्रारंभिक शताब्दियों के पहले और बाद में व्यापार मुद्रा-अर्थव्यवस्था से जुड़ गया था। आयातित मुद्राओं का उपयोग अधिकतर सोने-चांदी के भंडार के रूप में किया जाता था। बड़े पैमाने पर लेनदेन के मामलों में उनका उपयोग किया गया होगा। लेकिन देशी मुद्रा के विकास का प्रमाण अभी तक नहीं मिला है। उत्तर भारत में भारतीय-यूनानियों ने कुछ स्वर्ण मुद्राएं जारी कीं, लेकिन कुषाणों ने काफी संख्या में स्वर्ण-मुद्राएं ढालीं। आज भी सामान्य आदान-प्रदान के माध्यम के रूप में सोने और चांदी की मुद्राओं का उपयोग नहीं किया जाता है। लेकिन सातवाहनों ने कम कीमतों वाली सीसे अथवा पोटीन की धात्विक मुद्राएं जारी की थीं। इससे संकेत मिलता है कि दक्कन और समुद्री क्षेत्रों में मुद्रा का प्रचलन हो चुका था। उत्तर और उत्तर-पश्चिमी भारत में कुषाणों ने बड़ी संख्या में तांबे के सिक्के ढलवाये, जिनका उपयोग सामान्य लेनदेन के रूप में किया जाता होगा। नागा शासकों और कुछ अन्य देशी राजाओं ने भी तांबे के सिक्के जारी किये थे। इससे संकेत मिलता है कि आम लोगों के आर्थिक जीवन में मुद्रा-अर्थव्यवस्था बहुत गहराई में प्रवेश कर चुकी थी। मुख्यतः नगद आर्थिक व्यवहार और व्यापार के फैलाव के कारण पश्चिमी और पूर्वी तटवर्ती क्षेत्रों तथा देश के भीतरी

भागों में भी अनेक शहर खड़े हो गये। पेरिप्लस ने इन नगरों का स्पष्ट उल्लेख किया है।

व्यावसायिक गतिविधियों की वृद्धि और मुद्रा-अर्थव्यवस्था की प्रगति से कला-कौशल का विकास हुआ। लगभग दूसरी शताब्दी के बौद्ध ग्रंथ **महावस्तु** के अनुसार राजगीर में लगभग ३६ प्रकार के शिल्पी रहते थे। **मिलिन्दपन्हो** में ७५ व्यवसायों का वर्णन है, जिनमें से लगभग ६० प्रकार के व्यवसायों का संबंध विभिन्न कला-कौशलों से था। कला-कौशल की प्रगति से उत्पादन के कई क्षेत्रों में विशिष्टीकरण को बल मिला और उसके फलस्वरूप प्राविधिक योग्यता का उत्तरोत्तर विकास हुआ। इस प्रकार हमें ज्ञात होता है कि **मिलिन्दपन्हो** में उल्लिखित ७५ व्यवसायों में से ८ व्यवसायों का संबंध सोने, चांदी, सीसे, टिन, तांबे, पीतल, लोहे, बहुमूल्य पत्थर अथवा रत्न की वस्तुओं के निर्माण से था। जान पड़ता है कि लोहे की वस्तुओं के निर्माण में काफी प्रगति हुई थी; क्योंकि पेरिप्लस ने लिखा है कि भारतीय लोहे और इस्पात का निर्यात मिस्र के बंदरगाहों को किया जाता था। इस काल में सूती वस्त्रों के निर्माण की प्रविधियों में भी काफी प्रगति हुई। **मिलिन्दपन्हो** के अनुसार बुद्ध की मौसी गौतमी ने वस्त्र निर्माण के पांच प्रकार अपनाये। **पतंजलि** ने लिखा है कि मथुरा **सटका** नामक एक विशेष प्रकार के वस्त्र का केन्द्र था। भारत में भारी संख्या में चीनी रेशम का आयात होने से घरेलू रेशम-उद्योग पनप उठा। विभिन्न क्षेत्रों में यह जो पर्याप्त प्रौद्योगिक प्रगति हुई, उसे हम मौर्योत्तर काल की देन मान सकते हैं।

व्यापार में वृद्धि होने से उत्पादन और वितरण के लिए उपयुक्त संगठन की आवश्यकता हुई। दस्तकारों ने मिल-जुलकर अपने संघों का संगठन किया और सौदागरों ने भी अपने निगम स्थापित किये। इस काल में दस्तकारों के कम-से-कम दो दर्जन संघ मौजूद थे। ऐसा जान पड़ता है कि संघ-व्यवस्था उत्पादन का प्रमुख ढांचा बन गयी थी और इससे ऊंची मात्रा में उत्पादन होता था। अभिलेखों से सिद्ध होता है कि मथुरा और पश्चिमी दक्कन में अनेक संघ मौजूद थे। गोवर्धन दस्तकारों के संघों का एक प्रमुख केन्द्र था। यह संघ कभी-कभी ट्रस्टियों और बैंकरों का भी काम करते थे। दूसरी शताब्दी ई. सन् के एक सातवाहन अभिलेख से पता चलता है कि बौद्धधर्म के आम अनुयायियों ने भिक्षुओं के लिए वस्त्र तथा अन्य आवश्यक वस्तुओं की व्यवस्था करने के उद्देश्य से कुम्हारों, तेलियों और बुनकरों के पास धन (चांदी के पण) जमा किया था। उसी समय के मथुरा के एक अभिलेख में जिक्र है कि एक प्रधान ने आटा पीसने वालों के संघ के पास अपना धन जमा किया था ताकि उसके मासिक सूद से एक सौ ब्राह्मणों का भरण-पोषण

किया जा सके। इससे प्रकट होता है कि संघों के पास जो जमा होता था, उससे वे अपना उत्पादन बढ़ाते थे और अपनी चीजों की बिक्री से होने वाली आय में से सूद का भुगतान करते थे। हम कह सकते हैं कि उत्पादन की वृद्धि की संभावना से प्रेरित होकर संघों ने दस्तकारों के अतिरिक्त, जिनमें स्वतंत्र मजदूर और दास दोनों ही शामिल थे, भाड़े के मजदूरों को भी नियुक्त किया होगा। इससे मौर्यकाल में कठोर राजकीय नियंत्रण में काम करने वाले पहले के दस्तकारों और शिल्पियों की अपेक्षा इस काल के दस्तकारों तथा शिल्पियों को स्वभावतः अधिक स्वतंत्रता मिली होगी।

मौर्योत्तर काल के प्रशासनिक ढांचे में, संभवतः अपने धन की बदौलत, संघों ने महत्वपूर्ण स्थान ग्रहण कर लिया। लगता है कि कई शहरों में उन्होंने अपने सिक्के जारी किये, जबकि यह काम सामान्य रूप से सार्वभौम सत्ता द्वारा ही किया जाता था। तक्षशिला की खुदाइयों से संघों द्वारा जारी किये गये कम-से-कम पांच प्रकार के प्राक् भारतीय-यूनानी सिक्के प्रकाश में आये हैं। उनसे संकेत मिलता है कि तक्षशिला पर यूनानियों के आधिपत्य के पहले सौदागरों का निगम नगर के प्रशासन का संचालन करता था। लगता है कि सौदागरों के दलों ने कौशांबी, त्रिपुरी (नर्मदा के तट पर बसा हुआ आधुनिक टेवर), माहिषमती (आधुनिक मांधात), विदिशा (मध्यप्रदेश), एरान (अब मध्यप्रदेश के सागर जिले का एक गांव), माध्यमिका (शायद राजस्थान में चित्तोर के निकट आधुनिक नागरी), वाराणसी आदि नगरों में भी अपने सिक्के जारी किये थे। ईसवी सन् की प्रथम और दूसरी शताब्दियों में जब सातवाहनों और कुषाणों ने भी अपने राज्य स्थापित किये, तब वे दक्कन के नगरों में सौदागरों के संघों (निगम सभाओं) की उपेक्षा नहीं कर सके, हालांकि प्रशासन में सौदागरों के शामिल होने का कोई स्पष्ट प्रमाण नहीं मिलता है।

संघ की सदस्यता दस्तकारों को सामाजिक प्रतिष्ठा और सुरक्षा प्रदान करती थी। संघ काम के नियम और तैयार माल का स्तर तथा मूल्य निर्धारित करते थे। संघ-न्यायालय संघ के सदस्यों के व्यवहारों को नियंत्रित करता था। संघ के सदस्य संघ के रोजमर्रा के व्यवहार को ही कानून मानते थे। बौद्ध संघ में शामिल होने के लिए एक विवाहिता स्त्री को अपने पति और अपने संघ से भी इजाजत लेनी पड़ती थी। मनु की विधि-संहिता के निष्कर्षों के अनुसार राज्य संघ के कानूनों की रक्षा करता था। संघों के अपने प्रतीक चिह्न, अपने झण्डे और अपनी मुहरें होती थीं, जिनसे उनका प्रचार होता था। पेशेवर संघों के आत्म प्रचार का सबसे प्रभावोत्पादक तरीका यह था कि वे धार्मिक आधार पर उदारतापूर्वक दान दिया करते थे। कहते हैं कि लुहारों, गांधिकों,

बुनकरों, सुनारों और चर्मकारों तक ने बौद्ध भिक्षुओं को गुफाएं, स्तंभ, फलक, कुण्ड आदि दान में दिये थे।

इस काल के अधिकतर दस्तकार और शिल्पी शूद्रों के बीच से आये थे। ये शूद्र कला और व्यापार की प्रगति की बदौलत धनाढ्य बने और समाज में प्रतिष्ठित हो गये थे। सभी आर्थिक क्रियाकलापों का स्वयं संचालन करने वाले मौर्य साम्राज्य के तिरोधान के साथ-साथ संघ शक्तिशाली हो गये और संभवत: दस्तकारों के लिए थोड़ी मात्रा में स्वतंत्रता हासिल करने में उन्हें सफलता मिली। इस प्रकार वैश्यों और शूद्रों की पारस्परिक आर्थिक विषमताएं कुछ धुंधली पड़ गयीं। लेकिन अभिलेखों से ज्ञात होता है कि अधिकतर दस्तकार मथुरा के आसपास और पश्चिमी दक्कन में ही फैले हुए थे। इसलिए आम शूद्रों के जीवन-निर्वाह में किसी परिवर्तन का अंदाज लगाना कठिन है। सामान्य रूप से वे पहले की ही भांति भाड़े के मजदूरों और दासों के रूप में नियुक्त किये जाते थे। विधिवेता मनु ने उनकी आर्थिक स्थिति को बुरी तरह प्रभावित करने वाले अनेक कानून निर्धारित किये। मनु की मान्यता थी कि शूद्रों का काम उच्चवर्णों की सेवा करना है। प्रहार और इसी तरह के अपराध-कर्मों के सिलसिले में उनके लिए बहुत ही कठोर दंडों की व्यवस्था की गयी थी। मनु के अनुसार नीची जाति का व्यक्ति ऊंची जाति के सदस्य के जिस अंग पर प्रहार करता हो, उसका वही अंग दंड के रूप में कटवा लेना चाहिए; यदि कोई शूद्र किसी द्विज को गंदी गालियां दे, तो उसकी जीभ कटवा देनी चाहिए। उच्चवर्ग के सदस्य को निम्न जाति की महिला से विवाह करने का कानूनी अधिकार प्राप्त था। पतंजलि बताते हैं कि दासी (नौकरानी) और वृषली (शूद्र स्त्री) का काम यह है कि वे उच्च जातियों के लोगों की वासना की भूख शांत करें। अधिकतर शूद्र बहुत ही क्षुब्ध और असंतुष्ट थे इसलिए यदि वे शकों और कुषाणों जैसे विदेशी शासकों के जमाने में, जिनका वर्ण-व्यवस्था से कोई संबंध नहीं था, ब्राह्मणों के विरोधी हो गये हों, तो यह कोई अस्वाभाविक बात नहीं मानी जायगी। इसी से यह समझा जा सकता है कि मनु ने शूद्रों की गतिविधियों पर अनेक प्रकार की कठोर पाबंदियां क्यों लगा दी थीं।

इस काल में विदेशी लोगों की बाढ़ आ जाने से वर्णों पर आधारित परं-परागत भारतीय सामाजिक व्यवस्था खतरे में पड़ गयी। भारत में बस जाने वाले यूनानियों, शकों और पार्थियनों की संख्या बहुत अधिक नहीं रही हो, फिर भी उत्तर भारत में पायी जाने वाली कुषाण-काल की मुद्राएं, मृणभांड और मूर्तियां जैसी अनेक प्रकार की चीजों से संकेत मिलता है कि भारत में ये विदेशी काफी संख्या में आये थे। दक्षिण भारत में भी अधिकांश शहरी केन्द्रों

में, जो विदेश-व्यापार के कारण चमक उठे थे, विदेशियों की संख्या में काफी वृद्धि हो चुकी थी। संगम काव्य में यवनों का बार-बार उल्लेख मिलता है। कहते हैं कि कावेरीपत्तनम नगर में (कावेरी नदी के मुहाने पर स्थित) गवनों के आवास लोगों का ध्यान अपनी ओर आकर्षित कर लेते थे। जिन विदेशियों ने सामाजिक और आर्थिक दृष्टिकोण से महत्वपूर्ण स्थान ग्रहण कर लिया था, भारत में उनकी उपस्थिति से जाति-व्यवस्था पर खतरा पैदा हो गया। कट्टर ब्राह्मणपंथी तत्व अछूतों की भांति उन्हें दबा नहीं सके बल्कि इसके विपरीत ब्राह्मणपंथी तत्व उनके सम्मुख झुक गये और विधिवेत्ताओं ने धूर्त्तता का परिचय देते हुए उन्हें "पतित क्षत्रिय" का दर्जा दे दिया।

विदेशियों द्वारा बौद्धधर्म स्वीकार कर लिये जाने पर भारतीय समाज में उनका घुलमिल जाना बहुत आसान हो गया; क्योंकि बौद्धधर्म में जाति-पांति नाम की कोई चीज नहीं थी। इससे पता चलता है कि क्यों अनेक विदेशी शासकों ने बौद्धधर्म को संरक्षण प्रदान किया। भारतीय यूनानी शासक अगथोक्लस ने अपनी मुद्राओं पर बौद्ध प्रतीक प्रदर्शित किये और यही काम मिनेन्दर ने भी किया। यूनानी जाति के लोगों ने व्यक्तिगत रूप से कई प्रकार की चीजें भेंट में दीं। इरिला नामक एक व्यक्ति ने जुन्नार में भिक्षुओं के लिए दो कुण्ड बनवाये। चित्ता ने भी उसी जगह बौद्ध संघ के लिए एक सभा-भवन का निर्माण करवाया। इन्द्रगणिदत्त ने नासिक में एक गुफा खुदवायी और धेनुकदत ने कार्ले में एक मंदिर बनवाया। कुषाणों ने भी बौद्धमठों को खूब दान दिये। मुख्य रूप से कनिष्क ने बौद्धधर्म की जो सेवा की, वह चिरस्मरणीय है। कुषाण काल में विदेशों में अनेक धर्म प्रचारक भेजे गये, जिनके प्रयत्न से बौद्धधर्म से विदेशी लोगों का संपर्क स्थापित हुआ और धर्म प्रचार की इस प्रक्रिया से बौद्धधर्म में नये विचारों का समावेश हुआ।

अपने देश में मुख्य रूप से हर दृष्टि से समृद्ध व्यापारियों के समुदाय ने बौद्धधर्म का समर्थन किया। इस काल के अनेक स्तूप और बौद्ध मठ व्यापारियों के दान से ही खड़े हुए। व्यापार के फलस्वरूप बौद्धधर्म का प्रवेश पश्चिमी और मध्य एशिया, चीन और दक्षिण-पूर्व एशिया में हुआ। हमारे देश के भीतर अधिकांश गुफा-मंदिर पश्चिमी घाटों के सुपरिचित पहाड़ी दर्रों से गुजरने वाले व्यापार-मार्गों के आसपास स्थित थे। स्पष्टतः ये मठ सफर करने वालों के लिए पड़ाव के रूप में महत्वपूर्ण थे और सौदागरों के दल पड़ावों, आपूर्ति-गृहों तथा बैंकिंग केंद्रों की भांति इनका उपयोग करते थे।

प्रचुर मात्रा में मिलने वाले दानों के फलस्वरूप बौद्ध मठों में अपार धन-दौलत जमा हो गयी। कार्ले के विहार के मुख्य भाग में कुछ कोठरियां और दक्कन के कई अन्य स्थानों में तहखाने थे, जहां रोशनदान भी नहीं थे।

इन स्थानों में बहुमूल्य चीजें सुरक्षित रखी जाती होंगी। अधिकतर कोठरियों और तहखानों के दरवाजे मजबूत लकड़ियों के बने हुए थे और ये दरवाजे बंद रखे जाते थे। इन सभी बातों से मठों में प्रचुर धन-दौलत होने का संकेत मिलता है। कुछ अभिलेखों से पता चलता है कि बौद्धमठों को भिक्षुओं और भिक्षुणियों ने दान दिये थे। इससे यह भी सिद्ध होता है कि उनके पास दान देने के लिए प्रचुर धन जमा हो गया था और उन्होंने पहले के उस बौद्ध सिद्धांत को ठुकरा दिया था, जिसके अनुसार अपने अधिकार की सभी वस्तुओं को वितरित करने और सांसारिक जीवन से छुटकारा पाने के बाद ही कोई बौद्ध मतावलंबी बौद्ध संघ में प्रवेश कर सकता था। इस प्रकार बुद्ध की शिक्षा को बिल्कुल गडमड कर दिया गया।

बुद्ध की मृत्यु के बाद ही उनकी शिक्षा के वास्तविक स्वरूप के बारे में मतभेद शुरू हो गये थे। कई महासभाएं आयोजित करके संघ की एकता को बनाये रखने का प्रयास किया गया, लेकिन बहुत अधिक सफलता नहीं मिली। कहते हैं कि कनिष्क के समय तक लगभग १८ बौद्धपंथों का उदय हो चुका था। परंपरानुसार कनिष्क के समय में कश्मीर में चौथी बौद्ध महासभा हुई, जहां बौद्धधर्म में पहली बार सबसे बड़ी दरार दिखलायी पड़ी। बौद्धधर्म के कट्टर अनुयायियों ने यह दावा किया कि वे ही बुद्ध की मौलिक शिक्षाओं के अनुयायी हैं। वे **हीनयान** अर्थात् लघु चक्रयान के अनुयायी कहलाये। कालांतर में हीनयान पंथ के अनुयायी श्रीलंका, बर्मा और दक्षिणपूर्व एशिया के देशों में लोकप्रिय हो गये। **महायान** पंथ वालों (विशाल चक्रयान के अनुयायियों) ने भारत, मध्य एशिया, तिब्बत, चीन और जापान में अपनी धाक जमायी। महायान पंथ के आदि प्रवर्तकों में नागार्जुन का एक विशिष्ट स्थान है। उनका जन्म उत्तरी दक्कन के एक ब्राह्मण परिवार में हुआ और बाद में उसने बौद्धधर्म स्वीकार कर लिया।

महायान-पंथ के अनुयायी बोधिसत्व की शिक्षा को ही प्रामाणिक शिक्षा मानते थे; क्योंकि यह शिक्षा बुद्ध के प्रारंभिक विचारों की स्वाभाविक अभिव्यक्ति थी। पुरानी शिक्षा के अनुसार बोधिसत्व प्रज्ञा और प्रेम को ही जीवनाधार मानते थे तथा वे दया और कृपा की वर्षा करते हुए अंत में बुद्ध के आसन पर विराजमान हुए; इसीलिए बौद्धधर्म के सामान्य अनुयायियों को उनका अनुकरण करने और **निर्वाण** प्राप्त करने के लिए प्रोत्साहित किया गया। लेकिन महायान विचारधारा के अनुसार बोधिसत्व ने निःस्वार्थ भाव से संपूर्ण मानव-जाति के कल्याण के लिए काम किया और जब तक सभी प्राणी लक्ष्य प्राप्त नहीं कर लें तब तक साधना में लीन रहने का निश्चय

किया। पुराने बौद्धमतावलंबी व्यक्तिगत मुक्ति को ही अपना लक्ष्य मानते थे, लेकिन नयी शिक्षा ने सभी प्राणियों की मुक्ति को अपना लक्ष्य घोषित किया।

यह मान लिया गया कि बुद्ध ने ही बोधिसत्व के रूप में पहले अवतार लिया था। इससे यह विश्वास प्रचलित हो गया कि कोई भी जन्म-जन्मान्तरों में दैवी उत्कर्ष प्राप्त कर सकता है। महायान ने पूरे तर्कसंगत रूप में इस बात पर जोर दिया कि दैवी उत्कर्ष को हस्तांतरित किया जा सकता था। कई बौद्ध विवरणों से यह संकेत मिलता है कि जिस व्यक्ति को यह दैवी उत्कर्ष हस्तांतरित किया जाता था, उसके नाम पर पवित्र भावना से यह कार्य किया जाता था।

महायान का बोधिसत्व करुणा का ही नहीं बल्कि वेदना का भी देवता था, जो मानव-जाति की मुक्ति के लिए स्वयं कष्ट झेलता था। उस समय पश्चिम एशिया में यही विचारधारा प्रचलित थी, जिस पर स्पष्टतः महायान पंथ के बौद्धों के विचारों की छाप अंकित थी। 'दुःख से त्राण दिलाने' की इस विचारधारा से ही मैत्रेय बुद्ध की अवधारणा का जन्म हुआ, जो मानव-जाति को मुक्ति प्रदान करने के लिए भविष्य में अवतार लेगा। कालांतर में महायान पंथ ने अनेक उदार और परोपकारी बोधिसत्वों की सृष्टि की, जो भक्तों के हृदय में विश्वास और निष्ठा उत्पन्न करते थे। स्वयं बुद्ध को भी एक महान देवता के पद पर आसीन कर दिया गया। अब वे एक धार्मिक शिक्षक से मुक्तिदाता देवता बना दिये गये। पहले बुद्ध के प्रति जो सामान्य विश्वास भावना थी, उसके स्थान पर अब धूमधाम के साथ उनकी मूर्ति की पूजा प्रचलित हो गयी—यह एक ऐसी बात थी, जिसकी कल्पना भी इस धर्म के प्रवर्तक ने नहीं की होगी। पहले बुद्ध के प्रतीक चिह्नों की जो पूजा-पद्धति प्रचलित थी, वह रुकी नहीं, लेकिन उनकी मूर्ति लगभग पहली शताब्दी ई. पू. और ईसवी सन् के बाद सर्वत्र नजर आने लगी। बुद्ध की सबसे पुरानी मूर्तियों में से एक मथुरा में मिली है। संभवतः यह मूर्ति प्रथम शताब्दी ई. पू. की है। बुद्ध को एक विशेष देवता के रूप में प्रस्तुत कर दिया गया और उनके अनुयायी दुःख से मुक्ति पाने के लिए उनकी प्रार्थना करने लगे। इसके परिणामस्वरूप महायान बौद्ध धर्म के विशिष्ट स्वरूप को व्यंजित करने वाली भक्ति का उदय हुआ। इस प्रकार चौथी बौद्ध महासभा के बाद जिस बौद्ध धर्म का उदय हुआ, वह उसके संस्थापक की मौलिक अवधारणा से बिल्कुल भिन्न था।

बौद्ध धर्म की भांति जैन धर्म में भी परिवर्तन हुए। प्रथम शताब्दी ई. सन् के अंतिम दिनों में जैन धर्म में दरार पड़ गयी। जैनधर्म के कट्टर अनुयायी दिगंबर और उदार अनुयायी श्वेतांबर कहे जाने लगे। जैन मगध से मथुरा के पश्चिम की ओर चले आये और उसके बाद उज्जैन तथा अन्त में पश्चिमी

समुद्र-तटवर्ती सौराष्ट्र में बस गये। वे कलिंग में भी आ जमे, जहां खारवेल ने उन्हें कुछ समय तक शाही संरक्षण प्रदान किया। ऐसा जान पड़ता है कि बौद्धधर्म की भांति जैन धर्म में भी मूर्त्ति-पूजा प्रचलित हो गयी। हाथीगुंफा के शिलालेख से पता चलता है कि मगध सम्राट नंद के समय में एक जैन मूर्त्ति कलिंग से पाटलिपुत्र लायी गयी और प्रथम शताब्दी ई. पू. में खारवेल ने उसका उद्धार किया। मथुरा में अनेक आकर्षक जैन-मूर्त्तियां और जैन-आकृतियों से सुशोभित फलक मिले हैं, लेकिन कुल मिलाकर जैनधर्म रूढ़िवादी बना रहा।

जीव-हिंसा में लिप्त वैदिक यज्ञों के विरुद्ध बौद्धधर्म और अन्य शास्त्र विरोधी पंथों की लोकप्रियता में वृद्धि हुई। वैदिक संस्थाओं और यज्ञों पर किये जाने वाले प्रहारों से ब्राह्मणों की प्रतिष्ठा और प्राधिकार का बहुत ह्रास हुआ। इसलिए ब्राह्मणों ने लोगों को आकर्षित करने वाले नये-नये पूजा-अनुष्ठान अपना लिये और इस प्रक्रिया में हिन्दूधर्म में कई महत्वपूर्ण परिवर्तन हुए। अनेक वैदिक देवता विस्मृति के गर्भ में चले गये। उनके स्थान पर त्रिदेव-पूजा शुरू हो गयी—सृष्टिकर्ता के रूप में ब्रह्मा की, संरक्षक के रूप में विष्णु की और दानवता के संहारक के रूप में शिव की। कालांतर में ब्राह्मणवादी देव-कुल में विष्णु और शिव सर्वाधिक प्रमुख देवता हो गये। उनके भक्त हिन्दूधर्म के दो मुख्य पंथों में संगठित हो गये।

विष्णु को देवताओं में सर्वश्रेष्ठ स्थान प्रदान किया गया। यह माना गया कि ब्रह्मा द्वारा सृष्टि की रचना किये जाने के बाद अनन्तकाल से समुद्र में सहस्र फणों वाले शेषनाग पर सोये हुए विष्णु वैकुण्ठ से शासन करने के लिए जग उठे। वे वैकुण्ठ से ही दुनिया की देखभाल करते हैं और जब दानवीय शक्तियां प्रबल हो जाती हैं, तब मानवता की रक्षा के लिए विभिन्न रूपों में **अवतार** लेते हैं। लगता है कि यह विचार बौद्धधर्म की बोधिसत्व-शिक्षा से ग्रहण किया गया था। संभव है कि इसी के परिणामस्वरूप कृष्ण के साथ विष्णु की पहचान स्थापित की जाने लगी हो, जिसका उल्लेख ऋग्वेद में एक दैत्य और आर्यों के प्रमुख देवता इन्द्र के दुश्मन के रूप में किया गया था। ईसवी सन् की प्रारंभिक शताब्दियों में उसे विष्णु का अवतार और सभी धार्मिक विचारधाराओं का आदिस्रोत मान लिया गया, जिसने युद्ध क्षेत्र में अर्जुन को अपने चचेरे भाईयों कौरदों के विरुद्ध लड़ने के लिए प्रेरित किया।

मेगस्थनीज ने दियोनिसस के रूप में शिव का उल्लेख किया है। वह ऋग्वैदिक देवता रुद्र और तमिल-देवता मुरुगन से शिव के रूप में प्रकट हुआ, हालांकि उसकी तमिल पूर्व स्थिति पर संदेह व्यक्त किया जाता है। शिव की पूजा के साथ-साथ लिंग-पूजा और नंदी-पूजा जैसी आर्येतर युग की कृषि

जीवन से संबंधित अनेक पूजा-पद्धतियां चल पड़ीं। प्रारम्भिक साक्ष्यों से पता चलता है कि लिंग-पूजा सबसे पहले हड़प्पा-काल में शुरू हुई थी। ईसवी सन् के प्रारंभ में हिंदूधर्म ने इसे अपना लिया और उसके बाद से ही लिंग के रूप में मुख्यतः शिव की पूजा की जाने लगी। लेकिन साथ ही मनुष्य के रूप में भी उसकी पूजा की गयी। मनुष्य के रूप में आदिम शिव का प्रतिनिधित्व करने वाली एक प्रतिमा गुड्डिमल्लम गांव में (मद्रास के समीप) मिली है। वह एक बहुत ही जीवंत लिंग है, जो पांच फीट ऊंचा है। उस पर एक बौने की बहुत ही भोंड़ी मूर्त्ति निर्मित है। बौने के कंधों पर दो बाहों वाला एक देवता सवार है। देवता के दाहिने हाथ में एक मेष है और उसके बायें हाथ में एक पानी का कलश तथा एक कुठार है। उसका कटि-परिधान इतना पारदर्शक है कि उसका लिंग साफ-साफ दिखलायी पड़ता है।

इन देवताओं के अस्तित्व में आने के साथ-साथ ब्राह्मणवाद ने कई प्रकार की आम पूजा-पद्धतियों को भी आत्मसात करना शुरू किया। दैवी जीवन से पशुओं, वृक्षों, पर्वतों और नदियों को संबद्ध कर दिया गया। गाय की पूजा की जाने लगी ; इस प्रकार 'गोमाता' के इर्दगिर्द भारतीय राजनीति में आधुनिक सांप्रदायिकता के बीज बो दिये गये। गाय के बाद सांप सबसे पूज्य पशु प्राणी था। आदिम युग में यह उर्वरता से संबंधित धार्मिक अनुष्ठानों का प्रेरक था। शिव के कैलाश की तरह विष्णु के नाम पर वैकुण्ठ पर्वत पवित्र माना जाने लगा। कल्पना की गयी कि वैकुण्ठ सभी आकाशों के ऊपर है, इसलिए अभी तक इसका पता नहीं लग सका। कैलाश मध्य हिमालय का एक शिखर माना जाता है। आदिम युग में वृक्ष की पूजा शुरू हुई थी, उसे ब्राह्मण धर्म में शामिल कर लिया गया। **पीपल** अथवा **अश्वत्थ** और **वट** मुख्यतः पवित्र वृक्ष माने गये। विष्णु के नाते **तुलसी** के पौधे को पवित्र मान लिया गया। आज भी अनेक हिन्दुओं के आंगन में तुलसी का पौधा रोपा जाता है। हर साल विष्णु के अवतार, कृष्ण, का विवाह एक निश्चित दिन वृन्दा देवी से किया जाता है, यह पौधा उसका प्रतिनिधित्व करता है। गंगा जल को पवित्र मान लिया गया। पौराणिक गाथा में कहा गया कि विष्णु के चरण से गंगा की उत्पत्ति हुई और वह शिव की जटाओं से निकलकर धरती पर प्रवाहित होने लगी। अधिकांश उपरिवर्णित पूजा पद्धतियां आदिम युग में भी प्रचलित थीं और आज भी जीवित हैं।

ब्राह्मणवादी धर्म का उद्भव आम पूजा-पद्धतियों की समन्वयात्मक प्रक्रिया के माध्यम से हुआ, वह भक्ति-सिद्धांत पर आधारित था। उसने बौद्ध धर्म का अनुसरण करते हुए लोगों को उपदेश दिया कि मात्र यज्ञानुष्ठानों के द्वारा नहीं बल्कि भक्ति के द्वारा देवता और उसके भक्त के बीच में पूर्ण

व्यक्तिगत संबंध स्थापित किया जा सकता है । भक्ति के लिए अटल विश्वास आवश्यक है और यह कोई आश्चर्य की बात नहीं है कि इसी अटल विश्वास के आधार पर कृष्ण को, उसके व्यक्तिगत आचरण के संदिग्ध पहलुओं के बावजूद, विष्णु भगवान के अवतार के रूप में स्वीकार कर लिया गया । सबसे पहले स्वयं कृष्ण ने भगवद्गीता में भक्ति के सिद्धांत का स्पष्ट रूप प्रस्तुत किया ।

भगवान का सानिध्य प्राप्त करने के लिए कर्मकांड के बदले भक्ति पर अधिकाधिक जोर दिये जाने पर भी वैदिक अनुष्ठानों को पूरी तरह ठुकराया नहीं गया ; लेकिन इतना अवश्य ही कहा जायगा कि धीरे-धीरे लोग वैदिक परंपरा से अलग होने लगे । वैदिक ग्रंथों में जिस धार्मिक जीवन के महत्व का चित्रण किया गया था, अब वह महाकाव्यों (**रामायण** और **महाभारत**) तथा **पुराणों** में प्रतिध्वनित होने लगा । महाकाव्यों में मूलतः लौकिक दृष्टिकोण से वीरों का यशगान किया गया । इसलिए ब्राह्मणों ने उन्हें धार्मिक स्वरूप प्रदान करने के लिए संशोधित किया । इस काम में कई शताब्दियां लग गयीं और अंत में अनेक क्षेपक जोड़कर उनके मूल स्वरूप को बदल दिया गया । सबसे महत्वपूर्ण क्षेपक गीता था जिसकी रचना लगभग दूसरी शताब्दी ई. पू. में हुई थी । इसमें ७०० पूरी तरह गुंफित पद हैं, जो वैष्णव मत के मूल तत्वों पर सम्यक् प्रकाश डालते हैं । अतः यह कोई आश्चर्य की बात नहीं है कि आगे चलकर गीता वैष्णव धर्मावलंबियों की मूल धार्मिक पुस्तक हो गयी ।

लेकिन ब्राह्मणवादी धर्म अभी तक अपनी प्रारंभिक अवस्था में ही था । इसलिए कला बौद्धधर्म के इर्दगिर्द ही चक्कर काट रही थी । इस युग की कला के विकास पर धनाढ्य सौदागरों, संघों और राजाओं ने अपार धन खर्च किया । मुख्यतः बौद्ध स्तूपों और गुफा-मंदिरों के रूप में इस युग के कलात्मक अवशेष आज भी मौजूद हैं । बुद्ध के किसी अवशेष को धरती में गाड़ कर उस पर स्तूप खड़ा किया जाता था । अशोक के समय में ही बौद्धधर्म में स्तूप की पूजा प्रचलित हो गयी थी । स्तूप एक अर्धगोलाकार देवालय था, जिसे स्वयं बुद्ध के अथवा किसी महान भिक्षु के पार्थिव अवशेषों अथवा किसी पवित्र अवतरण के ऊपर निर्मित किया जाता था । पार्थिव अवशेष अथवा स्मृति-चिह्न को स्तूप के तल के केंद्रीय कक्ष में रखा जाता था, जिसके चारों तरफ रेलिंग से घिरा हुआ एक रास्ता रहता था । रेलिंगों से घिरे हुए जो पुराने स्तूप थे, उनमें से भरहुत का एक सबसे पुराना *स्तूप* बचा हुआ है, जिसका निर्माण दूसरी शताब्दी ई. पू. में हुआ था । लगभग उसी समय सांची के पुराने स्तूप का पुनरुद्धार कर उसके मूल आकार को दुगुना फैला दिया गया । अमरावती का स्तूप सांची के स्तूप से भी बड़ा और काफी आकर्षक है । संभवतः दूसरी शताब्दी ई. सन् में जाकर यह खड़ा हुआ ।

स्तूपों और रेलिंगों से घिरे हुए उनके द्वारों के अतिरिक्त, उस काल के प्रमुख पुरातात्विक अवशेषों में गुफा-मंदिर आते हैं, जिनकी शुरुआत अशोक के शासन-काल में हुई थी। शिलाखण्ड काटकर गुफाओं का निर्माण किया जाता था और उनका उपयोग मठों, मंदिरों अथवा भिक्षुओं के आवासों के रूप में किया जाता था। पश्चिमी दक्कन में सातवाहनों और उनके उत्तराधिकारियों की देखरेख में कई बड़ी और सुप्रसिद्ध गुफाएं खुदवायी गयीं, जिनमें से पूना के निकट **भज** की गुफाएं सबसे पुरानी हैं। भव्य और आकर्षक गुफा-स्थापत्यकला के सर्वोत्तम नमूने के रूप में कार्ले की गुफा है, जिसका निर्माण संभवतः ईसवी सन् के प्रारंभ में हुआ था। कार्ले-गुफा का प्रवेश-मार्ग आयताकार है, जो **चैत्य** हाल (बौद्ध भिक्षुओं और सामान्य उपासकों का सभा-कक्ष) की ओर चला गया है। यह सभा कक्ष भी आयताकार है। इसे एक ठोस शिलाखंड के रूप में १२४ फीट गहरा काटकर बनाया गया है। इसके एक छोर पर अर्धवृत्ताकार लघु स्तूप है। सभा कक्ष की चौड़ाई ४६½ फीट और फर्श से इसके छत की ऊंचाई ४५ फीट है। छत अच्छी तरह तराशी हुई धारियों से सुशोभित है और लगता है कि यह लकड़ी की इमारत की धारीदार मेहराबी छत का प्रतिरूप हो। पहाड़ को काटकर बनाये गये गुफा-मंदिरों के अत्यन्त भव्य और चिताकर्षक रूप अजन्ता और एलोरा (दोनों महाराष्ट्र के औरंगाबाद के समीप हैं) में देखे जा सकते हैं, जहां की कुछ गुफाएं इसी युग की हैं। इस युग के भित्ति-चित्रों के नमूने के रूप में अब एकमात्र अजंता में चैत्यकक्ष में विद्यमान चित्रों को प्रस्तुत किया जा सकता है, जो दूसरी शताब्दी ई. पू. के माने जाते हैं। जैनियों ने भी गुफा-मंदिर बनवाये थे, लेकिन वे बौद्धों के गुफा-मंदिरों की भांति अलंकृत नहीं थे।

भरहुत, गया और सांची के दर्शनीय बौद्ध स्थलों के द्वारों और घरों को सजाने के लिए मुख्यतः मूर्त्तिकला का उपयोग किया गया है। इन स्थानों में मूर्त्तियों के जो नमूने बचे हुए हैं, उनसे मूर्तिकला के विकास की विभिन्न अवस्थाओं का पता चलता है। सांची की मूर्तियां संभवतः बहुत बाद की हैं और वे भरहुत की पुरानी तथा निम्नस्तरीय मूर्त्तिकला के विपरीत बहुत ही ऊंचे दर्जे की मूर्त्तिकला का आदर्श उपस्थित करती हैं। अमरावती और दक्कन की गुफाओं में उत्तरी और मध्य भारतीय प्रतिमा-अलंकरण की परंपरा का निर्वाह किया गया है। इन गुफाओं की प्रतिमाओं को देखने से पता चलता है कि दूसरी शताब्दी ई. सन् के आसपास भारतीय मूर्त्तिकला उन्नति के शिखर पर पहुंच चुकी थी। जैन भक्तों की देखरेख में मथुरा में एक मूर्तिकला-प्रशिक्षण केन्द्र स्थापित किया गया था। यहां के कलाकार स्थानीय सफेद चित्तीदार लाल बलुआ पत्थर पर सदियों से काम करते आ रहे थे और उन्होंने युग के प्रारंभिक

चरण में ही फलकों पर ध्यानस्थ एक तीर्थंकर के पालथी मारे हुए नग्न रूप को चित्रित किया था। कहते हैं कि मथुरा कला-शैली का जन्म प्रथम शताब्दी ई. पू. के अन्तिम चरण में हुआ था। वाद में उसे कुषाण शासकों का संरक्षण प्राप्त हुआ। उनमें से कुछ की मूर्तियां मथुरा के निकट प्राप्त हुई हैं, जिनमें सबसे प्रसिद्ध कनिष्क की सिरविहीन प्रतिमा है। कहते हैं कि मथुरा कला-शैली ने बुद्ध की प्रथम मूर्त्ति प्रस्तुत की थी। इसके पहले प्रतीकों के रूप में स्तूप पर मूर्त्तियां बनायी जाती थीं। मथुरा के कलाकारों ने कला-कौशल के क्षेत्र में प्राचीन भारतीय परंपरा से बहुत-कुछ ग्रहण किया था, लेकिन वे पश्चिमोत्तर भारत में स्थित गांधार की यूनानी-रोमन कला के भी कम ऋणी नहीं थे, जहां लगभग प्रथम शताब्दी ई. पू. के मध्य से लेकर पांचवीं शताब्दी ई. सन् तक एक समुन्नत मूर्त्तिकला शैली फलती-फूलती रही। बाद के युग में मथुरा की परंपरा ने एक अन्य कला-शैली को प्रभावित किया, जिसे सारनाथ की कला-परंपरा कहते हैं।

गांधार-शैली पर, जिसे यूनानी-बौद्ध शैली भी कहते हैं, रोमन कला से कम यूनानी कला का असर था। कुषाण शासकों के समय में यह शैली उन्नति के महान शिखर पर पहुंच गयी थी। गांधार-कला ने मुख्यतः बौद्ध परंपरा को अपनी विषय-वस्तु का आधार बनाया, लेकिन उसकी अनेक प्रस्तर-मूर्त्तियों पर यूनानी अथवा रोमन शैली की छाप है। बुद्ध की मां एथेन की मेट्रन जैसी मालूम पड़ती है। प्रारंभिक गांधार-शैली की अनेक बुद्ध मूर्त्तियों के चेहरे अपोलो के चेहरे से मिलते-जुलते हैं और उनके वस्त्रों को रोमन टोगा की शैली में सजाया गया है। प्रथम शताब्दी ई. सन् के प्रारंभ से ही गांधार-क्षेत्र में मूर्त्तियों पर चूने का प्लास्तर करने की प्रथा प्रचलित थी। तीसरी शताब्दी ई. सन् तक स्तूपों और विहारों को सुसज्जित करने के लिए चूने के प्लास्तर के बदले उपयुक्त पत्थरों का उपयोग किया जाने लगा।

सामान्य रूप से लोग कलात्मक मृण्मूर्त्तियों का इस्तेमाल करते थे; हालांकि मूर्त्ति-कला की भांति उत्कृष्ट मृण्मूर्त्तियां बनाने की कला का यथेष्ट विकास नहीं हुआ था। शुंगों और कण्वों के समय की अनेक महिला-मृण्मूर्त्तियां आज भी बची हैं। इन मृण्मूर्त्तियों की महिला आकृतियां सुन्दर वस्त्रों से सुसज्जित छरहरी, सुमुखी, सुघड़ और उन्नत उरोजों वाली हैं। कुछ ऐसी मृण्मूर्त्तियां मिली हैं, जिन पर शक-कुषाण-काल की पूरी छाप है और ये मृण्मूर्त्तियां एक-जातीय कबीलों और खानाबदोशों के अनेक रूपों को उजागर करती हैं। इनमें से मथुरा की पुरुष-मृण्मूर्त्तियां वस्तुतः बहुत अनोखी हैं। कहा जा सकता है कि इस युग की मृण्मूर्त्तिकला पर अवश्य ही विदेशी लोगों की छाप पड़ी होगी, जो भारत में मौर्योत्तर काल में नये फैशनों और नयी रुचियों के साथ आये थे।

विन्ध्य के दक्षिण अर्थात आंध्र प्रदेश के मस्की में प्रचुर मात्रा में मृण्मूर्त्तियां मिली हैं।

मौर्योत्तर काल में साहित्य के विभिन्न रूपों का विकास हुआ। प्राकृत भाषा के अनुपम ग्रन्थ **गाथासप्तशती** की रचना इसी काल में हुई। इसमें ग्रामीण शैली में लिखित ७०० उत्कृष्ट प्रेम-गीत संकलित हैं। कहते हैं कि किसी सातवाहन राजा हाल ने छद्मनाम ग्रहण कर इसकी रचना की, हालांकि छठी शताब्दी ई. सन् तक इसमें अनेक संशोधन किये गये। लेकिन इस काल में सभी प्रकार की साहित्यिक अभिव्यक्तियों के प्रमुख माध्यम के रूप में संस्कृत को अपनाया गया। लगभग दूसरी शताब्दी ई. पू. के मध्य में पंतजलि ने **महाभाष्य** लिखकर पाणिनी द्वारा लिखित संस्कृत के प्राचीन व्याकरण की टीका की। उसने व्याकरण के कुछ नये-नये नियम (**इष्टियां**) निर्धारित किये; इसके फलस्वरूप संस्कृत भाषा में कई परिवर्तन हुए। चिकित्सा-विज्ञान पर कई ग्रंथ लिखे गये, जिनमें सबसे प्रसिद्ध ग्रंथ चरक का है, जो कनिष्क का समकालीन था। कुछ आगे चलकर सुश्रुत ने चिकित्सा-विज्ञान पर दूसरा प्रसिद्ध ग्रंथ लिखा। पश्चिमी जगत के संपर्क में आने से भारतीय चिकित्सा-विज्ञान को बड़ा लाभ हुआ। भारतीय खगोल-विज्ञान भी इसी तरह लाभान्वित हुआ। २०० ई. पू. और २०० ई. सन् के बीच में भारत की सबसे महत्वपूर्ण विधि-पुस्तक **मनुस्मृति** का संकलन किया गया। इसी काल में ब्राह्मणों ने महाकाव्यों और पुराणों का संपादन किया, जो शिक्षाओं और उपदेशों से भरे हैं। **मनुस्मृति** और **महाभारत** के सैकड़ों पद एक-दूसरे से मिलते-जुलते हैं। कहते हैं कि इसी युग में भरत ने नाट्यकला पर एक महत्वपूर्ण ग्रंथ की रचना की, जिसका नाम **नाट्यशास्त्र** है। शास्त्रीय शैली में लिखित संस्कृत-काव्य का उत्कृष्ट उदाहरण बौद्ध धर्मावलंबी अश्वघोष ने प्रस्तुत किया, जो कनिष्क का समकालिक था। उसने बुद्धचरित के नाम से बुद्ध का छंदोबद्ध जीवन-चरित्र लिखा, जिसमें बाद में और भी कई अंश जोड़े गये। **सौन्दरनंद** उसकी दूसरी काव्य-कृति है, जिसमें बुद्ध के चचेरे भाई के संघ-प्रवेश का हृदयग्राही वर्णन है। अश्वघोष संस्कृत का पहला नाटककार भी माना जाता है। उसके नाटक के कुछ अंश तुरफान (मध्य एशिया) के एक मठ में पाये गये हैं। लेकिन सबसे पुराने संपूर्ण नाटक संभवतः भास ने लिखे। उसके बचे हुए तेरह नाटकों में सबसे सुन्दर नाटक **स्वप्नवासवदत्तम** है, जिसका पता १९१२ में केरल में लगा। इसमें प्राचीन उदयन की प्रेमलीला का चिताकर्षक वर्णन है।

अश्वघोष और भास ने अलंकृत शैली में अपनी कृतियां प्रस्तुत कीं और संभवतः वे अपनी कृतियों के माध्यम से राजाओं तथा उच्चस्थ अधिकारियों की सेवा करना चाहते थे। अब संस्कृत का रूप जटिल होता गया। लोग

संस्कृत के छोटे-छोटे शब्दों का प्रयोग करने के बदले जटिल सामासिक पदों का प्रयोग करने लगे । संस्कृत भाषा पर वस्तुतः पहले ही ब्राह्मणों का एकाधिकार स्थापित हो गया था और वह धीरे-धीरे सत्तारूढ़ वर्ग की भाषा बन गयी । शाही अभिलेख भी अलंकृत शास्त्रीय शैली में लिखे जाने लगे । शकराजा रुद्रदमन (१५० ई. शताब्दी में) बड़े गर्व के साथ अपने संस्कृत-ज्ञान का उल्लेख करता था । उसका शाही अभिलेख काव्य-शैली का पहला उदाहरण है । इसके बाद शाही सनदों में इस भाषा का खूब उपयोग किया जाने लगा । इस प्रकार प्राकृत, जो बोलचाल की भाषा थी और जिसे मौर्य और सातवाहन शासकों ने अपनाया था, अब ओझल होने लगी ।

७. स्वर्ण युग की कपोलकल्पना

कई शताब्दियों के राजनीतिक विघटन के उपरांत ३१९ ई. सन् में एक नये साम्राज्य का उदय हुआ। यह गुप्त राजवंश का साम्राज्य था। गुप्त लोगों के जन्म और उनके मूल निवास के बारे में निश्चित रूप से कुछ कहना संभव नहीं है। लेकिन ऐसा जान पड़ता है कि प्रारंभ में वे भूस्वामी थे और मगध के कुछ हिस्सों पर उनका राजनीतिक अधिकार था। गुप्तवंश का प्रथम महत्वपूर्ण शासक चन्द्रगुप्त प्रथम था। उसने एक लिच्छवी राजकुमारी से विवाह किया था, जिससे उसके गौरव में काफी वृद्धि हुई, लेकिन संभवतः वैशाली का क्षेत्र उसके राज्य में शामिल नहीं था। उसका शासन मगध और पूर्वी उत्तर के कुछ हिस्सों (साकेत और प्रयाग) में ही सीमित था। उसने **महाराजाधिराज** की उपाधि ग्रहण की और उसके ३१९-२० ई. सन् में सिंहासन पर बैठने पर गुप्त-युग की शुरूआत हुई।

चन्द्रगुप्त प्रथम के बाद संभवतः ३२५ ई. सन् में उसका पुत्र समुद्रगुप्त गद्दी पर बैठा। समुद्रगुप्त ने अपने प्रतिद्वन्द्वी कछ को, जो गुप्तवंश का एक अज्ञात राजकुमार था, हराकर शासन ग्रहण किया। हरिषेण ने अपने एक लंबे प्रशस्ति-काव्य में उसकी विजयों का उल्लेख किया है। उसका वह प्रशस्ति-काव्य इलाहाबाद स्थित एक अशोक-स्तंभ पर खुदा है। प्रशस्ति से पता चलता है कि समुद्रगुप्त ने अहिच्छत्र के अच्युत को, पद्मावती (मध्य प्रदेश में आधुनिक पदम पवाया) के नागसेन को और मथुरा में गणपतिनाग को निर्मूल कर दिया। उसने कोटा (बुलंदशहर क्षेत्र) परिवार के राजकुमार को भी अपने अधीन किया। अभिलेख में अनेक राजाओं और कबीलों के भी नाम दिये गये हैं, जिनको समुद्रगुप्त ने परास्त और वशीभूत किया। कहते हैं कि समुद्रगुप्त द्वारा दक्षिणापथ के बारह शासक परास्त किये गये और फिर मुक्त कर दिये गये तथा मुक्त शासकों को उनके राज्य सौंप दिये गये। आर्यावर्त (उत्तरी भारत) के आठ राजाओं के राज्यों को "धूल में मिला दिया गया"। मध्य भारत और दक्कन के वन-राज्यों (**अटवीराज्यों**), पांच सीमावर्ती राज्यों के प्रधानों और राजस्थान के नौ कबीलाई गणराज्यों को भेंट तथा कर देने एवं समुद्रगुप्त की आज्ञा का पालन करने के लिए बाध्य किया गया। इलाहाबाद के अभिलेख से यह भी पता चलता है कि देवपुत्र शाहंशाही (कुषाणों की उपाधि जिसका अर्थ

था ईश्वर का पुत्र, राजाओं का राजा), शक और श्रीलंका के राजा आदि विदेशी शासक समुद्रगुप्त को भेंट दिया करते थे।

जितने राज्यों को समुद्रगुप्त ने परास्त किया, उनकी सूची बहुत लंबी है और वे उपमहाद्वीप के विशाल भू-भाग को घेरते हैं। लेकिन आम तौर पर यह माना जाता है कि उसने केवल उत्तर भारत पर प्रत्यक्ष शासन किया। दक्कन और दक्षिण भारत के शासक उसके प्रति आदर व्यक्त करते थे। पश्चिम भारत में शकों को वह परास्त नहीं कर सका था। राजस्थान और पंजाब के कबीलाई गणराज्यों पर उसका प्रत्यक्ष राजनीतिक प्रभाव नहीं था, हालांकि इन गणराज्यों के शासकों को वह निश्चित रूप से सत्ताच्युत कर चुका था। समुद्रगुप्त का यह दावा भी कि उसने कुषाणों को वशीभूत कर लिया था, विवादास्पद है; लेकिन इतना अवश्य कहा जायगा कि कुषाणों की शक्ति क्षीण हो गयी थी। एक चीनी सूत्र से पता चलता है कि श्रीलंका के राजा मेघवर्ण (३५२-३७९ ई. सन्.) ने समुद्रगुप्त की सेवा में उपहार भेजे थे और गया में मठ बनाने की अनुमति चाही थी। लेकिन इससे यह प्रमाणित नहीं होता कि श्रीलंका उसके अधीन था और उसे खिराज प्रदान करता था। लेकिन हर हालत में इतना अवश्य ही कहा जायगा कि समुद्रगुप्त एक साम्राज्य का निर्माता था और उसने **अश्वमेध** यज्ञ किया था।

इलाहाबाद के प्रशस्ति-अभिलेख से ज्ञात होता है कि समुद्रगुप्त विजेता के साथ-साथ कवि, संगीतज्ञ और विद्या का संरक्षक भी था। उसकी काव्यकृतियां काल के गर्भ में विलीन हो गयीं, लेकिन उसके सोने के सिक्के प्रमाणित करते हैं कि वह संगीत-प्रेमी था—सोने के सिक्कों पर उसे वीणा बजाते हुए देखा जा सकता है। ऐसा माना जाता है कि वह महान बौद्ध विद्वान वसुबंधु का संरक्षक था, लेकिन कुछ विद्वान इस बात पर संदेह व्यक्त करते हैं।

समुद्रगुप्त के बाद चन्द्रगुप्त द्वितीय ने गुप्त साम्राज्य को और भी विस्तृत और सुदृढ़ किया। उसका शासन ३७५ से ४१५ ई. सन् तक कायम रहा। विशाखदत्त के नाटक **देवीचन्द्रगुप्तम्** से पता चलता है कि समुद्रगुप्त के बाद रामगुप्त गद्दी पर बैठा। वह शकों से पराजित हो गया और अपनी रानी ध्रुवदेवी को शकों के हवाले कर देने के लिए राजी हो गया। उसके छोटे भाई चन्द्र ने इस बात का विरोध किया और स्वयं रानी के वेश में शक-शिविर में पहुंचकर शक-राजा को मार डाला। इससे दोनों भाइयों में मनमुटाव हो गया। अंत में चन्द्रगुप्त ने अपने बड़े भाई को मारकर उसकी विधवा ध्रुवदेवी से विवाह कर लिया। भिल्सा के नजदीक रामगुप्त के कुछ सिक्के मिले हैं और कुछ अभिलेखों से पता चलता है कि ध्रुवदेवी चन्द्रगुप्त की पत्नी थी। इससे **देवीचन्द्रगुप्तम्** की कथा सही जान पड़ती है।

चन्द्रगुप्त द्वितीय के अभियान के फलस्वरूप शकों को घुटने टेकने पड़े और पश्चिमी भारत पर गुप्त साम्राज्य का अधिकार स्थापित हो गया। इससे कुछ समय के लिए साम्राज्य की पश्चिमी सीमाएं निरापद हो गयीं और पश्चिमी भारत के बंदरगाह गुप्त साम्राज्य के कब्जे में आ गये। चन्द्रगुप्त द्वितीय ने कई राजवंशों से वैवाहिक संबंध स्थापित किये। उसने नागवंश की रमणी कुवेरनाग से विवाह किया, जिसके गर्भ से प्रभावती गुप्त नामक पुत्री का जन्म हुआ। प्रभावती गुप्त का विवाह वाकाटक वंश के रुद्रसेन द्वितीय से हुआ। मध्य भारत के जिस क्षेत्र पर पहले सातवाहनों का प्रभुत्व था, उसी क्षेत्र पर अब रुद्रसेन द्वितीय शासन कर रहा था। रुद्रसेन द्वितीय की मृत्यु के बाद ३९० ई. सन् से ४१० ई. सन् तक प्रभावती गुप्त ने कार्यवाहक शासिका के रूप में शासन किया। इस तरह वाकाटक राज्य वस्तुतः गुप्त साम्राज्य का अंग बन गया। कहते हैं कि कुंतल क्षेत्र (कोंकण) के कदम्ब शासक ककुत्स्यवर्मन ने अपनी कन्याएं गुप्त शासकों को ब्याही थीं।

चन्द्रगुप्त द्वितीय ने विक्रमादित्य की उपाधि ग्रहण की। लेकिन हम उसके शासन का स्मरण लड़ाइयों के कारण नहीं बल्कि कला और साहित्य के प्रति उसके अगाध अनुराग के कारण करते हैं। कहते हैं कि संस्कृत के महान कवि और नाटककार कालिदास उसके दरबार को सुशोभित करते थे।

चन्द्रगुप्त द्वितीय के बाद उसका पुत्र कुमारगुप्त सिंहासनारूढ़ हुआ और उसने ४१५ ई. सन् से ४५४ ई. सन् तक शासन किया। उसके शासन-काल में मध्य एशिया के हूणों की एक शाखा ने बैक्ट्रिया को जीत लिया और अब हिन्दूकुश के पहाड़ों से हूणों के आक्रमण का खतरा मंडराने लगा। लेकिन उसके शासन में खतरा दूर ही रहा और कुल मिला कर उसके शासन में शांति बनी रही।

कुमारगुप्त की मृत्यु के बाद हूणों के आक्रमण से गुप्त साम्राज्य की रक्षा का भार उसके उत्तराधिकारियों के कंधों पर आ गया। कुमारगुप्त के उत्तराधिकारी स्कन्दगुप्त ने हूणों का बड़े साहस के साथ सामना किया। कई आंतरिक समस्याओं के कारण स्थिति जटिल हो गयी। जान पड़ता है कि उसके सामंत अपने अधिकारों के प्रति जागरूक हो गये और उसके सिक्कों में खोट आ जाने से यह संकेत मिलता है कि साम्राज्य की आर्थिक स्थिति संकटपूर्ण हो गयी। फिर भी उसने हूणों का डटकर मुकाबला किया और लगता है कि लड़ाई में उसकी जीत हुई।

४६७ ई. सन् में स्कन्दगुप्त की मृत्यु हुई। उसके बाद कई शासक गद्दी पर बैठे, लेकिन वे साम्राज्य को सुरक्षित नहीं रख सके। पांचवीं शताब्दी के अंतिम दिनों में हूणों की बाढ़ आ गयी और वे उत्तर भारत में जम गये, जिससे

गुप्त-सामूाज्य को जबर्दस्त धक्का लगा। अब तो तेजी से सामूाज्य का विघटन होने लगा और उसके स्थान पर आधी शताब्दी के भीतर ही कई राज्य बन गये।

जर्जर गुप्त सामूाज्य के विघटन-काल में ही उत्तर भारत में मध्यप्रदेश के एरन तक हूणों का राज्य कायम हो गया। ज्ञात होता है कि तोरमान प्रथम प्रसिद्ध हूण राजा था। कहते हैं कि उसने जैनधर्म अपना लिया था। ५१५ ई. सन् में उसका लड़का मिहिरकुल गद्दी पर बैठा। उसकी राजधानी साकल (स्यालकोट) में थी। जनश्रुतियों से ज्ञात होता है कि वह अत्याचारी, मूर्ति-भंजक और बौद्धों का हत्यारा था, लेकिन वह एक कट्टर शैव भी था और उसने मिहिरेश्वर मंदिर की स्थापना की थी। मिहिरकुल को मालवा के यशोधर्मन और गुप्त-राजवंश के नरसिम्हगुप्त बालादित्य नामक दो राजाओं ने क्रमशः पराजित किया। लेकिन हूणों के पतन से गुप्त सामूाज्य को फिर खड़ा होने का सौभाग्य प्राप्त नहीं हुआ।

यह कहना ठीक नहीं होगा कि हूणों के आक्रमण से ही गुप्त-सामूाज्य छिन्न-भिन्न हो गया। सामूाज्य को जिस रूप में खड़ा किया गया था, उसको देखते हुए उसके पतन की घटना अस्वाभाविक नहीं थी। मौर्यों के विपरीत, गुप्तों ने **परमेश्वर, महाराजाधिराज, परमभट्टारक** आदि शानदार उपाधियां धारण की थीं, जिससे सिद्ध होता है कि उनके सामूाज्य में कई शक्तिशाली छोटे-मोटे राजाओं की तूती बोलती थी। मध्य भारत और अनेक दूसरे क्षेत्रों के राजाओं को समुद्रगुप्त ने अपने काबू में कर लिया था, लेकिन ये परि-व्राजिका और उच्चकल्प के रूप में गुप्त-सामूाज्य द्वारा जीते गये विशाल भू-भाग पर अपना सामंती प्रभाव जमाये हुए थे। केवल सामूाज्य के प्रमुख केन्द्रों बंगाल, बिहार और उत्तर प्रदेश पर ही गुप्तों का प्रत्यक्ष शासन था। गुप्त सामूाज्य के प्रमुख सामंत वलभी के मैत्रक, थानेश्वर के वर्धन, कन्नौज के मौखरि, मगध के बाद के गुप्त और बंगाल के चन्द्र थे। अवसर मिलते ही ये सामंत स्वतंत्र हो गये और गुप्त सामूाज्य का सितारा डूब गया।

मौर्यों की तरह गुप्तों के पास विशाल संगठित सेना नहीं थी। जिस अभिलेख में समुद्रगुप्त की शानदार विजयों का वर्णन है, उसमें उसके सैन्यतंत्र का कोई उल्लेख नहीं है। फाहियान ने भी गुप्त सेना के संख्यात्मक स्वरूप का जिक्र नहीं किया है। संभवतः गुप्त राजाओं को सैनिकों के लिए मुख्यतः अपने सामंतों पर निर्भर रहना पड़ता था। हाथियों और घोड़ों पर भी गुप्तों का एकाधिकार नहीं था, जो सेना के प्रधान अंग माने जाते थे। इन सभी कारणों से गुप्त राजाओं को अपने सामंतों पर निर्भर रहना पड़ता था, जो गुप्त साम्राज्य के अन्तिम दिनों में काफी प्रभावशाली हो गये थे।

गुप्तों की नौकरशाही व्यवस्था भी सुसंगठित और सुव्यवस्थित नहीं थी। कुमारामात्यों के बीच से उच्च अधिकारियों की नियुक्ति की जाती थी। उन्हीं के बीच से मंत्री, सेनापति, महादंडनायक (न्याय-मंत्री) संधिविग्रहिक (युद्ध और शांति के कार्यों का संचालन करने वाले मंत्री) आदि बहाल किये जाते थे। बहुधा स्वयं राजा उच्च अधिकारियों की नियुक्ति करता था, लेकिन अक्सर एक ही अधिकारी कई विभागों की देखभाल करता था। इलाहाबाद में समुद्रगुप्त के प्रशस्ति-गान का रचयिता हरिषेण कई विभागों का प्रभारी था। प्रशासकीय पद वंशगत भी थे। इन सभी बातों से प्रशासन-तंत्र पर राजा का नियंत्रण कमजोर होता चला गया।

पुजारियों और मंदिरों को राजस्व और प्रशासन के अन्य अधिकारों के साथ धड़ल्ले से जमीन और गांव अनुदान के रूप में दिये जाते थे, जिससे प्रशासनिक व्यवस्था में बिखराव पैदा हो गया। भूमिदान की प्रथा सातवाहनों के समय में ही चल पड़ी थी और वाकाटकों ने मध्य भारत में इस प्रथा को और भी मजबूत कर दिया था, लेकिन गुप्त राजाओं ने स्वयं बहुत ही कम अनुदान दिये। भूमि-अनुदान और राजस्व की सुविधाओं के साथ-साथ नमक के क्षेत्रों तथा खानों की बंदोबस्ती की भी प्रथा चल पड़ी, जबकि इन पर मौर्यकाल में राजा का एकाधिकार रहता था और ये सार्वभौम सत्ता के प्रतीक माने जाते थे। अब अधिकांशतः प्रशासनिक अधिकारों के साथ वृत्ति-भोगियों को स्थायी रूप से भूमि के अनुदान दिये जाने लगे। मध्य भारत में प्राप्त लगभग आधा दर्जन अभिलेखों से यह सिद्ध होता है कि अनुदान में मिले गांवों के किसानों, दस्तकारों और अन्य निवासियों को वृत्तिभोगियों के आदेशों का पालन करना पड़ता था तथा वृत्तिभोगी उनके प्रचलित करों की भी वसूली करते थे। उत्तर भारत में जिन लोगों को भूमि के अनुदान मिले हुए थे, उन्हें चोरों और अन्य अपराधकर्मियों को सजा देने का भी अधिकार था। मध्य भारत तथा पश्चिम भारत में पांचवीं शताब्दी से ही उन्हें दीवानी मुकदमों की सुनवाई का अधिकार भी मिल गया। पुजारियों को फौजदारी और दीवानी अधिकारों के साथ-साथ करों की वसूली का भी अधिकार मिलने से स्पष्टतः केन्द्रीय सत्ता कमजोर हो गयी तथा इससे अनुदान-प्राप्त गांवों के किसानों और निवासियों को दमन का शिकार भी होना पड़ा; ये किसान और अन्य ग्रामवासी अपने नये स्वामियों के आदेशों का पालन करने के लिए मजबूर किये जाते थे।

गुप्तकाल की भूमि की सनदों में उत्पादन-कार्यों में संलग्न दासों का जिक्र नहीं मिलता है। यद्यपि विधि-निर्माता नारद ने पन्द्रह प्रकार के दासों का उल्लेख किया है, तथापि उनमें से अधिकांश घरेलू नौकर थे और वे प्रवेश

द्वार, शौचालय, सड़क को साफ करने, जूठी पत्तल, मैला, शराब की प्यालियां आदि फेंकने जैसे गंदे काम और अपने स्वामी के अंगों को मलने अथवा उसके शरीर की मालिश करने में संलग्न रहते थे । नारद ने खेत के काम को दासों की श्रेणी में नहीं रखा और उनके काम को अच्छा काम कहा । इसका अर्थ है कि दास-परंपरा कुछ कमजोर हुई ।

भूमि-अनुदानों की प्रथा से भारत में सामंती व्यवस्था का मार्ग प्रशस्त हो गया । कई अभिलेखों में कृषिदास-प्रथा के उद्भव का उल्लेख मिलता है, जिसका अर्थ है कि वृत्तिभोगियों को जमीन दे देने के बाद भी किसान उनकी जमीन से जुड़े रहते थे । संभवतः यह प्रथा दक्षिण भारत में पहले ही शुरू हो चुकी थी; क्योंकि तृतीय शताब्दी के एक पल्लव-अभिलेख से पता चलता है कि चार बटाईदार उस जमीन से जुड़े रह गये, जो ब्राह्मणों को दान में दी गयी थी । फाहियान के अनुसार भिक्षुओं को मठों के साथ-साथ मकान, बागीचा, साथ ही जमीन पर खेती के लिए खेत मजदूर और पशु भी दिये जाते थे । लेकिन उत्तर भारत के अभिलेखों से इसकी पुष्टि नहीं होती है । फिर भी छठी शताब्दी के गुजरात, मध्य भारत और उड़ीसा के शिलालेखों से संकेत मिलता है कि यदि किसानों की जमीन दूसरों को अनुदान के रूप में दे दी जाती थी, तो भी वे अपनी जमीन से जुड़े रहते थे । इस प्रकार देश के कुछ भागों में किसानों की स्वतंत्र स्थिति की उपेक्षा की गयी और वे कृषि-दास अथवा अर्ध-कृषि-दास की अवस्था में आ गये ।

भूमि का अनुदान प्राप्त करने वाले व्यक्तियों को अपनी भूमि का बंदोबस्त करने का भी अधिकार दिया जाता था, जिसके फलस्वरूप किसानों की स्थिति दयनीय हो गयी थी । वे स्वयं भूमि का उपभोग कर सकते थे, दूसरों के जरिये उसका उपभोग कर सकते थे, स्वयं उसे जोत सकते थे अथवा दूसरों के जरिये जुतवा सकते थे । इस प्रकार दान में दी गयी भूमि निश्चित शर्तों के साथ असामी को दी जा सकती थी । अपनी भूमि की बंदोबस्ती करने वालों को असामियों को बेदखल करने का अधिकार प्राप्त था । इसलिए असामियों के नाम से भूमि की बंदोबस्ती करने की प्रथा ने स्थायी असामियों को कठपुतलियों के दर्जे में पहुंचा दिया था ।

गुप्त युग से ही बेगार-प्रथा (विष्टि) और कई प्रकार की उगाहियों एवं लगानों से लदे रहने के कारण भी किसानों की स्थिति जर्जर होती गयी । मौर्यकाल में दासों और भाड़े के मजदूरों से बेगार लिया जाता था । इस काम की देखरेख के लिए एक वेतनभोगी अधिकारी को नियुक्त किया जाता था । लेकिन गुप्तकाल में अन्य वर्णों के लोगों से भी हर तरह का काम लिया जाने लगा । वात्स्यायन के **कामसूत्र** से हमें ज्ञात होता है कि किसान-औरतों

को गांव के मुखिया की अनाज की कोठी भरने, घर की चीजों को बाहर और भीतर ले जाने, घर को साफ-सुथरा रखने, खेतों में काम करने, रूई, लकड़ी, तीसी, सन और धागा खरीदने तथा विभिन्न वस्तुओं की खरीद-बिक्री एवं विनिमय करने से लेकर और सभी तरह के काम निःशुल्क करने के लिए मजबूर किया जाता था। तत्कालीन शिलालेखों, खासकर वाकाटकों के शिलालेखों, से पता चलता है कि जब शाही सेना और उच्च अधिकारी किसी गांव में पड़ाव डालते थे अथवा किसी गांव से गुजरते थे, तब उस गांव के निवासियों को सैनिकों तथा उच्च अधिकारियों के लिए धन और रसद की व्यवस्था करनी पड़ती थी। गांव वाले सैनिकों के लिए फूल और दूध का इंतजाम करते थे। उनका सामान ढोने के लिए गांव वालों को पशुओं का भी प्रबन्ध करना पड़ता था। इन अंशदानों के अतिरिक्त गांव वालों से कई नये कर भी वसूल किये जाते थे। इन सभी बातों से किसानों पर अवश्य ही करों का बोझ लद गया होगा। वृत्तिभोगियों को किसानों से बेगार लेने तथा करों और बकाया रकमों को वसूल करने का अधिकार मिल जाने से किसानों पर घोर दमन का चक्र चलने लगा। शाही अधिकारियों की तुलना में वृत्तिभोगियों को अधिक अधिकार मिले हुए थे, ताकि वे अपने निहित स्वार्थों की पूर्ति के लिए विरासत के रूप में गांव के स्रोतों का शोषण कर सकें।

दस्तकारों और सौदागरों के संघों ने नगरों की प्रशासनिक व्यवस्था में महत्वपूर्ण भूमिका का निर्वाह किया। लेकिन व्यापार के ह्रास के कारण संभवतः उन्होंने अपनी पहले की महत्ता खोनी शुरू कर दी। भारतीय-रोमन व्यापार में रेशम और मसाले भारतीय निर्यात की वस्तुओं में प्रमुख थे। लेकिन छठी शताब्दी के मध्य तक बाइजेण्टाइन साम्राज्य की जनता ने चीनियों से गुप्त रूप से रेशम पैदा करने की कला सीख ली। इससे पश्चिम के साथ भारत के निर्यात-व्यापार पर बुरा असर पड़ा। बाद में इस्लाम के झंडे के नीचे अरबों के विस्तार से भी भारतीय व्यापार को और धक्का लगा होगा। इस बात के संकेत मिलते हैं कि भारत के समुद्री मार्गों से दक्षिण-पूर्व एशिया के साथ व्यापार होता था। लेकिन भारत की आंतरिक अर्थव्यवस्था पर इसका ज्यादा प्रभाव नहीं पड़ा। ज्ञात होता है कि आम व्यवहार के सिक्कों की कमी के कारण व्यापार का ह्रास होता गया। गुप्त राजाओं ने प्राचीन भारत में काफी संख्या में सोने के सिक्के जारी किये थे, लेकिन रोजमर्रा के निजी आर्थिक व्यवहारों में ये विशेष उपयोगी सिद्ध नहीं हुए। उस काल के तांबे और चांदी के सिक्के बहुत कम मिले हैं। फाहियान के अनुसार आम तौर पर कौड़ियों के आदान-प्रदान का मुख्य चलन था। पश्चिमी जगत के साथ व्यावसायिक सूत्र के कमजोर पड़ जाने के कारण देश के एक भाग से दूसरे

भाग में दस्तकारों और सौदागरों का आवागमन संभवतः बंद हो गया। इसलिए दस्तकार अपने गांवों में ही स्थिर हो गये, जहां वे स्थानीय खपत के लिए सामान तैयार करते थे। कालांतर में किसानों की भांति वे भी गांवों के वृत्तिभोगियों के चंगुल में फंस गये।

व्यापार की शिथिलता के कारण गुप्त साम्राज्य के हृदय-स्थल में स्थित गंगा के मैदानी इलाकों के शहरी केन्द्रों का ह्रास हो गया। वैशाली का रूप जितना पहले आकर्षक था, उतना गुप्तकाल में नहीं रह गया। कुम्राहर (आधुनिक पटना) के बारे में भी यही बात कही जायगी। लगभग दो शताब्दियों के बाद जब चीनी बौद्ध यात्री हुआन सांग भारत आया था, तब पाटलिपुत्र बिल्कुल एक गांव के रूप में दिखलायी पड़ रहा था। पहले की कुछ शहरी बस्तियां उजड़ चुकी थीं। सोनपुर (गया जिला, बिहार) से गुप्त-युग की प्राचीनता का बोध नहीं होता है। सोहगौरा (गोरखपुर ज़िले में) की खुदाइयों से किसी घर-बार का पता नहीं लगा है। कहते हैं कि मौर्यकाल में वहां दो धान्यागार थे।

फिर भी शहर बिल्कुल लुप्त नहीं हो गये। लगता है कि समृद्ध लोग शहरों में ठाटबाट से रहते थे। **कामसूत्र** में लिखा है कि खुशहाल नागरिक सुख और आनंद का जीवन व्यतीत करते थे। लोग एक जगह एकत्र होकर काव्यपाठ, संगीत आदि का रसास्वादन करते थे। तरुणों को प्रेम की व्यावहारिक कला की शिक्षा दी जाती थी। वेश्या को हेयदृष्टि से नहीं देखा जाता था। नागरिक जीवन में उसका भी अपना स्थान था। कालिदास ने विदिशा की वेश्याओं के साथ नारीभक्त तरुणों की प्रेम-लीला का वर्णन किया है। विशाखदत्त के **मुद्राराक्षस** के अनुसार महोत्सवों के समय राजधानी की सड़कों पर वेश्याओं के इर्दगिर्द भीड़ एकत्र हो जाती थी। लेकिन **धर्मशास्त्र** के प्रणेताओं ने नगर की रमणियों के प्रति बहुत ही कठोर दृष्टिकोण अपनाया। फिर भी यह कितनी बड़ी विडंबना है कि आगे चलकर देवताओं के साथ रमणियों के संपर्क को खूब उजागर किया गया। कालिदास ने लिखा है कि उज्जैन के महाकाल मंदिर में लड़कियां रखी जाती थीं। लेकिन मंदिरों में वेश्याओं के रहने का सबसे पुराना साक्ष्य संभवतः अशोक के कुछ ही दिनों के बाद बनारस से १६० मील दक्षिण रामगढ़ में उत्कीर्ण किये गये गुफा-अभिलेख से मिलता है।

महिलाओं की अवस्था में उत्तरोत्तर ह्रास होता गया। इस काल में कुछ ऐसी बातें शुरू हुईं, जो आगे चलकर उनके लिए घातक हो गयीं। वे शिक्षा के अधिकार से वंचित कर दी गयीं। महिला अध्यापिकाओं, दार्शनिकों और चिकित्सकों का उल्लेख प्राचीन साहित्य में ही मिलता है, लेकिन उनकी

संख्या अधिक नहीं है। विधि-निर्माताओं ने प्रायः सर्वसम्मति से बाल-विवाह पर जोर दिया। कुछ ने तो आदेश दिया कि रजस्वला होने के पहले ही लड़की का विवाह कर दिया जाय। विधवाओं को कठोरतापूर्वक ब्रह्मचर्य के नियमों का पालन करना पड़ता था। धर्माध्यक्षों ने सती-प्रथा को मान्यता प्रदान की थी। लेकिन ऐसा लगता है कि यह प्रथा उच्च वर्णों तक ही सीमित थी। पहला **सती**-स्मारक, ५१० ई. सन् का, मध्य प्रदेश के एरन में मिला है। महिलाओं को सोने-चांदी के आभूषणों और वस्त्रों में स्त्रीधन के अधिकार के अतिरिक्त और किसी भी संपत्ति के अधिकार से वंचित रखा गया। वे स्वयं संपत्ति मान ली गयीं, जिसे किसी के भी हाथ बेचा या उधार दिया जा सकता था। लोगों को यह बात मानने के लिए मजबूर किया गया कि महिलाओं को सदैव किसी के अधीन रहना चाहिए। निजी संपत्ति की प्रबल धारणाओं पर आधारित वर्ग-विभक्त, पितृसत्तात्मक समाज में पुरुष द्वारा नारी के कठोर दमन का सामाजिक दर्शन कोई अस्वाभाविक बात नहीं मानी जायगी।

जातियों के बहुविध होने से वर्ण-व्यवस्था ढीली पड़ गयी। भारत में बड़ी संख्या में प्रवेश करने वाले हूण क्षत्रियों की श्रेणी में आ गये। बाद में गुर्जर भी राजपूत के रूप में इसमें शामिल हो गये। इस तरह संख्या की दृष्टि से क्षत्रिय जाति की वृद्धि हुई। जंगलों में रहने वाली पिछड़ी जातियों को स्थिर वर्ण-समाज में आत्मसात कर लिया गया, जिससे शूद्रों और अछूतों की संख्या बढ़ गयी। दस्तकारों के संघों की भी प्रायः अलग-अलग जातियां हो गयीं। कहते हैं कि भूमि हस्तांतरण अथवा भूमि राजस्व की प्रथा से कायस्थों (लेखकों) के रूप में एक नयी जाति का जन्म हुआ। कायस्थों ने ब्राह्मणों के लेखन-संबंधी एकाधिकार को समाप्त कर दिया। इसका प्रमाण यह है कि परवर्ती ब्राह्मण-साहित्य में कायस्थों की बड़ी भर्त्सना की गयी। उत्तर भारत के ग्रामीण क्षेत्रों में गांव के सरदारों और मुखियों की एक श्रेणी उभर आयी, जो **महत्तर** कहलाते थे। उन्हें जमीन की अदला-बदली की सूचना दी जाती थी। बाद में वे भी एक जाति में परिणत हो गये। लेकिन गुप्तोत्तर काल में सामंतवाद की जड़ें जम जाने के बाद भूमि-अनुदान और भूमि-बंदोबस्ती की प्रथाओं ने समाज को पूरी तरह जकड़ लिया।

गुप्तकालीन साहित्य में जीवन के विभिन्न क्षेत्रों में वर्ण-भेद का नंगा रूप देखा जा सकता है। वराहमिहिर के अनुसार ब्राह्मण के घर में पांच, क्षत्रिय के घर में चार, वैश्य के घर में तीन और शूद्र के घर में दो कमरे होने चाहिए। उसने यह भी लिखा है कि चारों वर्णों की श्रेष्ठता के क्रम में मुख्य कमरे की लंबाई और चौड़ाई में अवश्य ही अन्तर रहना चाहिए। विभिन्न

जातियों के लिए सूद की जो अलग-अलग दरें पहले निर्धारित की गयी थीं, वे गुप्तकाल में जारी रहीं। गुप्तकाल में संकलित एक पौराणिक ग्रंथ में लिखा है कि श्वेत, लाल, पीले और काले रंगों का संबंध क्रमशः ब्राह्मण, क्षत्रिय, वैश्य और शूद्र से है। इससे चारों वर्णों की तुलनात्मक स्थिति का पता चल सकता है। इस युग के ग्रंथों में इस बात पर जोर दिया गया है कि एक ब्राह्मण को किसी शूद्र का भोजन स्वीकार नहीं करना चाहिए, क्योंकि इससे उसके आत्मिक बल का ह्रास होता है। कानूनी मामलों में भी वर्ण-भेद को प्रमुखता दी जाती थी। विधि ग्रंथों में लिखा है कि ब्राह्मणों के साथ नरमी बरतनी चाहिए और क्षत्रियों के लिए आग का, वैश्यों के लिए जल का तथा शूद्रों के लिए विष का प्रयोग करना चाहिए। मुकदमे में जमानत के सिलसिले में भी द्विजों और शूद्रों के बीच भेदभाव बरता जाता था। उत्तराधिकार के कानून भी सबके लिए एक समान नहीं थे। किसी उच्च वर्ण के परिवार में जन्म लेने वाले शूद्र-पुत्र को सबसे कम हिस्सा मिलता था। विधि-निर्माता वृहस्पति ने कहा कि किसी शूद्र महिला के गर्भ से पैदा होने वाले द्विज पुत्र के लिए अपनी पैतृक संपत्ति का कोई भी अधिकार नहीं है। उसने यह भी कहा कि गवाह के रूप में प्रतिष्ठित व्यक्तियों को ही प्रस्तुत किया जा सकता है। अन्य विधिग्रंथों में लिखा है कि शूद्र अपनी ही जाति के गवाह के रूप में उपस्थित हो सकता है। इन सभी बातों से पता चलता है कि कानून और न्याय के मामले में वर्गीय भेदभाव बरता जाता था।

शूद्रों और अछूतों में भी भिन्नता थी। किसी चाण्डाल महिला के साथ शारीरिक संबंध स्थापित करने वाले शूद्र को चाण्डाल महिला के दरजे में ही दाखिल होना पड़ता था। इस काल में छुआछूत की प्रथा पहले से भी अधिक मजबूत हो गयी। चाण्डाल को छूना पाप माना जाता था और उस पाप से मुक्त होने के लिए प्रायश्चित किया जाता था। फाहियान हमें बतलाता है कि चाण्डाल को फाटक के भीतर अथवा शहर या बाजार में प्रवेश करने से पहले टिन का टुकड़ा बजाकर अपने आने की सूचना देनी पड़ती थी, ताकि लोग उससे दूर हट जायें। तत्कालीन साहित्य में सामान्यतः अछूतों की और मुख्यतः चाण्डालों की बड़ी भर्त्सना की गयी। उन्हें अपवित्र, झूठा, चोर, असनातनी, झगड़ालू, कामी, क्रोधी और लोभी माना गया।

लेकिन वर्ण-व्यवस्था को विरोध का भी सामना करना पड़ता था। महाभारत के शांतिपर्व में, जिसे गुप्तकाल का ग्रंथ माना जाता है, कम-से-कम ऐसे नौ श्लोक हैं, जो ब्राह्मणों और क्षत्रियों के संगठन पर जोर देते हैं। इससे ऐसा संकेत मिलता है कि वैश्यों और शूद्रों ने संगठित रूप से विरोध करना शुरू कर दिया था। शांतिपर्व के एक परिच्छेद में दुखड़ा रोया गया कि अब

वैश्य और शूद्र ब्राह्मणों की पत्नियों से संबंध स्थापित करने लग गये हैं । ऐसा जान पड़ता है कि इस युग की प्रचलित सामाजिक व्यवस्था के प्रति खासकर शूद्रों के हृदय में वैमनस्य का भाव पैदा हो गया था । **महाभारत के अनुशासन पर्व** में उन्हें राजा का संहारक कहा गया । एक अन्य तत्कालीन ग्रंथ में कहा गया कि वे शत्रु, हिंसक, शेखीबाज, बिगड़ैल, मिथ्याभाषी, अत्यधिक लोभी, कृतघ्न, शास्त्रद्रोही, आलसी और अपवित्र हैं । इन सभी बातों से और विधि-ग्रंथों के परिच्छेदों से भी सिद्ध होता है कि शूद्रों और सत्ताधारी वर्गों में टकराव था । लेकिन इस बात का कहीं उल्लेख नहीं किया गया है कि शूद्रों ने उच्च वर्णों के खिलाफ वास्तव में विद्रोह किया था ।

सत्ताधारी वर्ग बहुधा धर्म का सहारा लेकर वर्णों पर आधारित सामाजिक व्यवस्था को बनाये रखने का प्रयास करते थे । कृष्ण ने पूर्ववर्ती काल में ही अधम कोटि के लोगों के रूप में वैश्यों, शूद्रों और महिलाओं की भर्त्सना की थी । वैष्णवों और शैवों ने अब इस बात पर और भी अधिक जोर देना शुरू कर दिया । **महाभारत** के एक परिच्छेद में कहा गया कि द्विजों की सेवा और भगवद्भक्ति के द्वारा ही शूद्रों को मोक्ष मिल सकता है । **महाकाव्यों** और **पुराणों** में इस बात पर जोर दिया गया कि शूद्र अपने अच्छे व्यवहार से दूसरे जन्म में ब्राह्मणत्व प्राप्त कर सकता है । यह स्थापना कर्म के सिद्धांत पर आधारित थी, जिसके अनुसार यह मान लिया गया कि व्यक्ति के पूर्व जन्म का कर्म ही उसकी प्रकृति, प्रारब्ध, सामाजिक स्थिति, हर्ष-विषाद आदि को निर्धारित करता है । कर्म पूर्व समय में बोये गये बीज के समान फल देता है । इस सिद्धांत ने विभिन्न वर्णों के सदस्यों को प्रभावित किया; क्योंकि अब शूद्र भी यह सोच सकता था कि यदि उसका कर्म-फल अनुकूल रहा तो वह अगले जन्म में राजा हो सकता है । शूद्रक के **मृच्छकटिक** का एक गाड़ीवान वसंत-सेना की हत्या करना स्वीकार नहीं करता है; क्योंकि वह ऐसा कोई काम नहीं दोहराना चाहता है, जिसकी वजह से उसे इस जन्म में गुलाम बनना पड़ा । स्पष्टतया इस तरह के विश्वास से प्रभावित होकर जनता अपने दुखों के लिए मानवीय संस्थाओं को दोषी नहीं ठहराती थी और आम तौर पर यह सोचती थी कि प्रत्येक वर्ण के सदस्यों को परम्परागत नियमों के अनुसार दिये गये कर्तव्यों का निर्वाह करना चाहिए ।

भक्ति के सिद्धांत को सबसे पहले साफ-साफ ढंग से **गीता** में निरूपित किया गया और उस पर वैष्णवमत तथा शैवमत की इमारतें खड़ी की गयीं । गुप्त-काल में सामाजिक दृष्टिकोण से उसके प्रभाव क्षेत्र का विस्तार हुआ । उसमें कहा गया कि मात्र यज्ञ के माध्यम से नहीं बल्कि भक्ति और भगवत्प्रेम से ही मनुष्य मोक्ष प्राप्त कर सकता है । **भक्ति** भगवान तक पहुंचने की सीढ़ी हो

गयी। जिस समय छोटे-छोटे सामंत और आम लोग यह महसूस कर रहे थे कि वे तो मात्र अपने स्वामियों के दास हैं, उस समय भक्ति का यह स्वरूप सामाजिक दृष्टिकोण के बिलकुल अनुरूप था। इससे पता चलता है कि वैष्णवमत, शैवमत, और कुछ सीमा तक महायान बौद्धधर्म ने भक्ति के सिद्धांत पर इतना बल क्यों दिया।

उस युग के उभरते हुए सामंती समाज के ढांचे को देखते हुए वैष्णवमत और यत्किंचित शैवमत द्वारा प्रतिपादित अवतारवाद ने समाज को बहुत प्रभावित किया। सबसे पहले गीता में अवतारवाद के सिद्धांत का निरूपण किया गया और बौद्धों द्वारा प्रतिपादित बोधिसत्व के सिद्धांत ने उसे पुष्ट किया। कुछ ग्रन्थों में विष्णु के ३९ अवतारों का वर्णन किया गया, लेकिन आम तौर पर उनके दस अवतार ही माने गये। ये अवतार हैं: मत्स्य, कूर्म, वराह, नरसिंह, वामन, परशुराम, राम, कृष्ण, बुद्ध और कल्कि। गुप्तकाल के एक ग्रन्थ **वायु पुराण** में जो सूची दी गयी है, वह इससे भिन्न है। उसमें नारायण, नरसिंह, वामन, दत्तात्रेय, मंधाता, जामदग्न्य, राम, वेदव्यास, कृष्ण और कल्कि नामक अवतारों का उल्लेख किया गया है; नारायण, नरसिंह, और वामन ईश्वरीय अवतार और शेष मानवीय स्वरूप माने गये। सभी अवतारवादियों ने विष्णु को सृष्टि का रक्षक माना। विष्णु के बारे में कलयुग के अन्तिम चरण में घोड़े की पीठ पर सवार होकर म्लेच्छों को निर्मूल करने और धर्म को फिर से स्थापित करने के लिए प्रकट होने की कल्पना भी की गयी है। इस प्रकार अवतारवाद के अनुसार इस प्रबल विश्वास का प्रतिपादन किया गया कि एक मुक्तिदाता आयगा और वह अपने भक्तों को संसार की व्याधियों से छुटकारा दिलाएगा। इस सिद्धांत ने समाज के सबसे निम्न श्रेणी के लोगों को विशेष रूप से प्रभावित किया होगा। शैवों ने भी इस सिद्धांत को अपनाया। एक तत्कालीन ग्रन्थ में शिव के २८ अवतारों का वर्णन किया गया, लेकिन ये विष्णु के अवतारों के ही प्रतिरूप थे।

गुप्तकाल में कुछ ऐसी देवियों की भी पूजा होने लगी, जिन्हें इससे पहले समाज में कोई विशेष स्थान प्राप्त नहीं था। इनमें से अधिकांश देवियां आर्येतर जाति की थीं। भारत में प्रत्येक युग में मातृ देवियों की पूजा होती रही है, लेकिन अब वे विस्मृति के गर्भ से बाहर आकर ब्राह्मणपंथी देवताओं के बीच में बहुत प्रभावशाली हो गयीं। वैश्यों और शूद्रों ने धन और समृद्धि की देवी के रूप में **श्री** अथवा **श्रीलक्ष्मी** को पूरी तरह अपना लिया और लक्ष्मी विष्णु की पत्नी मान ली गयी। विष्णु और लक्ष्मी की जोड़ी का पहला वर्णन स्कंदगुप्त के समय के एक शिलालेख में मिलता है। पार्वती को शिव की पत्नी के रूप में चित्रित किया गया। पार्वती के विवाह का पहला कलात्मक चित्रण संभवतः

कुमारगुप्त प्रथम के शासन-काल में किया गया। ब्राह्मणपंथी देवताओं के बीच मातृ देवियों के प्रतिष्ठित हो जाने के बाद शक्ति-पूजा की प्रथा चल पड़ी। शक्ति-पूजा के प्रवर्तकों ने कहा कि नारी ही पुरुष की प्रेरणा का स्रोत है। मध्ययुग के प्रारंभ में इसी सिद्धांत के साथ-साथ तंत्र-साधना की भी प्रथा चल पड़ी।

सभी ब्राह्मणपंथी समुदायों में गुप्त-शासकों के संरक्षण में वैष्णवमत ने सबसे अधिक लोकप्रियता अर्जित की। यह देश के विभिन्न भागों में फैल गया और समुद्र पार दक्षिण-पूर्व एशिया में भी इसका प्रचार हुआ। धन की देवी श्रीलक्ष्मी और विष्णु की जोड़ी ने नये धर्म का गौरव बढ़ाया तथा निम्न जातियों में श्रीलक्ष्मी की प्रतिष्ठा का विस्तार हुआ ; क्योंकि वैश्यों और शूद्रों के बीच में वह पहले से ही लोकप्रिय थी। विष्णु-पूजा समाज के सभी तरह के लोगों के बीच में प्रचलित हो गयी। राजा अपने को ईश्वर का अवतार मानने लगा। संभवतः चंद्रगुप्त द्वितीय के शासन-काल में लिखित एक पौराणिक ग्रन्थ में राजा को विष्णु की विभूतियों से संपन्न माना गया। इससे राजपद का गौरव बढ़ गया। धनाढ्य व्यक्ति मूर्त्तियां स्थापित कर और मंदिरों का निर्माण कर पुण्य कमाने लगा। गरीब आदमी यह सोचने लगा कि दूसरे जन्म में उसकी स्थिति में सुधार होगा और वह इस जन्म में अवतार के रूप में भगवान को सामने देखकर मन को ढाढ़स बंधाने लगा। वैष्णव मत के साथ अनेक देवताओं, धारणाओं और अंधविश्वासों के जुड़ जाने से ऐसा प्रतीत होता है कि इसने लोगों पर अपना प्रभाव डालने के लिए विभिन्न पूजा-पद्धतियों को आत्मसात कर लिया। इसीलिए इसने जनता को अपने प्रारब्ध पर भरोसा दिलाने और वर्ण-व्यवस्था पर आधारित सामाजिक विभाजन को कायम रखने में प्रमुख भूमिका का निर्वाह किया।

गुप्तकाल के कई सूत्रों से शैवमत और उसकी विभिन्न शाखाओं के अस्तित्व का पता चलता है। कुछ पुराणों में शिव को सबसे बड़ा देवता माना गया है। वैष्णवधर्म की ही भांति शैवधर्म को भी राजकीय संरक्षण प्राप्त हुआ। उस काल के कम से कम दो शैवमंदिर आज भी मौजूद हैं—एक नाच्ना कुट्टार (बुंदेलखण्ड क्षेत्र) का शिवमन्दिर और दूसरा नगोद (मध्य प्रदेश) का शिवमंदिर। मथुरा की एक मूर्त्ति में दिखलाया गया है कि एक भक्त शिव को अपना मस्तक अर्पित कर रहा है। संभवतः उग्रपंथी संप्रदायों ने मानव-बलि जैसी कुछ घोर साधनाओं का प्रचार किया। कहते हैं कि चीनी बौद्ध यात्री हुएन सांग को, जो सातवीं शताब्दी में भारत आया था, शिव-पत्नी दुर्गा की प्रतिमा के सम्मुख बलि चढ़ाया ही जा रहा था कि सहसा प्रचंड आंधी चलने लगी और वह भाग निकला। शैवधर्म के उग्र स्वरूप से ही यह पता

चल जाता है कि वह वैष्णव धर्म से अधिक लोकप्रियता क्यों नहीं प्राप्त कर सका। उस काल की धार्मिक मान्यताओं की सफलता का एक रहस्य यह है कि उन्होंने वैष्णव मत की बहुत-सी बातों को अपना लिया था।

बौद्ध धर्म पहले ही दो बड़े भागों में विभक्त हो चुका था—हीनयान और महायान। दोनों की कई शाखाएं भी जन्म ले चुकी थीं। अब तक श्रीलंका, बर्मा, कम्बोडिया और चीन में हीनयान के केंद्र स्थापित हो चुके थे। फाहियान ने लोब-नोर, दरद, उद्यन, गांधार, बन्नू, कन्नौज और कश्मीर में हीनयान के अनुयायियों को देखा था। लेकिन महायानी शाखा भी फल-फूल रही थी। गुप्तकाल में नागार्जुन, आर्यदेव, आसंग, वसुबंधु और दिग्नाग की तूती बोल रही थी। ये सभी महायान शाखा के आचार्य थे। महायान शाखा के लोग भक्ति पर बल देने और अनेक प्रकार के देवी-देवताओं की मूर्त्तियों की पूजा करने से ब्राह्मणवादी धर्म के बहुत निकट आ गये। इस तरह ब्राह्मणवादी धर्म के प्रभाव में आकर बौद्ध धर्म ने बहुत अंशों में अपना मौलिक स्वरूप खो दिया। फाहियान अफगानिस्तान, भिड (पंजाब), मथुरा और पाटलिपुत्र में महायानी भिक्षुओं से मिला था। कहते हैं कि खोतन के सभी भिक्षु महायान के समर्थक थे। पांचवीं शताब्दी से महायान शाखा पर तांत्रिकों के प्रभाव में लगातार वृद्धि होती गयी, जिसके फलस्वरूप बाद में वज्रायन नामक बौद्ध संप्रदाय का जन्म हुआ, जिसने विभिन्न प्रकार के चमत्कारों पर अधिक बल दिया। इस काल में व्यापार का ह्रास हुआ, जिससे व्यापारियों से बौद्धधर्म को मिलने वाला समर्थन अब बंद हो गया। अब बौद्ध मठ राजाओं से प्राप्त भूमि और गांवों के अनुदानों पर ही निर्भर रहने लगे। नालंदा के बौद्ध मठ को अनुदान के रूप में २०० गांव मिले हुए थे।

जैनधर्म मुख्यतः रूढ़िवाद के ही चंगुल में फंसा रहा, लेकिन लगता है कि गुप्तकाल में इस धर्म में मूर्त्तियों की भरमार हो गयी। ३१३ ई. सन् में मथुरा और वलभी में एक साथ ही दो जैन सभाएं आयोजित की गयीं। जैनधर्म के ग्रंथों का मानकीकरण किया गया और फिर ४५३ ई. सन् में वलभी में एक अन्य सभा का आयोजन करके उन ग्रंथों को सुसंपादित किया गया। वस्तुतः जैनधर्म का प्रभाव घटता जा रहा था। संभवतः मथुरा और वलभी में श्वेतांबर जैनियों का बोलबाला था। उत्तर बंगाल के पुण्ड्रवर्धन में दिगंबर जैनियों की तूती बोलती थी। दक्कन और दक्षिण भारत के कुछ क्षेत्रों में जैन-धर्म को स्थानीय शासक घरानों का समर्थन मिला, हालांकि बाद के युग में यह सरक्षण, लगभग समाप्त हो गया। गुप्तपूर्व काल में भारत की धरती पर ईसाई धर्म का आगमन हुआ और वह मुख्यतः मालाबार में ही सीमित रहा, जहां जान

पड़ता है कि, एक सीरियाई गिरजाघर **मौजूद** था। कहते हैं कि बम्बई के निकट कल्याण में फारस का एक बिशप आया था।

गुप्तकाल में दार्शनिक विचारधाराओं का खूब प्रचार-प्रसार हुआ। प्रचलित दार्शनिक विवाद अब छः विचारधाराओं में बदल गया। इन विचारधाराओं को **षड्दर्शन** कहा गया और **षड्दर्शन** भारतीय दर्शन का मूल स्वरूप हो गया। छः विचारधाराएं थीं : **न्याय, वैशेषिक, सांख्य, योग, मीमांसा** और **वेदांत**।

न्याय दर्शन तर्क और ज्ञान-मीमांसा पर आधारित था और इसकी उत्पत्ति **अक्षपाद गौतम** के सूत्रों से हुई थी। अक्षपाद का जन्म संभवतः ईसवी सन् की प्रारंभिक शताब्दी में हुआ था। **पक्षिलास्वामिन्** वात्स्यायन न्याय-दर्शन के मुख्य व्याख्याता थे, जिनका संबन्ध संभवतः चौथी शताब्दी ई. सन् से था।

वैशेषिक दर्शन **न्याय** का पूरक था और यह न्याय से पुराना था। यह एक प्रकार का परमाणु-दर्शन था और ईश्वर-मीमांसा की अपेक्षा भौतिक विज्ञान से इसका अधिक संबंध था। इसके प्रवर्तक बहुविश्रुत उलूक कणाद थे और इसके सबसे बड़े व्याख्याता प्रशस्तपाद थे, जिनका जन्म संभवतः छठी शताब्दी में हुआ था।

सांख्य ने पच्चीस मूल सिद्धांतों का प्रतिपादन किया। यह मुख्यतः **पुरुष** (आत्मा अथवा व्यक्ति) और **प्रकृति** (पदार्थ) के ध्रुवीकरण पर बल देता है। ईश्वर कृष्ण द्वारा प्रणीत सांख्यकारिका इस दर्शन की सबसे पुराना ग्रंथ है और इसकी रचना संभवतः चौथी शताब्दी ई. सन् में हुई थी।

योग दर्शन में मुख्यतः शरीर-विज्ञान के सूत्रों का प्रतिपादन किया गया। पतंजलि का **योगसूत्र** इस दर्शन का मूल ग्रंथ माना जाता है, जिनका जन्म दूसरी शताब्दी ई. पू. में हुआ था। लेकिन कहते हैं कि सात शताब्दी ई. सन् बाद के व्यास ने इस दर्शन के सूत्रों का संशोधन और सम्पादन किया।

मीमांसा के माध्यम से वेदों को फिर से प्रतिष्ठित करने का प्रयास किया गया। **जैमिनि-सूत्र** (संभवतः छठी शताब्दी ई. पू.) मीमांसा-दर्शन का सबसे पुराना ग्रंथ माना जाता है। मीमांसा-दर्शन के सबसे बड़े आचार्य शबरस्वामिन् थे, जिनका जन्म छठी शताब्दी ई. सन् में हुआ था।

वेदांत को **उत्तर मीमांसा** भी कहते हैं। दावा किया जाता है कि वेद ही इसके उद्गम हैं। इस दर्शन ने गैरब्राह्मणवादी विचारधाराओं को बड़े जोरदार ढंग से ठुकरा दिया। कहते हैं कि ईसवी सन् के प्रारम्भ में बादरायण ने इसके मूल सिद्धांतों का प्रतिपादन किया, लेकिन गौडपाद इस दर्शन के मुख्य व्याख्याता माने जाते हैं, जो लगभग छठी शताब्दी ई. सन् के मध्य में हुए। परंतु इस दर्शन के सबसे प्रभावशाली टीकाकार शंकराचार्य थे, जो आठवीं-नौवीं

शताब्दी में हुए, जबकि वेदांत ने भारतीय दर्शन के एक अटल सिद्धांत का रूप ग्रहण कर लिया था।

लेकिन गुप्तकाल के सामाजिक जीवन को ईश्वरवादी संप्रदायों ने जितना प्रभावित किया, उतना षड्दर्शन की गूढ़ दार्शनिक विचारधाराओं ने प्रभावित नहीं किया।

स्थापत्य-कला और मूर्तिकला पर धर्म का गहरा प्रभाव था। भक्ति-सिद्धांत और मूर्त्ति-पूजा की प्रबल भावना से प्रेरित होकर कितने ही भव्य मंदिरों का निर्माण करवाया गया और हर मंदिर के गर्भ-गृह में पूजा के लिए प्रधान देवता अथवा देवी की मूर्ति स्थापित की गयी। गुप्तकाल के कई मंदिर अपनी मूर्त्तियों के साथ आज भी खड़े हैं। मिसाल के तौर पर, सांची, लधखान, देवगढ़ (झांसी के निकट), भीटरगांव, तिगवा और भुमरा के मंदिरों का उल्लेख किया जा सकता है। इस युग के मंदिरों के निर्माण में छोटी-छोटी ईंटों अथवा पत्थरों का उपयोग किया जाता था। वे छोटे-छोटे थे और इनकी छत सपाट रहती थी और उसमें पानी गिराने की टोंटियां लगी रहती थीं। गुप्तकाल का एक सबसे पुराना मंदिर सांची के चैत्य-सभाकक्ष के बायें खड़ा है इसमें चारों ओर से घिरा हुआ एक गर्भगृह है और इसके सामने का मंडप स्तंभों पर खड़ा है। परवर्ती काल के सभी मंदिरों के निर्माण के लिए यही खाका अपना लिया गया। लेकिन गुप्तकाल की आकर्षक और भव्य मंदिर निर्माण कला का सबसे अच्छा उदाहरण देवगढ़ का खण्डित विष्णु-मंदिर है। फिर भी यह बात नहीं है कि इन मंदिरों के सम्मुख गुफा-मंदिरों का महत्व कम हो। अजंता के कुछ गुफा-मंदिर गुप्तकाल के ही माने जाते हैं। एलोरा के कैलाशनाथ मंदिर को प्राचीन भारतीय गुफा-स्थापत्यकला का सर्वाधिक महत्वपूर्ण नमूना कह सकते हैं। इस मंदिर का निर्माण आठवीं शताब्दी ई. सन् में हुआ था।

गुप्तकाल में मूर्ति-कला विकास के शिखर पर पहुंच गयी। उस युग के देवी-देवताओं को मुख्यतः विष्णु के अवतारों के रूप में प्रस्तुत किया जाता था। शैव मतावलंबी लिंग पूजा को प्रधानता देते थे, जिससे मूर्त्तिकारों को कोई विशेष प्रेरणा नहीं मिलती थी। गुप्तकालीन मूर्त्तिकला की महान उपलब्धि का अंदाजा सारनाथ की बुद्ध और बोधिसत्वों की विभिन्न प्रकार की ध्यानस्थ और खड़ी मूर्तियों को देखकर लगाया जा सकता है, जहां मथुरा-शैली की ही भांति एक समृद्ध मूर्त्ति-निर्माण शैली फल-फूल रही थी। धर्मचक्र प्रवर्त्तन की मुद्रा में बैठे हुए बुद्ध की मूर्त्ति सारनाथ शैली का एक उत्कृष्ट नमूना है। मूर्त्तिकार ने इसके माध्यम से अपना प्रथम धर्मोपदेश करते हुए ध्यानमग्न और भावमग्न बुद्ध के स्वरूप को बड़े सुन्दर ढंग से प्रस्तर पर उकेरा है। सारनाथ की शैली ने

पूर्वी तथा पश्चिमी भारत और दक्कन को भी प्रभावित किया। लेकिन दक्षिण में प्रवेश करने के साथ ही इसका प्रभाव क्षीण पड़ गया; क्योंकि वहां क्षेत्रीय रंग बहुत ही गहरा था।

चित्रकला विकसित कला थी। साहित्यिक विवरणों से सिद्ध होता है कि पेशेवर कलाकारों के अतिरिक्त उच्चवर्गों के पुरुष और महिलाएं तूलिका का प्रयोग करती थीं। गुप्तकाल के चित्रों के अवशेषों को बाघ की गुफाओं (गुफा ४, लगभग ५०० ई. सन्), अजंता की गुफाओं (१६, १७; २१ और १ तथा २) एवं बादमी की गुफाओं (गुफा ३, छठी शताब्दी) में देखा जा सकता है, हालांकि ये चित्र कुछ स्थानों पर धुंधले पड़ गये हैं। उस युग के चित्रों पर अजंता के भित्ति-चित्रों की छाप है। अजन्ता के कलाकारों को मनुष्यों और पशुओं की आकृतियों के चित्रण में कमाल हासिल था। बोधिसत्व के संन्यास-ग्रहण (गुफा १) और तुषित नामक स्वर्ग में बुद्ध के स्वागत के लिए इन्द्र और उसके संगी-साथियों के प्रस्थान के भावों को व्यक्त करने वाले चित्र (गुफा १७) भित्ति-चित्र के दुर्लभ नमूने हैं। छतों, पाद-स्तंभों, दीवारों, खिड़कियों आदि की सजावटों को देखने से ही पता चल जाता है कि उस युग के कलाकार कितने दक्ष, कल्पनाशील और मर्मज्ञ थे। यद्यपि अजन्ता के भित्ति-चित्रों की विषय-वस्तु धार्मिक चेतना को व्यक्त करती है तथापि उनमें राजाओं, सामंतों, योद्धाओं और ऋषियों के जीवन के नाटकीय रूपों के भी दर्शन किये जा सकते हैं। एक बात बिल्कुल स्पष्ट है कि इन चित्रों में मुख्यतः उच्चवर्गीय जीवन-चेतना को व्यक्त किया गया है। इनमें ग्रामीण जीवन के दुखःदर्द की अभिव्यक्ति नहीं है।

कला और भवन-निर्माण की ही भांति गुप्तकाल में साहित्य की खूब प्रगति हुई। संस्कृत भाषा और साहित्य शताब्दियों के क्रमिक विकास के बाद, प्रचुर राजकीय संरक्षण प्राप्त कर, उन्नति के चरम शिखर पर पहुंच गये। मूलतः चारणों ने **पुराणों** का प्रणयन किया था। लगभग सभी **पुराणों** में सुत लोम-हर्षण अथवा उसके पुत्र उग्रश्रवा को वाचक के रूप में प्रस्तुत किया गया। लेकिन अब तक सभी **पुराण** ब्राह्मण-पुजारियों के हाथों में आ गये और उन्होंने लगभग सबको संपादित और संकलित किया तथा उनमें कुछ नये देवताओं के नाम एवं कुछ नये अंश भी जोड़ दिये। **महाभारत** के रचयिता के रूप में व्यास का नाम लिया जाता है। लेकिन इस ग्रंथ को भी फिर से संपादित किया गया। मूल महाभारत में २४,००० श्लोक थे और अब उसके श्लोकों की संख्या १०,००,००० हो गयी। **पंचतंत्र** की कहानियों के विभिन्न रूपों को सूक्तिबद्ध श्लोकों के साथ गुंफित कर गद्य में प्रस्तुत किया गया।

खगोल-विज्ञान से संबंधित कुछ ग्रंथ भी लिखे गये। **आर्यभटियम्** के लेखक आर्यभट पांचवीं शताब्दी में अपनी प्रतिभा का प्रकाश फैला रहे थे।

उन्होंने प्रचलित भारतीय मान्यता के विपरीत अपना विचार व्यक्त किया कि पृथ्वी अपनी धुरी पर घूमती हुई सूर्य के चारों ओर चक्कर काटती है, लेकिन उनके इस विचार का परवर्ती भारतीय खगोलवेत्ताओं पर कोई प्रभाव नहीं पड़ा। उनके प्रयास से गणित से पृथक एक शाखा के रूप में खगोल विज्ञान का अध्ययन किया जाने लगा। उन्होंने सबसे पहले दशमलव गणना-पद्धति का प्रयोग किया, लेकिन वे इसके आविष्कारक नहीं थे। पांचवी शताब्दी के अंतिम चरण के वराहमिहिर ने खगोल विज्ञान और पंचांग विज्ञान से संबंधित कई महत्वपूर्ण सिद्धांतों का प्रतिपादन किया। उनकी **पंचसिद्धांतिका** में खगोल विज्ञान के सिद्धांतों पर प्रकाश डाला गया है। उनके दो सिद्धांतों से पता चलता है कि यूनानी खगोलविज्ञान से वे अच्छी तरह परिचित थे। उन्होंने पंचांग-विज्ञान पर लघु और **बृहज-जातक** नामक दो ग्रंथ लिखे।

कालिदास उस युग के सर्वश्रेष्ठ संस्कृत कवि थे और वे चन्द्रगुप्त द्वितीय के दरबार के रत्न थे। **मेघदूत** उनकी एक अनुपम काव्यकृति है, जिसमें लगभग १०० सुललित पद हैं। इस काव्यकृति में एक प्रेमातुर यक्ष की मनोव्यथा का चित्रण किया गया है, जो उत्तर की पर्वतमालाओं के पार अलका में रहने वाली अपनी विरहिणी पत्नी के पास अपना संदेश ले जाने के लिए मेघ से आग्रह करता है। कालिदास के **रघुवंश** में राम की सर्वतोमुखी विजयों का वर्णन है। लगता है कि गुप्तकाल के किसी सम्राट की विजयों का ही इस ग्रंथ में वर्णन किया गया है। **कुमारसंभव** में कालिदास ने शिव और पार्वती की प्रणयलीलाओं तथा उनके पुत्र स्कंद के जन्म का वर्णन किया है। **ऋतुसंहार** में छः ऋतुओं का श्रृंगारिक वर्णन है। छंद और अभिव्यक्ति की दृष्टि से कालिदास की कविताएं बेजोड़ हैं। **अभिज्ञान शाकुंतलम** उनकी सर्वाधिक प्रसिद्ध नाट्यकृति है। दुष्यंत और शकुंतला का प्रेम-विवाह इसकी कथा-वस्तु है। प्राचीन साहित्य और नाट्यकला की यह सर्वोच्च देन है।

गुप्तकाल में और भी कई नाटककार फल-फूल रहे थे। शूद्रक के बारे में कहा जाता है कि उसका जन्म राजकुल में हुआ था। **मृच्छकटिक** उसी की रचना है। एक गरीब ब्राह्मण चारुदत्त और वसंतसेना नामक एक धनाढ्य, सुन्दर, सुशील और सुसंस्कृत वेश्या के प्रेम को आधार बनाकर इसके कथानक की सृष्टि की गयी है। **मुद्राराक्षस** विशाखदत्त की कृति है, जिसमें विचक्षण चाणक्य के षड्यंत्रों का वर्णन है। **देवीचन्द्रगुप्तम** उसकी दूसरी नाट्यकृति थी, जिसकी अब चर्चा ही शेष रह गयी है।

गुप्तकाल के सर्वोच्च कवि और नाटककार आम तौर पर किसी रमणी के प्रति पुरुष के मांसल और कामोत्तेजक प्रेम को अपनी विषय-वस्तु के रूप में ग्रहण करते थे। अजंता की भव्य नारी-प्रतिमाओं का सौन्दर्य साहित्यिक कृतियों

में प्रतिबिंबित होता था। नाटकों में राजदरबार के भव्य रूपों का चित्रण किया जाता था। इस संबंध में संभवतः मृच्छकटिक को ही अपवाद माना जा सकता है। मुख्यतः राजाओं के सभासद, उच्चवर्णों के लोग और सामंत कला की भांति संस्कृत-साहित्य का भी रसास्वादन करते थे। अशिक्षित जन-समूह राजदरबार के अलंकृत साहित्य को शायद ही समझ अथवा ग्रहण कर पाता था। इसीलिए यह कोई आश्चर्य की बात नहीं है कि उस समय के नाटकों के प्रमुख अभिजातवर्गीय पात्र परिष्कृत संस्कृत बोलते थे और निम्न श्रेणियों के लोग तथा महिलाएं प्राकृत भाषा में अपने उद्गार व्यक्त करते थे।

भारतीय इतिहास के अधिकांश प्रमुख ग्रंथों में गुप्त सम्राटों के शासनकाल को हिन्दू-पुनर्जागरण के रूप में चित्रित किया गया है। यह बिलकुल गलत है। सारनाथ की बुद्ध-प्रतिमाएं गुप्तकालीन मूर्त्तिकला की सर्वोच्च उपलब्धियां मानी जायेंगी और अजन्ता के तत्कालीन चित्रों पर बौद्ध जीवन की गहरी छाप है। आर्यभट और वराहमिहिर की कृतियों में खगोलविज्ञान से संबंधित जिन तथ्यों को निरूपित किया गया है, उनका भारत की प्राचीन मान्यताओं से नाममात्र का संबंध है। वराहमिहिर ने खगोलविज्ञान से संबंधित पांच सिद्धांतों का प्रतिपादन किया था, जिनमें से एक सिद्धांत का नाम है **रोमक सिद्धांत**, जिसका संबन्ध स्पष्टतः रोमन सिद्धांत से है। उनका दूसरा सिद्धांत है **पौलिश सिद्धांत**, जिस पर सिकन्दरिया के कालत्रयी ज्योतिर्विद पाल की स्थापनाओं की छाप है। इसलिए तथाकथित हिन्दू पुनर्जागरण के साक्ष्य के रूप में कालिदास के ग्रंथों, कुछ पुराणों, सिक्कों और शिलालेखों को प्रस्तुत किया जा सकता है, जिनसे संकेत मिलता है कि गुप्त राजाओं ने वैष्णवमत और शैवमत नामक दो ब्राह्मणमार्गी संप्रदायों को संरक्षण प्रदान किया था। लेकिन कालिदास के ग्रन्थों से बौद्धिक पुनर्जागरण अथवा साहित्यिक कृतित्व के पुनरुत्थान का संकेत नहीं मिलता है। वे प्राचीन काल में उद्भूत साहित्यिक स्वरूपों और शैलियों के विकास के मात्र द्योतक माने जा सकते हैं। गुप्तकाल के बहुत पहले से ही चारण-काव्य के रूप में पुराणों का अस्तित्व था। गुप्तकाल में अन्तिम रूप में उनका संकलन और संपादन किया गया और तब वे अपने वर्तमान स्वरुप में प्रकट हुए। वैष्णवमत और शैवमत से भी किसी धार्मिक पुनरुत्थान का बोध नहीं होता है। इन दोनों धर्मों के मूल सिद्धांत पहले भी विद्यमान थे। अब सामंती जीवन के उद्भव के नये संदर्भ में वे अधिक से अधिक अनुयायियों को अपनी ओर आकृष्ट करने लगे। इसी तरह हिन्दू शब्द का प्रयोग भी सही संदर्भ में नहीं किया जाता है। गुप्त शासनोत्तर काल में सबसे पहले अरबों ने हिन्दू (भारत) के निवासियों के लिए इस शब्द का प्रयोग किया। प्राचीन भारत के निवासियों ने यह कभी सोचा भी नहीं था कि वे हिन्दू हैं। जिस हिन्दू पुनर्जागरण का

बहुत प्रचार किया जाता है, वह वस्तुतः कोई पुनर्जागरण नहीं था, बल्कि वह बहुत अंशों में हिन्दुत्व का द्योतक था।

'अधम' रामगुप्त को छोड़कर अन्य सभी गुप्त-सम्राटों के बारे में कहा जाता है कि वे 'राष्ट्रीयता के पुनरुत्थान' के प्रवर्तक थे ; क्योंकि उन्होंने शकों और हूणों के विरुद्ध युद्ध किया था। लेकिन किसी भी तत्कालीन दरबारी नाटक अथवा संस्कृत की काव्यकृति में किसी गुप्त-शासक का स्पष्ट वर्णन नहीं मिलता है। केवल पुराणों में उनका उल्लेख मिलता है, जिनमें "बर्बर (**म्लेच्छ प्रायः**), नास्तिक, असत्यवादी, कंजूस और बहुत ही उग्र" प्रकृति के छोटे-छोटे राजाओं के रूप में उनकी तीव्र भर्त्सना की गयी है। गुप्त-शासकों की कीर्ति का बखान स्वयं उनके शिलालेखों में ही मिलता है, जिनमें समुद्रगुप्त की प्रशस्ति सबसे लंबी है। उनके पतन के बाद उनका कोई नामलेवा भी नहीं रह गया और १९वीं शताब्दी में उनके शिलालेखों का पता लगने के बाद फिर उनकी चर्चा की जाने लगी। भारत के राष्ट्रवादी विद्वान उन विवरणों को पढ़कर फूले नहीं समाने लगे और उन्होंने ब्रिटिश साम्राज्यवादियों के प्रचार का पूरी तरह खंडन किया, जो बराबर कहा करते थे कि "भारत का कोई इतिहास नहीं है। उस पर तो सदैव विदेशी हमले बोलकर अपना आधिपत्य जमाते रहे हैं।" इस संबन्ध में यह ठीक ही कहा गया है कि "गुप्तकाल में राष्ट्रीयता का पुनरुत्थान नहीं हुआ बल्कि राष्ट्रीयता ने ही गुप्तकाल को नवजीवन प्रदान किया।"

कुछ भारतीय इतिहासकारों ने मंत्रमुग्ध होकर गुप्त शासनकाल का वर्णन किया है और उसे भारतीय इतिहास का स्वर्णयुग कहा है। लेकिन एक विशाल ग्रंथ में उस काल का स्मरण करते हुए घोर दुःख व्यक्त किया गया है : "लोग तनिक भी सुखी नहीं थे।" फिर भी यह बात अवश्य ही कही जायगी कि गुप्त शासन-काल मं देश के कुछ भागों में दास-प्रथा के प्रचलन के कारण किसान आर्थिक गुलामी के बंधनों में जकड़ दिये गये। महिलाओं को संपत्ति के दर्जे में रख दिया गया और यह मान लिया गया कि उन्हें हमेशा पुरुषों के संरक्षण में रहना चाहिए ; लेकिन दूसरी ओर कला और साहित्य में बड़े भव्य रूप में उनका चित्रण किया गया। जातिवादी कट्टरता और जातिभेद पहले से भी अधिक तीव्र हो गये तथा कानून और न्याय के माध्यम से उच्चवर्गों के हितों की रक्षा की जाने लगी। फाहियान नामक चीनी विद्वान बौद्ध यात्री ने, जो चंद्रगुप्त द्वितीय के शासन-काल में भारत आया था, कहा कि सामान्य रूप से लोग सुखी थे। हां, इसमें सन्देह नहीं है कि उच्चवर्गों के लोग सुखी और समृद्ध थे तथा वे भोग-विलास का जीवन व्यतीत करते थे, जैसा कि तत्कालीन कला और साहित्य में प्रतिबिंबित होता है। लेकिन यही बात निम्न श्रेणियों के लोगों के बारे में नहीं कही जायगी। चीनी यात्री ने चाण्डालों

की दुर्दशा का जिक्र किया है । सामाजिक स्तर पर समग्र रूप से अछूतों को और भी हेय दृष्टि से देखा जाने लगा था । सामाजिक तनाव जारी रहे । वर्ण-विभक्त समाज को कायम रखने के लिए एक हथियार के रूप में धर्म का उपयोग किया जाने लगा । उच्च वर्गों के लिए इतिहास के सभी युग स्वर्णयुग ही रहे हैं, लेकिन आम जनता के लिए वे कभी स्वर्णयुग नहीं रहे । जनता का वास्तविक स्वर्णयुग अतीत के गर्भ में नहीं बल्कि भविष्य के गर्भ में निहित है !

ग्रन्थ-सूची

सामान्य

ए. एल. बाशम, **दि वंडर दैट वाज इंडिया** (लंदन, १९५४)

एन. एन. भट्टाचार्य, **एन्शियेण्ट इंडियन रिचुअल्स एण्ड देयर सोशल कंटेंट्स** (दिल्ली, १९७५)

ए. एन. बोस, **सोशल एण्ड रूरल इकॉनोमी ऑफ नार्दर्न इंडिया**, २ खंड, (कलकत्ता, १९४२-४५)

डी. आर. चानन, **स्लेवरी इन एन्शियेण्ट इंडिया** (दिल्ली, १९६०)

डी. पी. चट्टोपाध्याय, **लोकायत : ए स्टडी इन एन्शियेण्ट इंडियन मैटेरियलिज्म** (दिल्ली, १९५९)

—, **इंडियन फिलोसोफी : ए पोपुलर इंट्रोडक्शन** (दिल्ली, १९६४)

—, **इंडियन एथिइज्म** (कलकत्ता, १९६९)

ए. के. कुमारस्वामी, **हिस्ट्री ऑफ इंडियन एण्ड इण्डोनेशियन आर्ट** (लंदन, १९२७)

एस. ए. डांगे, **इंडिया फ्रौम प्रिमिटिव कम्युनिज्म टु स्लेवरी** (दिल्ली, १९६१)

चार्ल्स ड्रकमाइयेर, **किंगशिप एंड कम्युनिटी इन अर्ली इंडिया** (केलिफोर्निया, १९६२)

जे. एन. फर्क्युहर, **आउट लाइन ऑफ दि रिलिजियस लिटरेचर ऑफ इंडिया** (ऑक्सफोर्ड, १९२०)

यू. एन. घोषाल, **ए हिस्ट्री ऑफ इंडियन पोलिटिकल आइडियाज** (बम्बई, १९५९)

—, **दि एग्रेरियन सिस्टम इन एन्शियेण्ट इंडिया** (कलकत्ता, १९७३)

जी. एस. गुर्ये, **कास्ट एण्ड रेस इन इंडिया** (लंदन, १९३२)

—, **कास्ट एण्ड क्लास इन इंडिया** (बम्बई, १९५०)

पी. एल. गुप्त, **क्वायन्स** (दिल्ली, १९६९)

जे. एच. हट्टन, **कास्ट इन इंडिया** (चतुर्थ संस्करण, आक्सफोर्ड, १९६३)

डी. डी. कोसांबी, **इंट्रोडक्शन टु दि स्टडी ऑफ इंडियन हिस्ट्री** (बम्बई, १९५६)

—, **मिथ एण्ड रियेलिटी** (बम्बई, १९६२)

—, **कल्चर एण्ड सिविलिजेशन ऑफ एन्शियेंट इंडिया इन हिस्टोरिकल आउटलाइन** (लंदन, १९६५)
के. ए. नीलकंठ शास्त्री, **ए हिस्ट्री ऑफ साउथ इंडिया** (ग्राक्सफोर्ड, १९५८)
के. एम. पणिक्कर, **ज्योग्राफिकल फैक्टर्स इन इंडियन हिस्ट्री** (बम्बई, १९५९)
एस. सी. राय चौधरी, **पोलिटिकल हिस्ट्री ऑफ एंशियेण्ट इंडिया** (कलकत्ता, १९५३)
लुई रेनौ, **रिलिजियन्स इन एन्शियेण्ट इंडिया** (लंदन, १९५३)
बी. रोलैण्ड, **दि आर्ट एण्ड आर्किटेक्चर ऑफ इंडिया** (लंदन, १९५३)
ग्रार. एस. शर्मा, **शूद्राज इन एन्शियेण्ट इंडिया** (दिल्ली, १९५८)
—, **ऐस्पेक्ट्स ऑफ पोलिटिकल आइडियाज एण्ड इंस्टीच्यूशंस इन एन्शियेण्ट इंडिया** (द्वितीय संस्करण, दिल्ली, १९६८)
—, **लाइट ग्रॉन अर्ली इंडियन सोसाइटी एण्ड इकोनोमी** (बम्बई, १९६६)
विंसेन्ट ए. स्मिथ, **अर्ली हिस्ट्री ऑफ इंडिया** (आक्सफोर्ड, १९०४)
—, **आक्सफोर्ड हिस्ट्री ऑफ इंडिया** (१९१९)
रोमिला थापर, **हिस्ट्री ऑफ इंडिया**, i (पेंगुइन, १९६६)
ए. के. वार्डर, **आउटलाइन ऑफ इंडियन फिलोसोफी** (दिल्ली, १९७१)

१. हड़प्पा-सभ्यता

न्यूनाधिक रूप में पिछले दो दशकों के दौरान भारतीय पुरातत्व-विज्ञान ने यथेष्ट प्रगति की है। अब तक खुदाइयों के अधिकांश विवरण प्रकाशित नहीं हो सके हैं और खोजों के ब्यौरों की जानकारी के लिए **आर्कियलॉजिकल सर्वे ऑफ इंडिया** द्वारा प्रकाशित **एन्शियेण्ट इंडिया** और **इंडियन आर्कियलाजी—ए रिव्यू** का अवलोकन किया जा सकता है। फिर भी, भारत के प्राक् इतिहास और आदिकालीन इतिहास से संबंधित कई पुस्तकें हाल की पुरातात्विक सामग्री के आधार पर लिखी गयी हैं। उनमें से कुछ प्रमुख पुस्तकों की सूची नीचे दी जा रही है :

डी. पी. अग्रवाल, **कापर ब्रांज एज इन इंडिया** (दिल्ली, १९७१)
ब्रिजेट एंड रेमण्ड ऑलकिन, **दि बर्थ ऑफ इंडियन सिविलिजेशन** (पेलिकन, १९६८)
वाल्टर ए. फेयरसर्विस, जूनियर, **दि रूट्स ऑफ एन्शियेण्ट इंडिया** (लंदन, १९७१)

स्टार्ट पिग्गट, दि प्री हिस्टोरिक इंडिया (हर्मोण्ड्स वर्थ, १९६२)
एच. डी. संकालिया, **दि प्री हिस्ट्री एण्ड प्रोटोहिस्ट्री ऑफ इंडिया एंड पाकिस्तान** (द्वितीय संस्करण, पूना, १९७४)
बी. सुब्बाराव, **दि पर्सनेलिटी ऑफ इंडिया** (बड़ौदा, १९५८)
आर. ई. एम. ह्वीलर, **दि इंडस सिविलिजेशन** (कैंब्रिज, १९५३)
—, **अर्ली इंडिया एण्ड पाकिस्तान** (लंदन, १९५८)
—, **सिविलिजेशन्स ऑफ दि इंडस वैली एण्ड बियोंड** (लंदन, १९६६)

२. वैदिक जीवन

वैदिक साहित्य के अनेक ग्रन्थों में भारतीय आर्यों के इतिहास के साक्ष्य मिलते हैं। महत्वपूर्ण प्रासंगिक वैदिक ग्रन्थ इस प्रकार हैं: **दि टाइम्स ऑफ दि ऋग्वेद**, अनुवादक–आर. टी. एच. ग्रिफ्थ्स (बनारस, १८९६-९७), **ऐतरेय ब्राह्मण**, अनुवादक—ए. बी. कीथ (हार्वर्ड ओरिएंटल सिरीज, २५, कैम्ब्रिज, मॉस, १९२०), **शतपथ ब्राह्मण**, अनुवादक—जे. एगेलिंग (ऑक्सफोर्ड, १८८२-१९००), **तैत्तिरिय ब्राह्मण**, संपादक—आर. एल. मित्र (कलकत्ता, १८५५-७०), **थर्टीन प्रिंसिपल उपनिषद्स**, अनुवादक—एफ. मैक्समूलर (ऑक्सफोर्ड, १९२१), **दि गृह सूत्राज**, अनुवादक—एच. ओल्डेनबर्ग (भारतीय पुनर्मुद्रण, दिल्ली, १९६७), और **दि धर्म सूत्राज**, अनुवादक—जी. बुहलर, **सेक्रेड बुक्स ऑफ दि ईस्ट** २ और १४ (भारतीय पुनर्मुद्रण, दिल्ली, १९६५)।

बी. गॉर्डन चाइल्ड ने **दि आरियन्स** (लंदन, १९२६) और **न्यू लाइट ऑन दि मोस्ट एन्शियेण्ट ईस्ट** (लंदन, १९५२) में भारतीय आर्यों के मूल निवास और आर्य-कबीलों के फैलाव से संबंधित पुरातात्त्विक सामग्री पर प्रकाश डाला है। आर्य-जीवन के विभिन्न पहलुओं पर **कैंब्रिज हिस्ट्री ऑफ इंडिया**, i (१९२२) के संबद्ध भागों में प्रकाश डाला गया है। आर. एस. शर्मा ने अपनी पुस्तक **एस्पेक्ट्स आफ पोलिटिकल आइडियाज एण्ड इंस्टिच्यूशन्स इन एन्शियेण्ट इंडिया** (दिल्ली, १९६८) में वैदिक युग की कबीलाई सभाओं के स्वरूप तथा कार्यकलापों पर प्रकाश डालते हुए राष्ट्रवादी इतिहासकारों के विचारों की त्रुटियों का परिमार्जन किया है। वैदिक धर्म के संबंध में **वैदिक माइथालोजी** (स्ट्रास्सबर्ग, १८९७), ए. ए. मैकडोनल, **रिलिजियन एण्ड फिलोसोफी ऑफ दि वेदाज एण्ड उपनिषद्स** (कैंब्रिज, मॉस, १९२५), ए. बी. कीथ और **वैदिक इंडिया** (कलकत्ता, १९५७), लुई रेनो का अवलोकन किया जा सकता है।

३ और ४. जैन धर्म और बौद्ध धर्म तथा प्रथम जनपदीय राज्य

मूल बौद्ध, जैन और ब्राह्मण-ग्रन्थों के आधार पर ३ और ४ भागों के विवरणों तथा घटनाओं पर प्रकाश डाला गया है। यूनानी विवरणों से भी प्रमाण एकत्र किये गये हैं। इसके अतिरिक्त, विभिन्न स्थानों की खुदाइयों से जो पर्याप्त पुरातात्त्विक सामग्री मिली है, उसका भी उपयोग किया गया है।

महत्वपूर्ण प्रासंगिक बौद्ध ग्रन्थ हैं : **अंगुत्तर निकाय** (लंदन, १९३२-३६), **धम्मपद,** अनुवादक–मैक्समूलर (ऑक्सफोर्ड, १८९८), **दीघ निकाय,** अनुवादक—टी. डब्ल्यू. राइस डेविड्स (लंदन, १८९९), **जातक,** ७ खंड, अनुवादक–कॉवेल (कैंब्रिज, १८९५-१९०७) और **विनय पतग्का,** अनुवादक–एच. ओल्डेनबर्ग और टी. डब्ल्यू. राइस डेविड्स। प्रासंगिक जैन-सूत्रों का अवलोकन **जैन सूत्राज,** अनुवादक—जे. जैकोबी (ऑक्सफोर्ड, १८८४-९५) में किया जा सकता है। ब्राह्मणवादी सूत्रों के लिए **विष्णु पुराण,** अनुवादक–एच. एच. विल्सन (लंदन, १८६४-७०) और **भागवतपुराण,** अनुवादक–ई. बौर्नोफ (पेरिस, १८४०-९८) का उल्लेख किया जा सकता है। यद्यपि ये पुराण बहुत बाद में लिखे गये तथापि इनमें इस युग का वर्णन मिलता है। भारतीय-यूनानी वृत्तों का अनुवाद जे. डब्ल्यू. मैकक्रिंडल ने प्रस्तुत किया है और इस संबंध में **एन्शियेण्ट इंडिया एज़ डिस्क्राइब्ड बाई टेसियस दि निडियन**(कलकत्ता, १८८२), **एन्शियेण्ट इंडिया एज़ डिस्क्राइब्ड इन क्लासिकल लिटरेचर** (वेस्टमिन्सटर, १९०१), **दि इनवेज़न ऑफ इंडिया बाई एलेक्जेण्डर दि ग्रेट** (वेस्टमिन्सटर, १८९६) को देखा जा सकता है। हिरोडोटस के **हिस्ट्री** (ऑक्सफोर्ड, १९१३-१४) में पश्चिमोत्तर भारत का वर्णन है। खुदाई के इन विवरणों में पुरातत्व-संबंधी आंकड़े मिलते हैं : जे. मार्शल, **तक्षशिला** (कैम्ब्रिज, १९५१), ए. घोष, **राजगृह** (पंचम संस्करण, दिल्ली, १९५८) और जी. आर. शर्मा, **कौशांबी** (इलाहाबाद, १९६०)।

इस युग के राजनीतिक इतिहास के लिए देखें : एच. सी. राय चौधरी, **पोलिटिकल हिस्ट्री ऑफ एण्शियेन्ट इंडिया** (कलकत्ता, १९५३)। टी. डब्ल्यू. राइस डेविड्स, **बुद्धिस्ट इंडिया** (लंदन, १९०३), आर. फिक, **सोशल आरगनाइजेशन ऑफ नार्थ-ईस्टर्न इंडिया इन बुद्धाज टाइम** (कलकत्ता, १९२०) और एन. के. वाग्ले, **सोसाइटी एट दि टाइम ऑफ दि बुद्ध** (बम्बई, १९६६) में प्राक्मौर्यकाल के समाज और अर्थव्यवस्था की अनेक महत्वपूर्ण बातें मिलेंगी। आर. एस. शर्मा, के **ऑस्पेक्ट्स ऑफ पोलिटिकल आइडियाज एंड इन्स्टिट्यूशन इन एन्शियेन्ट इंडिया** (दिल्ली, १९६८) में वेदोत्तर काल के

गणतंत्रों पर प्रकाश डाला गया है और उसमें जायसवाल की **हिन्दू पॉलिटी** (कलकत्ता, १९२४) जैसी कमजोरियां नहीं हैं। आर. एस. शर्मा का **शूद्राज इन एन्शियेन्ट इंडिया** (दिल्ली, १९५८) और देवराज चानन का **स्लेवरी इन एन्शियेन्ट इंडिया** (दिल्ली, १९६०) प्राचीन भारतीय समाज के इतिहास पर इस युग की महत्वपूर्ण कृतियां हैं। उत्तर भारत की अर्थव्यवस्था में परिवर्तन पर महत्वपूर्ण टिप्पणियों और प्राचीन भारतीय सिक्को के प्रथम वैज्ञानिक विश्लेषण के लिए डी.डी. कौशांबी की **इंट्रोडक्शन टु दि स्टडी ऑफ इंडियन हिस्ट्री** (बंबई, १९५६) का अवलोकन करें। एडवर्ड कोंजे, **बुद्धिज्म : इट्स एसेन्स एण्ड डेवेलपमेंट्स** (ऑक्सफोर्ड, १९५१) और एस. स्टीवेंसन **दि हर्ट ऑफ जैनिज्म** (आक्सफोर्ड, १९१५) में बौद्ध धर्म और जैन धर्म पर प्रकाश डालते हैं। ए. के. वार्डर की **इंडियन बुद्धिज्म** (दिल्ली, १९७०) में बौद्ध धर्म का विश्लेषण किया गया है। भारत पर सिकंदर के आक्रमण से सम्बन्धित सामग्री के लिए विंसेंट ए. स्मिथ की पुस्तक **अर्ली हिस्ट्री ऑफ इंडिया** (ऑक्सफोर्ड, १९०४) देखें।

५. मौर्य साम्राज्य

अपेक्षित पौराणिक सूत्रों के अध्ययन के लिए एफ. ई. पार्जिटर की पुस्तक **डाइनास्टीज ऑफ दि कलि एज** (लंदन, १९१३) को देखा जा सकता है। ई. हुल्ज्श के **कार्पस इंस्क्रिप्शनम इंडिकेरम**, i (लंदन, १९२५) में अशोककालीन अभिलेखों का संकलन और अनुवाद किया गया है। कौटिल्य के **अर्थशास्त्र** का अनुवाद आर. शर्मा शास्त्री ने किया है (मैसूर, १९५८)। हाल में ही इस ग्रन्थ का विश्लेषणात्मक अध्ययन आर. पी. कांग्ले ने तीन खंडों में प्रकाशित **कौटिल्य अर्थशास्त्र** (बम्बई, १९६०-६५) में प्रस्तुत किया है। के. एच. ध्रुव ने विशाखदत्त के **मुद्राराक्षस** का संपादन किया है (पूना, १९२३)।

मौर्यकाल के बौद्ध धर्म के साक्ष्यों के लिए ओल्डेनबर्ग द्वारा संपादित **दीपवंश** (लंदन, १८७९), कावेल और नाइल द्वारा संपादित **दिव्यावदान** (कैंब्रिज, १८८६) और डब्ल्यू. जाइगर द्वारा संपादित **महावंश** (लंदन, १९०८) देखें। जे. डब्ल्यू. मैक्क्रिंड्ल ने **एन्शियेंट इन्डिया एज डिस्क्राइब्ड बाई मेगास्थनीज एण्ड एरियन** में मेगास्थनीज की **इन्डिका** का अनुवाद प्रस्तुत किया है (कलकत्ता, १८७७)। विभिन्न स्थानों में मौर्यकाल से संबंधित जो पुरातात्विक सामग्री मिली है, उसके लिए **एन्शियेंट इन्डिया** और **इन्डियन आर्कियालाजी—ए रिव्यू** नामक पुस्तकों का अध्ययन किया जा सकता है, जिनका प्रकाशन भारत सरकार के पुरातात्विक विभाग ने किया है।

मौर्यवंश और मुख्यतः अशोक से संबंधित सामग्री के लिए विन्सेण्ट ए. स्मिथ, **अशोक** (ऑक्सफोर्ड, १९०३), डी. आर. बंदरकर, **अशोक** (कलकत्ता, १९२५), बी. जी. गोखले, **बुद्धिज्म एण्ड अशोक** (बम्बई, १९४९) देखें। रोमिला थापर ने अपनी पुस्तक **अशोक एण्ड दि डिक्लाइन ऑफ दि मौर्याज** (ऑक्सफोर्ड, १९६१) में अशोककालीन इतिहास की समस्याओं पर नये सिरे से प्रकाश डाला है। इस ग्रन्थ में अशोककालीन सामाजिक और आर्थिक जीवन पर भी रोशनी डाली गयी है। के. ए. नीलकंठ शास्त्री (संपादक), **दि एज ऑफ दि नंदाज एण्ड मौर्याज** (बनारस, १९५२) और के. ए. नीलकंठ शास्त्री (संपादक), **दि कंप्रिहेंसिव हिस्ट्री ऑफ इंडिया**, ii (बम्बई, १९५७) मौर्य युग से संबंधित प्रामाणिक ग्रंथ हैं। जी. एम. बोंगार्ड-लेविन, **स्टडीज इन एन्शियेंट इंडिया एण्ड सेंट्रल एशिया** (कलकत्ता, १९७१) में मेगास्थनीज के **इंडिका** और अशोककालीन शिलालेखों पर संक्षेप में प्रकाश डाला गया है। डी. डी. कौशांबी ने **इंट्रोडक्शन टु दि स्टडी ऑफ इन्डियन हिस्ट्री** (बम्बई, १९५६) और **कल्चर एण्ड सिविलाइजेशन आफ एन्शियेंट इंडिया इन हिस्टोरिकल आउटलाइन** (लंदन, १९६५) में मौर्य साम्राज्य के अर्थतंत्र का बहुत ही गूढ़ विश्लेषण किया है। आर. एस. शर्मा ने **आस्पेक्ट्स ऑफ पॉलिटिकल आइडियाज एण्ड इन्स्टिटट्यूशन्स इन एन्शियेंट इन्डिया** (दिल्ली, १९६८) में धर्म और अन्धविश्वास की समस्याओं का विश्लेषण किया है। ए. एन. बोस के **सोशल एण्ड रूरल इकॉनोमी इन नार्दर्न इन्डिया**, २ खंड (कलकत्ता, १९४२-४५) में समाज और अर्थव्यवस्था से संबंधित सामग्री मिलेगी। नीहाररंजन राय के **मौर्य एण्ड पोस्ट मौर्य आर्ट** (कलकत्ता, १९७६) में तत्कालीन कला की प्रवृत्तियों का विस्तृत और प्रामाणिक विवेचन किया गया है।

८. विदेशी आक्रमण और व्यापार

शुंगकाल का इतिहास बहुलांश में पौराणिक सामग्री पर आधारित है, जिसका संकलन एफ. ई. पार्जिटर ने अपनी पुस्तक **डायनास्टिज ऑफ दि कलि एज** (लंदन, १९१३) में किया है। इसके लिए कालिदास के **मालविकाग्निमित्र** का भी अवलोकन किया जा सकता है, जिसका हिन्दी अनुवाद एस. आर. चतुर्वेदी ने **कालिदास-ग्रंथावली** (बम्बई, १९५०) में किया है।

भारतीय-यूनानी साक्ष्यों के लिए उस काल के सिक्कों का अध्ययन किया जा सकता है। जिन पुस्तकों में एतद्विषयक सामग्री मिलेगी, उनके नाम इस प्रकार हैं : ए. कनिंघम, **क्वायन्स ऑफ अलेक्जेण्डर्स सकसेसर्स इन दि ईस्ट**

(लंदन, १८७३) आर. बी. ह्वाइटहेड, **कैटलग ऑफ क्वायन्स इन दि पंजाब म्यूजियम, लाहौर**, i (लंदन, १९१४), वी. स्मिथ, **कैटलग ऑफ क्वायन्स इन दि इंडियन म्यूजियम**, कलकत्ता, खंड एक (ऑक्सफोर्ड, १९०६), जे. अलान, **कैटलग आफ क्वायन्स इन दि ब्रिटिश म्यूजियम, एन्शियेंट इन्डिया** (लंदन, १९३६) पी. गार्डनर, **कैटलग ऑफ क्वायन्स इन दि ब्रिटिश म्यूजियम, ग्रीक एण्ड सीथिक किंग्स** (लंदन, १८८६)। हाल में ही ए. के. नारायण ने अपनी पुस्तक **दि इंडो-ग्रीक्स** (लंदन, १९५७) में भारतीय-यूनानी सिक्कों का अध्ययन प्रस्तुत किया है। शिलालेखों से संबद्ध सामग्री स्टेन कोनाऊ की पुस्तक **कार्पस इन्स्क्रिप्शनम इन्डिकेरम**, ii (ऑक्सफोर्ड, १९२९) में मिलेगी। **मिलिन्दपण्हो** के बारे में कहा जाता है कि वह भारो-यूनानी राजा मिनेंदर और बौद्ध नागसेन के बीच हुई बातचीत का संकलन है। उसका अंग्रेजी अनुवाद **क्वेश्चन्स ऑफ किंग मिलिंद** (आक्सफोर्ड, १८९०-९४) के नाम से प्रस्तुत किया गया है। जे. ई. वान लोहुजेन डिलीऊव की **पुस्तक दि सीथियन पीरियड**...(लीदेन, १९४९) में सीथियनों से संबंधित सामग्री मिलेगी। कुषाण-काल के अध्ययन के लिए आर. घ्रिश्मन की **बेग्राम** (कैरो, १९४६) और रोजेनफील्ड की **डायनास्टिक आर्ट्स ऑफ दि कुषान्स** (बर्कले, १९६७) नामक पुस्तकें देखें।

सातवाहन-काल के प्रमुख शिलालेखों के लिए **एपिग्राफिया इंडिका**, खंड ७ और ८ देखें। मुद्रा-विषयक साक्ष्य ई. जे. रैप्सन के **कैटलग ऑफ क्वायन्स इन दि ब्रिटिश म्यूजियम, आंध्राज एण्ड वेस्टर्न क्षत्रप्स** (लंदन, १९१३) और एम. रामाराव के **सातवाहन क्वायन्स इन दि आंध्र प्रदेश गवर्नमेंट म्यूजियम** (हैदराबाद, १९६१) में मिलेंगे। संगम-साहित्य के अंग्रेजी-अनुवाद के लिए जे. वी. चेल्लिया की पुस्तक **टेन तमिल आईडील्स** (कोलंबो, १९४७) देखें।

इस युग के राजनीतिक इतिहास के प्रामाणिक विवरण के लिए एच. सी. रायचौधरी का **पोलिटिकल हिस्ट्री आफ एन्शियेंट इन्डिया** (कलकत्ता, १९५३), के. ए. नीलकंठ शास्त्री द्वारा संपादित **दि कंप्रिहेंसिव हिस्ट्री ऑफ इंडिया**, ii (बम्बई, १९५७) देखें। बी. एन. पुरी की **इन्डिया अंडर दि कुषान्स** (बंबई, १९६५) और बी. चट्टोपाध्याय की **दि एज ऑफ दि कुषान्स** (कलकत्ता, १९६७) तथा **कुषाण स्टेट एण्ड इन्डियन सोसाइटी** (कलकत्ता, १९७५) नामक पुस्तकों में अनेक त्रुटियां हैं, फिर भी कुषाण-काल पर हाल की प्रकाशित पुस्तकों में वे महत्वपूर्ण हैं। जी. यज्दनी द्वारा संपादित **दि अर्ली हिस्ट्री ऑफ दि डेक्कन** (ऑक्सफोर्ड, १९६०), के. ए. नीलकंठ शास्त्री की **ए हिस्ट्री ऑफ साउथ इंडिया** (ऑक्सफोर्ड यूनिवर्सिटी प्रेस, १९५८) और पी. टी. एस. आयंगर की **हिस्ट्री ऑफ दि तमिल्स टु ६०० ए. डी.** (मद्रास, १९२९) नामक पुस्तकें दक्षिण भारत के इतिहास पर प्रकाश डालती हैं।

व्यापार और व्यापार-मार्गों से संबंधित सामग्री के लिए **जातकों**, प्लिनी के **नेचुरल हिस्ट्री** और टोलेमी के **ज्योग्राफी** का अवलोकन किया जा सकता है। फिर भी, ईसवी सन् की प्रारंभिक शताब्दियों के दौरान पश्चिमी विश्व के साथ भारत के व्यापारिक संबंधों के अध्ययन के लिए **पेरिप्लस ऑफ दि इरिथ्रीअन सी,** अनुवादक डब्ल्यू. एच. स्कोफ्फ (लंदन, १६१२) एक महत्वपूर्ण मूल स्रोत है। ई. एच. वारमिंग्टन की **कामर्स बिटवीन दि रोमन इम्पायर एण्ड इंडिया** (कैंब्रिज, १६२८) इस विषय से संबंधित एक प्रमुख आधुनिक कृति है। आर. ई. एम. ह्वीलर ने **रोम बियोंड इम्पीरियल फ्रण्टियर्स** (पेलिकन, १६५१) में भारत-रोम व्यापार से संबंधित पुरातात्विक साक्ष्यों का विश्लेषण किया है। लेकिन वारमिंग्टन और ह्वीलर दोनों ने ही विषय का अध्ययन साम्राज्यवादी दृष्टिकोण से किया है तथा आधुनिक काल में अंग्रेजों द्वारा भारतीय स्रोतों के शोषण का औचित्य सिद्ध किया है। ह्वीलर और कृष्णदेव ने **अरिकमेडु** की खुदाइयों का विवरण **एन्शियेण्ट इंडिया,** संख्या २ (१६४६) में प्रकाशित किया है और नागार्जुनी कोंडा से संबंधित सामग्री भारत सरकार के पुरातत्त्व-विभाग ने १६७६ में प्रकाशित की है। **दि सिल्क रोड** (लंदन, १६६६) में चीनी रेशम के व्यापार पर प्रकाश डाला गया है। कहा जाता है कि इस व्यापार में भारत के व्यापारी बिचौलियों की भूमिका अदा करते थे। मध्य एशिया और चीन के साथ भारत के सम्पर्कों के लिए पी. सी. बागची की **इंडिया एण्ड चाइना** (कलकत्ता, १६४४) और एन. पी. चक्रवर्ती की **इंडिया एण्ड सेंट्रल एशिया** (कलकत्ता, १६२७) नामक पुस्तकों तथा जी. एम. बोंगार्ड-लेविन की पुस्तक **स्टडीज इन एन्शियेण्ट इंडिया एण्ड सेंट्रल एशिया** (कलकत्ता, १६७१) के संबद्ध अंशों का अवलोकन किया जा सकता है। इस काल में पश्चिम भारत के आर्थिक जीवन के अध्ययन के लिए जी.एल. आध्य की पुस्तक **अर्ली इंडियन इकोनोमिक्स** (बम्बई, १६६६) एक आधुनिकतम कृति है। आर. सी. मजुमदार की पुस्तक **कारपोरेट लाइफ इन एन्शियेण्ट इंडिया** (कलकत्ता, १६१८) में गिल्ड संबंधी तथ्य प्रस्तुत किये गये हैं। चार्ल्स इलियट की **हिन्दूइज्म एंड बुद्धइज्म,** ३ खंड (लंदन, १६२१) और टी. वी. राइस डेविड्स की **बुद्धइज्म, इट्स हिस्ट्री एण्ड लिटरेचर** (लंदन, १६२३) नामक पुस्तकों में धर्म से संबंधित ऐतिहासिक सामग्री मिलेगी। जैन धर्म के इतिहास के लिए **कैंब्रिज हिस्ट्री ऑफ इन्डिया,** i एक उपयोगी ग्रन्थ है। एच. सी. राय चौधरी की **दि अर्ली हिस्ट्री ऑफ दि वैष्णव सेक्ट** (कलकत्ता, १६२६) और एस. जायसवाल की **ओरिजिन एंड डेवलपमेंट ऑफ वैष्णवइज्म** (दिल्ली, १६६७) नामक पुस्तकों में वैष्णव धर्म में हुए परिवर्तनों की ओर इंगित किया गया है। समकालीन कला और वास्तुशिल्प के इतिहास की जानकारी के लिए पर्सी

ब्राउन की **इंडियन आर्किटेक्चर** (बम्बई, १९५९) विद्या दाहेजिया की **अर्ली बुद्धिस्ट रॉक टेम्पलस** (लंदन, १९७२), बेंजामिन रोलैंड की **दि आर्ट एंड आर्किटेक्चर ऑफ इंडिया** (हामंड्सवर्थ, १९५९) और नीहाररंजन राय की **मौर्य एण्ड पोस्ट मौर्य आर्ट** (कलकत्ता, १९७६) नामक पुस्तकें देखें।

७. स्वर्ण युग की कपोल-कल्पना

जे. एफ. फ्लीट ने **कार्पस इंसक्रिप्शनम इंडिकेरम,** iii (कलकत्ता, १८८८) में गुप्तकालीन अभिलेखों का संपादन और अनुवाद किया है। जे. एलन की **कैटलग ऑफ दि क्वायन्स ऑफ दि गुप्त डायनास्टी इन दि ब्रिटिश म्यूजियम** (लंदन, १९१४) और ए. एस. अल्तेकर की **कैटलग ऑफ दि गुप्त गोल्ड क्वायन्स इन दि बायान होर्ड** (बम्बई, १९५४) नामक पुस्तकों में मुद्रा-संबंधी साक्ष्य मिलेंगे। एच. ए. गाइल्स की पुस्तक **दि ट्रेवल्स ऑफ फाहियान** (कैंब्रिज, १९२३) में चीनी यात्री फाहियान का यात्रा-वृतांत मिलेगा। साहित्यिक स्रोतों के लिए विशाखदत्त का **देवीचंद्रगुप्तम्,** कालिदास की कृतियां, वात्स्यायन का **कामसूत्र** और एच.एच. विल्सन द्वारा अनूदित **विष्णु पुराण** (लंदन, १८६४-७०) देखें। जी. बुहलर की **सेकरेड बुक्स ऑफ दि आर्याज** (ऑक्सफोर्ड, १७८९-८२) और जे. जौली की **दि माइनर लॉ बुक्स** (ऑक्सफोर्ड १८८९) नामक पुस्तक में तत्कालीन विधि-ग्रन्थों के अंग्रेजी अनुवाद प्रस्तुत किये गये हैं। विभिन्न स्थानों में खुदाइयों से मिली गुप्तकालीन सामग्री की जानकारी के लिए **एन्शियेण्ट इंडिया** और **इंडियन आर्कियालॉजी—ए रिव्यू** का अवलोकन किया जा सकता है।

गुप्तकाल की अनेक बातों की जानकारी के लिए आर. सी. मजुमदार द्वारा संपादित **दि गुप्त-वाकाटक एज** (लाहौर, १९४६) और बी. पी. सिन्हा की **दि डिक्लाइन ऑफ मगध** (पटना, १९५४) नामक पुस्तकें काफी उपयोगी हैं। एस. के. मैती ने अपनी पुस्तक **इकॉनोमिक लाइफ इन नार्दर्न इंडिया इन दि गुप्त पीरियड** (द्वितीय संस्करण, कलकत्ता, १९७०) में गुप्तकाल से संबंधित आर्थिक विवरणों पर सर्वप्रथम बहुत ही गंभीरतापूर्वक प्रकाश डाला है। भूमि-व्यवस्था से संबंधित सामग्री के लिए यू. एन. घोषाल की पुस्तक **एग्रेरियन सिस्टम इन एन्शियेण्ट इंडिया** (कलकत्ता, १९७३) देखें। आर. एस. शर्मा की पुस्तक **इंडियन फ्युडलिज्म** (कलकत्ता, १९६५) में सामंती भूमि-व्यवस्था और कृषि-दासता के उदय का सर्वाधिक तथ्यपरक विश्लेषण किया गया है। भारत में सामंतवाद के उदय के अध्ययन के लिए डी. डी. कोशांबी की **इंट्रोडक्शन टु दि**

स्टडी ऑफ इंडियन हिस्ट्री (बम्बई, १९५६) और **कल्चर एण्ड सिविलाइजेशन ऑफ एन्शियेण्ट इंडिया इन हिस्टोरिकल आउटलाइन** (लंदन, १९६५) नामक पुस्तकें भी उपयोगी हैं। प्राचीन भारत की राजनीतिक विचारधारा के अध्ययन के लिए जे.डब्ल्यू. स्पेलमन की पुस्तक **पोलिटिकल थियोरी ऑफ एन्शियेण्ट इंडिया** (ऑक्सफोर्ड, १९५४) देखें। तत्कालीन राजनीतिक विचारों और संस्थाओं के इतिहास के सम्यक् आलोचनात्मक अध्ययन के लिए आर.एस. शर्मा की पुस्तक **आस्पेक्ट्स ऑफ पोलिटिकल आइडियाज एण्ड इन्स्टिट्यूशन्स इन एन्शियेण्ट इंडिया** (दिल्ली, १९६८) विशेष रूप से उपयोगी है। चार्ल्स इलियट की **हिन्दूइज्म एण्ड बुद्धइज्म**, ३ खंड (लंदन, १९२१) और आर. जी. भंडारकर की **वैष्णवइज्म, शैवइज्म एण्ड माइनर रिलिजियस सिस्टम्स** (स्ट्रैस्सबर्ग, १९१३) नामक पुस्तकों में धार्मिक उलटफेर का अध्ययन प्रस्तुत किया गया है। वैष्णव मत के अध्ययन के लिए एस. जायसवाल की पुस्तक **ओरिजिन एण्ड डेवलपमेंट ऑफ वैष्णवइज्म** (दिल्ली, १९६७) एक अद्यतन कृति है। मंदिरों के वास्तु-शिल्प के विकास के अध्ययन के लिए पी. ब्राउन की **इंडियन आर्किटेक्चर** (बंबई, १९५९) और बी. रोलैंड की **दि आर्ट एण्ड आर्किटेक्चर ऑफ इंडिया** (हार्मोंड्सवर्थ, १९५९) नामक पुस्तकें देखें। जी. यज्दनी ने **अजंता** नामक सचित्र ग्रन्थ में अजंता की मूर्तियों पर प्रकाश डाला है।

अनुक्रमणिका

चित्र १

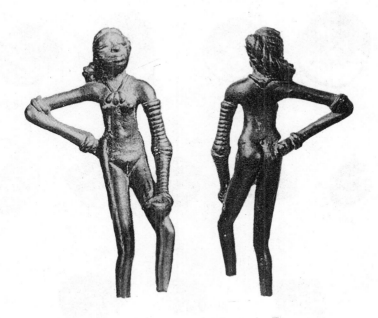

चित्र २

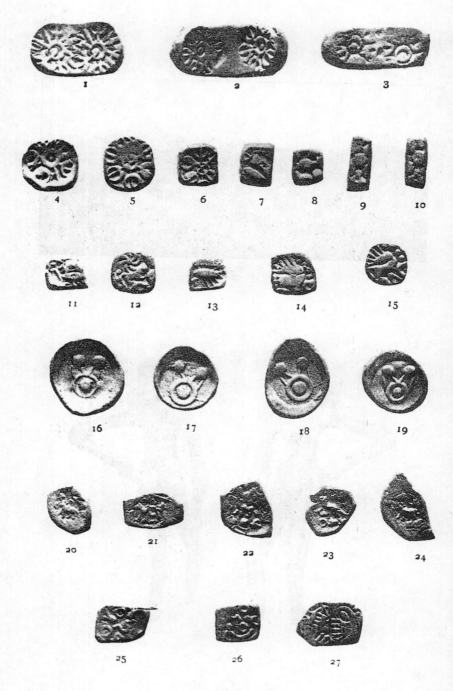

चित्र ३

चित्र ४

चित्र ५

चित्र ६

चित्र ७

चित्र ८

चित्र ९

चित्र १०

चित्र ११

चित्र १२

(क)

(ख)

(ग)

चित्र १३

चित्र १४

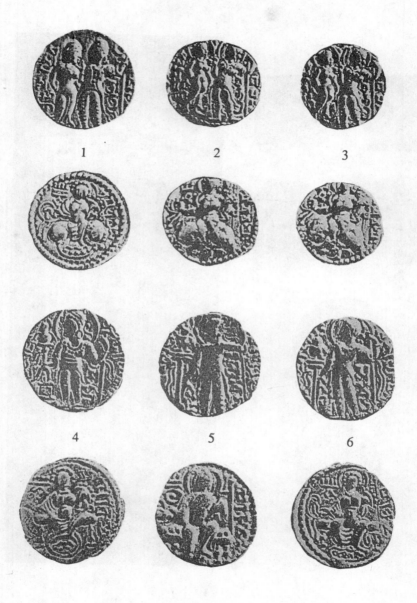

1 2 3

4 5 6

चित्र १५

चित्र १६

चित्र १७

चित्र १८